THE TALENTED MR.
RIPLEY

天才雷普利

Patricia Highsmith——著
傅玉安——譯

導讀

詹宏志

擾人的海史密斯小姐

如果你讀的推理小說還不算多，或者如果你對偵探小說轉往犯罪小說的歷史也還不算熟悉的話（對常讀日本推理小說的讀者而言，這句話應該改為：如果你對本格派與社會派的分野還不算熟悉的話），當你第一次讀到派翠西亞・海史密斯的小說，你可能會覺得有點，呃，有點，有點擾人（disturbing）。

Disturbing，擾人，沒錯，就是這個字。這是過去文評家討論到海史密斯的作品時最常用到的字眼，如果你沒讀過，讓我抄錄一段《紐約客》的書評給你：「派翠西亞・海史密斯的小說是無與倫比的擾人……是讓我們讀完之後餘夜難安的惡夢，讓我們意識到一種可以言喻卻不能解釋的恐怖可能性。」

海史密斯小姐剛剛過世才幾年（一九九五年），留下了二十部長篇小說和七部短篇合集，在推理小說家之中，這樣的數量不能算多，但她卻以這些精采的作品在推理小說史上留下不可磨滅的印記，一群忠實追隨的書迷（包括本人在內），以及一個所謂的「海史密斯流派」（Highsmith

School）。

什麼是海史密斯流派？這些小說又為什麼會擾人？

說來話有點長，請容我從歷史淵源說起，但又扼要地說吧。

在偵探小說剛誕生的上古時期，或者說在福爾摩斯和華生醫師還未退休的時候，偵探小說家對犯罪的看法是很一致的，也就是說小說家們都覺得犯罪就是冷血，犯罪就是反社會，犯罪者大多道德鄙下，犯罪者應該繩之以法。就像福爾摩斯提到犯罪者時總是說：「真是一個冷血的惡棍！」

從這些例子，我們看到在早期的偵探小說裡，作者是採取了與偵探同一立場的觀點來寫作的，小說和社會上的法律一樣，都是扮演伸張公義、捍衛秩序的角色；小說也站在無辜大眾的立場，扮演對犯罪者懼怕、受害、懷疑、憤怒的角色。至於在犯罪者那一邊，他們是誰？性格如何？童年如何？內心如何？偵探小說其實並不關心，犯罪者只是小說的工具，只是神探用來逞其聰明英勇的工具。

但自從漢密特（Dashiell Hammett）和錢德勒（Raymond Chandler）開啟了美國冷硬派偵探的新紀元，偵探小說的關心就開始起了變化。這個時候偵探脫去了高智商菁英份子的色彩，變成一種不入流也不得已的職業，他們游走於社會底層，和犯罪者打交道，因而有了一個較親近的觀察。如同錢德勒的名言：「（他們）把謀殺還給有理由做這些事的人身上，而不是只提供一具屍體。」

派翠西亞・海史密斯所寫的小說和古典推理小說或美式冷硬派偵探卻完全不一樣。現在，擺在你面前的《天才雷普利》是她的代表作之一，你可以看出它和傳統的推理小說有多麼不一樣。它也和偵探小說一樣有一位偵探，但他遲遲才出現在第二十七章，卻又在二十八章提早離去（全書共有三十章）。其他二十八章都沒有偵探的篇幅，小說究竟在做些什麼？

小說作者和犯罪者在一起，詳細記錄犯罪者的一舉一動，記錄他的內心起伏，記錄他的思考邏輯；它讓讀者不得不和犯罪者站在同一立場，為他心驚肉跳，為他情緒起落，為他快被識破而捏一把冷汗。當你和犯罪者一起度過這些「犯罪歲月」，讀完之後你會感到道德崩潰，懷疑自己出了什麼問題，你害怕起自己內心黑暗的成分，看到自己犯罪的潛力，你開始覺得餘夜難安，覺得disturbing，呃，覺得擾人。

聰明的雷普利先生

海史密斯小姐就是這樣一位犯罪小說史上獨樹一幟的小說家，許多名家都對她的文學成就推崇備至；推理小說史家兼評論家朱利安・西蒙斯（Julian Symons）說她是「嚴肅的犯罪小說家」，諾貝爾文學獎多次提名的文學大師葛蘭姆・葛林（Graham Greene）則說：「她屬於自創一個世界的作家，那個世界幽閉而非理性，每次我們步入其中，都不由得感到危險……」而基亭（H.R.F. Keating）更大膽地宣稱：「湯姆・雷普利將成為時代的產物，那個詩人奧登稱為『焦慮年代』的時代。」

派翠西亞・海史密斯一九四五年開始有短篇小說發表，一九五〇年她的第一部長篇小說《火車怪客》（*Strangers on a Train*）問世，立刻震動了世界；這本小說的奇特構想吸引了大導演希區考克（Alfred Hitchcock）的注意，將它改編為電影，他把海史密斯推廣成舉世聞名的小說作者。從《火車怪客》開始，海史密斯就顯露出她對犯罪行為的特殊了解；這本小說講到兩個在火車上相遇的陌生人，相約為對方殺去自己所恨的人，被殺的人因為與殺人者毫不認識，這種無線索的謀殺將無法被警方所破獲。這個奇特的構想以及故事一路的怪異發展，的確是前所未見的獨創作品。

但派翠西亞・海史密斯最著名的作品，是一系列共五本以雷普利為主角的小說，其中又以《天才雷普利》最受讀者歡迎，而這位雷普利先生卻是最不可能成為小說主角的怪異人物。

雷普利是怎麼樣的一個人？很難說得清楚，他是一個賊，也是一位專門偽造文書騙人騙財的痞子，他習慣性地說謊，無法對女性產生好感（作者沒有明說，但湯姆・雷普利極可能有男同性戀的傾向），必要時他會變得十分冷血而暴力；但他有一些天賦，就是對數字有些本事，對見機說謊也頗得心應手。像這樣的人物照理說不太容易成為人們喜歡的對象，但很奇怪的，隨著海史密斯的緊跟雷普利的描寫，我們不禁關心起這個毫無道德邏輯的犯罪者，甚至對他的安危開始感到緊張，生怕他的罪行就要敗露。當他無賴行騙，甚至冷血殺人卻僥倖過關時，我們卻又為他鬆了一口氣。

這是一個很擾人的閱讀經驗，但又令人難以閤卷；論者大都歸因於海史密斯處理人物的心理深度，她深明犯罪者天性中不可控制的衝動與自成一格的內在邏輯，描寫得既可怖卻又合情入理。而那些非理性的犯罪衝動又隱隱與我們內在的某些聲音若合符節，讓我們讀後害怕起自己來。

如果你是一位純文學的愛好者，你也許也會看出，《天才雷普利》其實是一部犯罪版的《奉使記》（*The Ambassadors,* 1903）；《奉使記》是心理小說大師亨利・詹姆士（Henry James）的晚期經典，寫的也是一位美國人奉命前往歐洲勸回一位年輕人的故事。《天才雷普利》開始時，神祕的老人看上雷普利（雷普利以為警察找上他了，嚇出一身冷汗），要他幫忙前往義大利勸留在那裡做畫家夢的兒子回國，這個故事與《奉使記》是很像的，就連歐洲的許多旅遊情景也是相像的，但聰明的（有犯罪天賦的）雷普利先生到了歐洲，音樂就走了調，他不可測的毀滅傾向就闖出許多不可思議的亂子來，這和老亨利・詹姆士的古典故事可就完全不一樣了。

這部富於爭議性的小說還有一則軼聞，當年這本書驚動了讀書界，被提名入圍英國犯罪小說協會的金匕首獎，結果會中一位評審揚言，如果其他評審投票選出此作為最佳作品，她就立刻辭職，你猜《天才雷普利》得獎沒？

沒有，它沒有得到任何獎項！當年的第一名是誰？是溫士敦・葛萊罕（Winston Graham）的《小牆》（*Little Walls*），現在已經沒有人要看了。

1

湯姆回頭瞥見那名男子步離「碧盧」，正朝同個方向走來。湯姆加快了腳步。這名男子八成是在跟蹤他。湯姆五分鐘前即注意到他在鄰桌緊盯著自己，一副不能十分確定卻也幾近篤定的模樣。那確信的表情讓湯姆不由得匆忙灌完飲料、付錢走人。

湯姆順勢向前拐過街角，快步穿越第五大道。「拉奧的店」就在眼前。他該冒險走進店裡再喝一杯，碰碰運氣了事嗎？還是應該一鼓作氣直奔公園大道，鑽進幾條暗巷來擺脫他？他走進了拉奧的店。

他緩緩走向吧台前一處空位，習慣性地四下瞧瞧是否有親朋好友在場。然後他瞧見了一個他認識、卻老是忘記姓名的紅髮大漢，正與一名金髮女子坐在一塊兒。紅髮男子招了招手，湯姆無力地伸手回了禮。他一腳跨坐在凳子上，一副挑釁卻又氣定神閒的樣子面對門口。

「請給我琴湯尼。」他對酒保說。

他們會派這種人來跟蹤他嗎？會，不會，會嗎？他看起來完全不像警察或私家偵探。他看起來像個生意人，像個父執輩，穿著講究，修養良好，鬢邊幾許銀絲，態度透著半信半疑。是不是針對這類型的案子他們就會派出這種人來，或許一開始先在酒吧內和你搭訕，然後突然啪的一聲！——一手拍著你的肩膀，一手亮出警徽說：「湯姆．雷普利，你被逮捕了！」湯姆盯著門口。

他來了。這名男子四下張望，瞧見了湯姆後便立即移開視線。他脫下草帽，在吧台彎角處找了個位子坐下。

天啊，他想幹嘛？他鐵定不是皮條客，湯姆左思右想依然如此認為，但此刻他可憐的腦袋只能絞出這麼個字眼，彷彿這個字眼能保護他似的，因為他寧願這個男人是個皮條客而非條子。應付皮條客，他只要說「不了，謝謝。」然後微笑著一走了之即可。湯姆轉身坐正，雙手抱胸。

湯姆看見那名男子對酒保做出稍後再服務的手勢，然後沿著吧台朝他走來。終於來了！湯姆緊盯著他，連動都不敢動一下。最多關個十年，湯姆心想，也許十五年，但表現良好的話——正思及此，男子開口說話了，湯姆有種悔不當初、痛苦絕望的沮喪。

「抱歉，你是湯姆．雷普利嗎？」

「是的。」

「我是赫伯特．葛林里。理察．葛林里的父親。」就算他用槍抵著湯姆，也比不上他臉上的表情更令湯姆百思不解。那是張友善、笑容可掬又充滿希望的臉孔。「你是理察的朋友，不是嗎？」

他腦海裡閃過了一抹朦朧的印象。狄奇．葛林里，一個金髮高個兒。湯姆記得他頗多金的。

「哦，狄奇．葛林里。是的。」

「至少，你總認識查爾斯與瑪塔・史立佛吧？就是他們向我提起你，說你可能——噢，我們找張桌子坐下來好嗎？」

「好。」湯姆愉悅地說著，隨手端起了他的飲料。他隨著這名男子走向室內後方的一張空桌子。暫時解脫了，他想，自由了！沒人要逮捕他。這可是另一回事。不論是何事，反正不是重大竊盜或竄改郵件那類的事。也許理察碰到什麼麻煩了；或許葛林里先生需要什麼幫助或建議。應付葛林里先生這類型的父親，湯姆自有分寸。

「我之前不大確定你是湯姆・雷普利。」葛林里先生說。「我想我只見過你一次，你是不是曾和理察來過寒舍一次？」

「我想是吧。」

「史立佛夫婦也向我敘述了你的樣子。我們一直在找你，因為史氏伉儷希望我們能到他家小聚一番。有人告訴他們說你偶爾會去碧廬坐坐。今晚是我頭一次出來找你，所以我想我還蠻幸運的。」他笑著說。「上個禮拜我寫了封信給你，不過你也許沒收到。」

「是的，我沒收到。」馬克沒有把信轉寄過來，湯姆想，該死的傢伙！也許朵蒂姑媽寄了支票來呢。「我大概一個禮拜前搬了家。」湯姆補了一句。

「哦，原來如此。我信上也沒提些什麼。只是說我想與你見個面，聊一聊。史氏夫妻好像認為你和理察很熟。」

「我記得他，沒錯。」

「可是你現在沒和他通信了？」他一臉失望。

「沒有。我有好幾年沒見過他了。」

「他已經在歐洲待了兩年了。史立佛夫婦非常稱讚你，認為要是你寫信給理察的話，或許對他會有些影響。我希望他回來，他在這裡有些責任要扛——但他對我和他母親說的話完全充耳不聞。」

湯姆滿腹疑惑。「史立佛夫婦究竟說了些什麼？」

「他們說——顯然他們是誇大了些——說你和理察是非常要好的朋友。我猜他們自以為你和理察一直有書信往來。你瞧，我對理察的朋友所知甚少——」他瞄了一眼湯姆的玻璃杯，好像想請他喝一杯，這是最起碼的禮貌，但湯姆的杯子幾乎是滿的。

湯姆記起曾和狄奇・葛林里一起參加過史立佛家舉辦的雞尾酒會。也許葛林里一家人較自己對史立佛家來得熟，所以會有這些曲折。他這一輩子和史立佛一家人見面的次數不超過三、四次，而上一次見面，湯姆想，是他幫查理・史立佛結算所得稅的那個夜晚。查理是個電視導播，每年都要被自己的所得給整得焦頭爛額。他不但幫查理理清他的稅目，還把應繳稅款弄得較查理實際應繳的金額低，而且是完美合法的節稅並非逃漏稅，查理因此認為他是個天才。也許這就是查理向葛林里先生推薦他的原因。根據那晚的表現，查理可能對葛林里先生說，他很聰明，頭腦清晰、誠正不阿，而且十分熱心。但這些與事實頗有些出入。

「不知道你是否認識其他和理察走得近、而且能對他有些影響的人？」葛林里先生可憐兮兮地問。

巴迪·蘭肯諾，湯姆心想，但他可不想拿這種事來煩巴迪。「恐怕不認識。」湯姆搖頭說。「理察為什麼不回來呢？」

「他說他比較喜歡住在那兒。可是他母親現在身體很差……嗯，這是我自己的家庭問題，很抱歉，拿這些事來煩你。」他一手掠過梳得整齊的稀疏白髮，看起來很心煩。「他說他在畫畫。那倒是無妨，可是他不是當畫家的料。不過，他在船體設計方面很有天份，要是他肯把心思放在這上面就好了。」他抬頭對招呼他的服務生說道：「請給我威士忌加蘇打水，帝王牌的。要不要也來一杯？」

「不了，謝謝。」湯姆說。

葛林里先生一臉歉意地看著湯姆。「你是理察的朋友當中，頭一個願意聽我說話的人。其他人都擺出一副覺得我想干涉理察的態度。」

湯姆相當了解這點。「我很希望我能幫得上忙。」他客氣地說。他現在想起來了，狄奇的金錢支援來自一家造船公司，小型帆船公司。顯然他父親要他回來接管公司。湯姆對葛林里先生笑了笑，一種不帶任何意義的笑，隨後喝乾了飲料。湯姆沿著椅緣坐，準備離開，但對面那人臉上透著明顯的失望。「他待在歐洲的哪兒？」湯姆問道，其實他一點也不在乎他在哪裡。

「一個叫蒙吉貝羅的城鎮，在那不勒斯南部。那兒連個圖書館也沒有，他告訴我的。他在那裡買了棟房子，不是畫畫就是駕帆船來打發時間。理察自己有份收入——不是什麼大錢，但顯然夠他在義大利生活。嗯，人各有所好，不過我肯定那地方沒什麼吸引人的東西。」葛林里先生笑得凜然。「我可以請你喝一杯嗎，雷普利先生？」服務生端著他的威士忌加蘇打水過來時，他這麼問。

湯姆想離開，可是他又十分不願意留下這個人獨坐面對剛端來的飲料。

「謝謝，我想我可以喝一杯。」他說著，將杯子遞給服務生。

「查理・史立佛告訴我說你從事保險業。」葛林里先生愉悅地說。

「那是前一陣子的事了。我——」他不想說他以前在稅務局工作，時機不對。「我目前在一家廣告公司的會計部門工作。」

「哦？」

兩人沉默了一會兒。葛林里直盯著他，眼神哀憐、渴望。他能說什麼呢？湯姆後悔接受了他請的飲料。

「對了，狄奇現在多大歲數？」湯姆問。

「二十五。」

我也是，湯姆想，狄奇八成在那裡享受人生。有一份收入、一棟房子、一艘船，他為什麼要回來呢？狄奇的面容愈來愈清晰了：嘴巴總是笑得很開、一頭鬈曲的金髮，一張四處逢源的臉龐。狄奇是個幸運兒。反觀自己，二十五歲這把年紀在做些什麼呢？一週接一週地混日子，沒有銀行戶頭，生平頭一遭在躲警察。他頗有數學天份，為什麼就沒隨隨便便什麼人花錢請他發揮這項長才？湯姆發覺他全身肌肉緊繃，手中的火柴盒讓他壓扁了大半邊，差一點全壓平了。真煩，真他媽的煩死了，煩！煩！煩！他想回到吧台那兒，一個人。

湯姆吞了一口飲料。「如果您給我地址的話，我十分樂意寫封信給狄奇。」他說得很快。「我想他還記得我。我記得我們有個週末在長島一起參加一個聚會。狄奇和我出去撿淡菜給大家當早餐。」湯姆笑著。「結果有一兩個人吃了覺得很不舒服，那聚會辦得也不是十分成功。不過我還記得狄奇那個週末提過，他準備去歐洲。他一定是離開——」

「我想起來了！」葛林里先生說。「那是理察還在這兒的最後一個週末。我想他跟我說過淡菜的事。」他笑得相當大聲。

「我也去過府上好幾次。」湯姆繼續說，愈說愈帶勁兒。「狄奇讓我看了好幾艘放在他房間桌上的模型船。」

「那些只是他孩童時期的作品！」葛林里先生整個人亮了起來。「他有拿他的結構模型給你看嗎？或是他的繪畫作品？」

狄奇沒拿給他看，但是湯姆開心地說：「有啊！他當然有秀給我看。是些鋼筆畫，其中有些真是令人嘆為觀止。」湯姆從來沒看過這些畫，但是他現在看得見，那些畫像西洋棋盤，一點一線都設計得工工整整，他可以看見狄奇正在微笑，手中抱著這些畫秀給他看。他其實還可以再繼續胡謅個數分鐘來取悅葛林里先生，但他節制了一下。

「沒錯，理察在線條方面有天賦。」葛林里先生得意地說。

「我想也是。」湯姆贊同。他又要開始覺得無聊了。湯姆很熟悉這些情緒的波動。他偶爾在聚會上會有這種感覺，不過通常還是發生在他和一開始就不願與其共餐的人共進晚餐的時候，那時夜晚便會愈來愈難熬。現下他還能極其有禮地再待上一小時，只要心中某些會讓他奪門而逃的東西不爆發出來。「很遺憾我現在不是那麼有空，要不然我會很樂意去那裡，看看自己能不能說動理察。也許我可以稍微影響他。」他這麼說，只是為了順應葛林里先生的心思。

「如果你真的這麼認為——不知道你是否計畫到歐洲走一趟？」

「沒有，我沒這個打算。」

「理察向來很聽朋友的話。如果你或是其他和你一樣認識他的人能請個假的話，我可以送他們到歐洲去和他談一談。無論如何，我認為這麼做總是比我自己過去還有效。我想你大概無法跟現在的公司請假吧？」

湯姆的心突然猛跳了一下。他裝出正在考慮的樣子。這是個機會，他還沒來得及細思，體內便有某種東西直覺這麼認為。現職：零。反正他不久也得出城去，他想離開紐約。「我可以。」他小心翼翼地說，臉上依然是那副沉思狀，彷彿他正在考量千千萬萬個阻止他的小理由。「如果你確定要去，我非常樂意負擔你的旅費，這是應該的。你真的認為你可以挪出時間嗎？那麼，今年秋天怎麼樣？」

現在已是九月中。湯姆盯著葛林里先生小指上那紋飾幾已磨平的金璽戒。「我想可以。我很樂意再見到理察——尤其是您認為我可能有些幫助的話。」

「我的確這麼認為！我想他會聽你的話。雖然你和他並不是很熟，如果你向他強調你為什麼認為他應該回家來，他會明白你別無他圖。」葛林里先生靠著椅背，以讚許的眼光看著湯姆。

「奇怪的是，吉姆・柏克和他太太——吉姆是我的合夥人——他們去年搭乘郵輪時曾經過蒙吉貝羅，理察當時答應說一到冬天就會回來，去年冬天。吉姆已經放棄了，有哪個二十五歲的男孩子會聽一個六十多歲老頭兒的話？我們這些人都辦不到的事，你應該可以辦成！」

「希望如此。」湯姆謙虛地說。

「要不要再來一杯？再來一杯高級的白蘭地好嗎？」

2

湯姆啟程回家時，時間已過了午夜。葛林里先生本來要叫計程車順道送他一程，但湯姆可不想讓他看見自己的住處——第二、第三大道之間一棟又髒又破的褐石建物，屋外還懸掛了「雅房出租」的招牌。兩個半星期以來，湯姆都跟鮑伯・狄蘭西住在一起，他根本不大認識鮑伯，但鮑伯卻是湯姆在紐約的舊雨新知中，唯一願意在他無處可去時收留他的人。湯姆從來不請他的朋友到鮑伯家去，更沒有告訴別人他的住處。鮑伯那兒最大的好處就是，他可以收到寄給自己的化名「喬治・麥凱平」的信件，而且被人盤查的可能性微乎其微。只是得忍受走廊盡頭那無法上鎖且臭氣熏天的廁所，和髒亂的單人房，那裡頭像是遭成千個人隨手留下各種千奇百怪的垃圾，卻從未見人動手清理過，還有成堆的《時尚》與《哈潑時尚》雜誌散落各地，俗氣的毛玻璃製大碗則東放西擺，碗裡裝滿了線圈、鉛筆、菸蒂和腐爛的水果！鮑伯以前是個替商店和百貨公司工作的自由櫥窗設計師，但目前他只是偶爾替第三大道的古董店做些案子，而有些古董店就給他這些毛玻璃大碗充當酬勞。湯姆相當震驚這地方居然如此汙穢不堪，震驚自己竟然認識這樣過日子的人，但他知道自己不會在這兒長住。現在葛林里先生出現了，人生總是有轉機。這是湯姆的生活哲學。

正準備登上褐石階梯時，湯姆停下腳步，小心翼翼地左顧右盼。除了一名老婦人帶狗出來透透氣，以及一個老人從第三大道街角搖搖晃晃地走來之外，什麼也沒有。若說有哪一種感覺令他生厭，那麼就是遭人跟蹤，遭任何人跟蹤。而最近他老是有這種感覺。他跑上了樓梯。

現在他十分介意房間汙穢不堪了，他走進房間時這麼想。只要他一拿到護照，就要啟航前往歐洲，說不定搭的是頭等艙，按個鈴服務生就送東西來！著盛裝享用晚餐，漫步在大餐廳裡，坐在桌旁像個紳士般與人談天！他今晚得好好為自己慶賀一番，他想。他表現得恰到好處，葛林里先生絕對想不到他設計騙取了這趟歐洲之行，正好相反，葛林里先生認為湯姆絕不會讓自己失望，認為他會盡力幫助狄奇。葛林里先生本身是個相當正直的人，因此認定世上其他人也一樣正直。湯姆幾乎忘了世上還有這種人存在。

他慢慢地脫下夾克、解開領帶，看著自己的每個動作，彷彿正看著其他人的舉動似的。他驚見此刻自己的站姿居然如此挺拔，面容也十分不同。這是他這輩子少數幾次覺得自滿。他一手伸進鮑伯那塞得滿滿的衣櫥，用力將衣架撥向兩旁以挪出空間放他的外套。隨後他走進浴室。老鏽的蓮蓬頭送出一道水柱噴向浴簾，另有一道則到處亂噴，他幾乎接不到水來淋濕自己，但這總比坐在髒兮兮的浴缸內來得好多了。

隔天早晨他醒來時，不見鮑伯的人影，湯姆瞥了一眼他的床，知道他沒回來過。湯姆跳下床，走向兩段式火爐，將咖啡放上去煮。鮑伯今早不在家正好。他不想將這趟歐洲之行告訴鮑伯。那個卑鄙的無賴只會認為這是趟免費之旅而已，艾德・馬丁大概也是，還有柏特・維瑟以及他認識的那些雜碎都會是這種態度。他不會告訴他們任何一個人，而且也不讓任何人替他餞行。湯姆吹起了口哨，他今晚受邀至葛林里先生位於公園大道的寓所用餐。

十五分鐘後，他沖過澡，刮了鬍子，穿上他認為拍起護照相片會很好看的西裝，配上條紋領帶；然後去端了一杯黑咖啡，在房間踱來踱去，等著收早上送來的信件。收信之後，他要去無線電城處理護照相關事宜。下午該做些什麼呢？去看些美術展，以備今晚和葛林里伉儷聊聊這些展覽？還是研究研究柏克—葛林里船舶公司，好讓葛林里先生知道他對他的工作有興趣？

信件落在地面的聲音隱隱約約從窗口傳來，湯姆下樓去。他等郵差走到樓梯最底層並消失蹤影後，才去取郵差塞進信箱邊緣那封收信人為喬治・麥凱平的信件。湯姆將信拆開，取出一張面額一百一十九又五十四分美元的支票，兌領人是稅務局稅收員。艾迪絲・蘇波拉夫老太太真上道！付錢付得乾脆，連通電話也沒打。這是個好兆頭。他回到樓上，撕碎蘇波拉夫太太的信封後丟進垃圾袋內。

他將支票裝進他擺在衣櫥內一件夾克內袋中的牛皮信封裡。他心算了一下，這張支票讓他的累積總數額達到一千八百六十三又十四分美元。可惜他無法兌現。就怕某些白痴尚未匯錢進去，或是將兌領人寫成了喬治・麥凱平，但截至目前為止，還沒人這麼蠢。湯姆有一張他在某處找到的銀行通訊員識別證，證上的舊日期他可以更改，但是他害怕兌現支票後抽不了身，即使利用偽造的授權信也沒用。所以數目的累積其實不過是個笑話，真的，好一個徹頭徹尾的玩笑。他誰的錢也沒拿。在他去歐洲前，他想，他會毀了這些支票。

名單上還有七個可能的下手對象。他該不該在出航前這十天內再找個人下手呢？昨晚見過葛林里先生後走在回家的路上時他想過，如果蘇波拉夫太太和卡洛斯‧塞維亞付了錢，他便洗手不幹。塞維亞尚未付錢——他需要透過電話好好嚇嚇他，湯姆想——可是蘇波拉夫太太實在太好對付了，誘使他想再下手一次。

湯姆從衣櫥內的公事包中取出一個淡紫色的文具盒，盒裡有幾張信紙，信紙下放了一疊他數週前在稅務局任倉管時所拿的各種不同形式的表格。最下方是那張冤大頭名單——這些人都是精挑細選過的，都是些住在布朗克斯或布魯克林區，懶得親自到紐約稅務局辦公大樓跑一趟的人，都是些沒有事先扣繳稅額、年收入在七千至一萬二美元間的藝術家、作家和自由業者。湯姆認為，這般收入的人士，很少需要聘請專業的記帳人員來幫他們計算所得稅，但他們的所得卻也夠多，指控他們計算錯誤、短繳了二或三百美元，是很合理，不會讓人起疑的事。名單上有威廉‧史拉特勒，新聞記者；菲力普‧羅比亞德，音樂家；芙莉達‧霍恩，插畫家；約瑟夫‧簡納里，攝影師；弗雷德里克‧雷汀頓，藝術家；法蘭西斯‧卡內吉斯……湯姆相中了雷汀頓。他是個漫畫家，他大概從來不知道自己的錢是怎麼來，怎麼去的。

他挑了兩張表頭是「應繳稅額計算錯誤通知單」字樣的表格，夾了張複寫紙在中間，隨後快速抄下名單上雷汀頓名字下方的資料——所得總額：一萬一千二百五十美元。免稅額：扣除額：六百美元。存款：零。匯款：零。利息：（他猶豫了一會兒）二點一六美元。應補繳：二百三十三點七六美元。隨後他從檔案夾中取出了一張蓋了稅務局列辛頓大街地址的打字用紙，用筆在地址下畫了條斜線，斜線下打上了這些字：

親愛的納稅人：

由於本局列辛頓總局業務量過於繁重，回函請逕覆：

稅務局稽核科

喬治・麥凱平

東五十一街一百八十七號

紐約市區二二，紐約州

謝謝您。

科長　羅夫・費雷

湯姆簽了個鬼畫符般難以辨認的名字。他將其他的表格收起來，以防鮑伯突然進來；隨後拿起了電話，他決定先給雷汀頓先生來個下馬威。他向查號台查了雷汀頓先生的電話號碼，隨後撥了電話。雷汀頓先生在家。湯姆簡短地說明來意，並驚訝地表示雷汀頓先生竟然尚未收到稽核科的通知單。

「通知單早在幾天前就寄出去了，」湯姆說。「您明天鐵定會收到。本科最近業務繁忙。」

「可是我已經繳過稅了啊，」電話那端傳來了驚訝的聲音。「這些收入都——」

「發生這種事很正常，您知道，按件計酬的所得在未經事先扣繳稅額時，就容易發生這種情況。我們已經仔細審核過您的所得稅申報單了，雷汀頓先生。我們沒弄錯。當然我們也不希望對您委託的公司或經紀人動用財產留置權——」他咯咯笑了起來。親切、具有人情味的笑聲通常都能製造奇蹟。「不過如果您未在四十八小時內繳清稅款的話，我們就得那麼做。很抱歉您目前尚未收到通知單。我剛才已經說過了，我們一直非常——」

「如果我到貴科室去，有誰能和我談談嗎？」雷汀頓先生焦急地問。「那可是好一大筆數目哪！」

「嗯，有啊，當然有。」湯姆在緊要關頭總能發出和善的聲音，他的口氣聽來就像個和藹可親的六十餘歲老頑童，他會對可能來訪的雷汀頓先生耐性十足，但對其說詞、辯解可絲毫不通融。嗯，喬治・麥凱平代表美國稅務局。「您可以和我談，當然。」湯姆慢條斯理地說，「不過這件事絕對沒錯，雷汀頓先生。我只是想節省您的時間。如果您想來也可以，不過我現在手上就有您所有的明細。」

一陣沉默。雷汀頓先生不打算問有關湯姆資歷的問題，因為他大概不知從何問起。若是雷汀頓先生要他解釋整件事的前因後果，湯姆可以扯出一堆所得淨額、增值額、滯納差額與其計算法、利息從繳稅期限算至繳清差額為止每年增加百分之六等等的細節，這些他都可以緩緩地一五一十像部誰也阻擋不了的雪曼坦克車般說個明白。截至目前為止，尚無人堅持要親自跑一趟來聽這些東西。雷汀頓也打退堂鼓了。湯姆從他的沉默中聽出這點。

「好吧，」雷汀頓語調絕望地說。「明天我收到通知單的時候會看一看。」

「好的，雷汀頓先生。」他說，然後掛了電話。

湯姆在那兒坐了一會兒，瘦薄的雙掌交握在兩膝之間，呵呵傻笑著。然後他跳起來，再次收起鮑伯的打字機，對著鏡子梳整一頭淡棕色的頭髮，接著便動身前往無線電城。

3

「哈囉，湯姆，乖孩子！」葛林里先生的口氣聽來就像已為他備好了上等馬丁尼、一頓美味的晚餐、一張過夜用的床——以防他太累回不了家時所需。「艾蜜莉，這位是湯姆‧雷普利！」

「很高興見到你！」她熱情地說。

「您好，葛林里夫人。」

她和他想像的相差無幾，金髮，相當高，端莊得讓他不得不跟著維持良好的舉止；而她在端莊之外，卻又帶著與葛林里先生相同的那種四海一家親的天真。葛林里先生領著他們進客廳。沒錯，他以前曾和狄奇在這兒待過。

「雷普利先生從事保險業。」葛林里先生開口說。

湯姆心想，他一定已喝了些酒，否則就是他今晚非常緊張，因為昨晚湯姆已詳細向他介紹自己工作的那家廣告公司。

「不是什麼挺有趣的工作。」湯姆謙虛地對葛林里夫人說。

一名女僕端了一個擺了馬丁尼和鹹點心的托盤走進來。

「雷普利先生以前來過這裡，」葛林里先生說。「理察帶他來的。」

「哦，他來過嗎？可是我沒見過你。」她笑著說。「你是紐約人嗎？」

「不是，我是波士頓人。」湯姆說。這是事實。

三十分鐘後——時機正好，湯姆想，因為先前葛林里夫婦不斷要他喝下一杯又一杯的馬丁尼——他們走進跟客廳有些距離的飯廳，那裡擺了一張為三人準備的桌子，桌上擺了蠟燭、大塊的深藍色餐巾以及一整隻雞肉凍。但第一道菜是芥末醋汁拌芹菜。湯姆說他非常喜歡這類菜餚。

「理察也是！」葛林里夫人說。「他向來喜歡吃我們家廚子做的這道菜。可惜你不能帶一些給他。」

「我會把它和襪子放在一塊兒。」湯姆微笑著說，葛林里夫人開心地笑了。她剛才才對湯姆說過，希望他能幫理察帶幾雙布魯克斯兄弟牌的黑色羊毛襪，理察向來都穿這種襪子。

話題枯躁，但晚餐棒透了。葛林里夫人問起湯姆在哪兒高就，湯姆答說，他在一家叫「羅騰伯格・弗雷明與巴特」的廣告公司工作。後來再提起這家公司時，他故意將它改成「雷汀頓・弗雷明與巴克」，葛林里先生似乎沒有注意到這個差別。用過晚餐後，湯姆與葛林里先生兩人待在客廳，湯姆再次提起了這家公司的名字。

「你在波士頓求學嗎？」葛林里先生問。

「不是，先生。我在普林斯頓唸了一陣子，然後就到丹佛另一個姑媽家，順便在那兒唸大學。」湯姆等了一會兒，希望葛林里先生會問他一些和普林斯頓有關的事，可是他沒問。湯姆可以討論教學體制、校規、週末舞會的氣氛、學生的政治傾向，任何事都可以談。湯姆去年夏天和一個普林斯頓大學三年級的學生相處得十分融洽，這個人的話題永遠都是普林斯頓，所以湯姆順勢不斷挖掘資訊，預期自己將來可能會用到這些東西。湯姆告訴葛氏夫婦說，他是讓波士頓的朵蒂姑媽養大的，她在他十六歲時帶他到丹佛貝亞姑媽家。事實上他只在當地完成高中學業，但當時有個名叫唐•密澤爾的年輕人住在貝亞姑媽家，他在科羅拉多大學就讀，所以湯姆覺得自己也在科大求學似的。

「有特別主修什麼學科嗎？」葛林里先生問。

「學些會計與英文作文。」湯姆笑著回答，明白這是個無趣的答案，任誰也不想追問下去。

葛林里夫人抱了本相簿進來，湯姆坐在她身旁，看著她翻閱照片。理察剛學會走路、理察一副天真無邪的扮相、整頁彩色照片中的他蓄著又長又鬈的金髮……那些一點也引不起他的興趣，直到看到理察大約十六歲時的照片才吸引他的目光，當時的理察腿長、瘦削，頭髮又鬈又密。湯姆一路看下來，發覺他在十六歲到二十三、四歲之間（相本中的照片只放到此時為止）幾乎沒有任何改變，那種開朗天真的笑容依舊，真令湯姆驚訝。湯姆不由得覺得理察不怎麼聰明，否則就是他喜歡上鏡頭，而且認為自己咧開了嘴笑最帥，其實這笑容看來也不怎麼聰明。

「我還沒時間把這些貼上去。」葛林里夫人說，隨手遞給他一疊散裝的照片。「這些是從歐洲寄來的。」

這些照片有趣多了：狄奇在一家類似巴黎的咖啡館裡，狄奇在沙灘上。其中數張照片上的他眉頭深鎖。

「對了，這是蒙吉貝羅。」葛林里夫人指著一張狄奇拉著一艘小艇上沙灘的照片說。照片的背景是荒漠的岩山和海岸邊成排的白色小屋。「這是那裡的一個女孩，唯一住在那兒的另一個美國人。」

「她叫瑪姬．薛伍德。」葛林里先生補充說，他坐在斜對面，但是他彎身向前，專心地看著葛林里夫人翻閱照片。

那個女孩穿著泳裝坐在沙灘上，雙臂抱膝，看起來健康單純，一頭蓬亂的金色短髮——標準乖女孩型。有一張理察穿著短褲坐在露台欄杆上的照片，拍得很好。照片中的他帶著微笑，但已非昔日的那種招牌笑容，湯姆看得出來。在這堆在歐洲拍的照片裡，理察看起來比較造作。

湯姆注意到葛林里夫人正盯著眼前的地毯。他記起在餐桌上時她曾說：「我真希望自己從來沒聽過歐洲！」而當時葛林里先生不安地看了她一眼，隨後對他微笑，彷彿以前葛林里夫人也曾如此爆發過。此刻他瞧見她眼中含淚。葛林里先生起身走向她。

「葛林里夫人，」湯姆溫柔地說，「我希望您明白，我會盡全力讓狄奇回來。」

「祝福你，湯姆，祝福你。」她拍了拍湯姆放在大腿上的手。

「艾蜜莉，你是不是該上床休息了？」葛林里先生彎身問她。

湯姆隨著葛林里夫人站起來。

「我希望你出發前再來看我們一趟，湯姆。」她說。「自從理察離家以後，就很少有年輕人來我們家了。我挺想念他們的。」

「我十分樂意再來。」湯姆說。

葛林里先生陪她走出客廳。湯姆依然站著，昂首挺胸。他看見牆上一面大鏡子中的自己：又是以往那個挺拔自重的年輕人。他迅速地別過視線。他是在做一件正確的事，行為也正當，但他有種罪惡感；想起剛才他對葛林里夫人說「我會盡全力」……嗯，這是他的肺腑之言，他並不想愚弄任何人。

他覺得自己開始流汗，所以設法放鬆。他到底在窮擔心些什麼？今晚他的心情是那麼好，當他談起朵蒂姑媽時……

湯姆站直了些，瞥了門口一眼，但是門沒開。那是今晚他唯一感到不安、不真實的一部分，覺得自己似乎在說謊，然而這卻又是他所說的唯一一件事實：我父母在我很小的時候過世了，我是讓波士頓的姑媽養大的。

葛林里先生走進來了。他的身影似乎在搖動，而且愈形擴大。湯姆眨了眨眼，突然覺得害怕他，有股衝動想先出手攻擊，以免遭受攻擊。

「來喝點白蘭地好嗎？」葛林里先生打開壁爐旁的一個櫃子說。

一切就像場電影，湯姆想。等會兒，葛林里先生或某人的聲音會說：「好，卡！」然後他會再度放鬆心情，並發覺自己回到拉奧的店，面前擺了琴湯尼，不，回到碧盧。

「喝夠了嗎？」葛林里先生問。「如果你不想喝，就別喝了。」

湯姆模糊地點了頭，葛林里先生待了一會兒，隨後倒了兩杯白蘭地。

湯姆的身體冷顫了一下。他正在想上週在藥局的偶發事件。雖然那件事已完全結束，而且他並非真的害怕，但他還是提醒自己，此刻不是害怕的時候。他將第二大道上一家藥局的電話號碼給了那些堅持要再和他聯絡討論所得稅問題的人。他聲稱那是稽核科辦公室的電話號碼，並說只有週三及週五下午三時二十分至四時之間聯絡得上他。在這些時段，湯姆都在藥局的電話亭附近徘徊，等著電話響。他第二次出現在那兒時，藥劑師一臉懷疑地看著他，湯姆隨口說他正在等女朋友的電話。上週五他接了電話，一個男人的聲音傳來：「你知道我們在談些什麼吧？我們知道你住在哪裡，如果你要我們去你那兒……我們有東西給你，如果你有東西要給我們的話。」那是種堅決卻又飄忽的聲音，因此湯姆認為那是惡作劇，但無法答上一句話，接下來，他說：「聽好，我們馬上過去，去你家。」

湯姆走出電話亭時雙腿發軟，然後他看見藥劑師緊盯著他，眼睛睜得老大，神情緊張，他這才明白這段談話的前因後果：藥劑師販毒，而且他擔心湯姆是個來逮他的警探。湯姆笑了起來，邊走邊狂笑，腳步有些遲緩，因為雙腿仍怕得發軟。

「在想歐洲的事嗎？」葛林里先生開口問。

湯姆接下葛林里先生遞給他的玻璃杯。「是啊，我正在想這事。」湯姆說。

「嗯，我希望你此行愉快，湯姆，也希望你對理察有些影響。對了，艾蜜莉很喜歡你，她這麼跟我說的。不必問我就知道了。」葛林里先生用兩手把玩著白蘭地酒杯。「我太太得了血癌，湯姆。」

「哦，那是很嚴重的病，不是嗎？」

「是的，她可能只剩不到一年的壽命了。」

「我真難過。」湯姆說。

葛林里先生從口袋拉出一張紙。「我有一張船班的時刻表，我想走雪堡的那條航線最快也最有趣。你搭船再搭火車到巴黎，然後再搭臥車南下越過阿爾卑斯山到羅馬和那不勒斯。」

「那很好。」這趟歐洲行開始令他興奮。

「你得從那不勒斯搭公車到理察住的村莊去。我會寫信向他提起你——不會告訴他你是我派去的密使。」他笑著補充說明，「可是我會告訴他說，我們見過面。理察應該會收留你，不過如果他因為某種原因而無法這麼做的話，鎮上也有些旅館。我想你和理察一定滿投緣的。現在就是錢的問題了——」葛林里先生露出慈父般的笑容。「我打算幫你出來回船票，再另外給你六百美元的旅行支票。這樣可以嗎？六百美元應該夠你花上近兩個月，到時如果你還有需要，只要拍封電報給我就行，乖孩子。你看起來不像是揮霍無度的年輕人。」

「聽起來夠用了，先生。」

葛林里先生喝了白蘭地，愈來愈開心愉快，湯姆卻悶上加悶。湯姆很想馬上走出這棟房子，可是他又想到歐洲去，而且也想贏得葛林里先生的認同。坐在沙發上的這段時間，比昨晚他在酒吧裡焦躁煩悶的那段時刻還要痛苦，因為現在這種感覺無法消逝。湯姆端著酒杯起身，來來回回好幾次在壁爐與沙發間踱步，對著鏡子瞧時，他發現自己的嘴角拉了下來。

葛林里先生正津津有味地敘述他和理察十歲時待在巴黎的那段時光，實在無趣得很。如果未來十天內警方有任何動作的話，湯姆想，葛林里先生應該可以收留他。他可以編個他匆忙間將公寓轉租出去之類的理由，然後就這麼藏匿在葛林里家。湯姆覺得糟透了，身體幾近不適。

「葛林里先生，我想我該告辭了。」

「現在嗎？可是我想讓你看——嗯，算了，改天吧。」

湯姆知道這時他應該問說：「看什麼？」然後耐心十足地看對方秀出來的東西，可是他就是做不到。

「是這樣，我想讓你參觀我們的造船廠！」葛林里先生開心地說。「你什麼時候可以出來？大概只有午餐時間可以吧，我猜。我想你應該能告訴理察造船廠近日的景況。」

「是的……我可以趁午餐時間過來一趟。」

「想來的話，隨時撥個電話給我，湯姆。你有我的名片，上面有我的私人專線。如果你半小時前通知我，我會派人到你公司去接你，然後我們一邊參觀一邊吃三明治，最後我也會派人送你回去。」

「我會給您電話。」湯姆說。他覺得自己如果再繼續在這昏暗的房子裡待上一分鐘的話，鐵定會暈倒，但葛林里先生又咯咯笑了起來，問他是否讀過亨利・詹姆士的某一本書。

「抱歉我沒讀過，先生，一本也沒有。」湯姆說。

「嗯，沒關係。」葛林里先生笑著說。

隨後兩人握了手，葛林里先生緊握著他好一陣子，險些令他喘不過氣。接著這一切就這麼結束。湯姆衝進電梯時，看見自己臉上還帶著蒼白、恐懼的表情。他癱靠在電梯一角，知道他一旦抵達大廳，鐵定會馬上奪門而逃，不斷地跑，一路跑回家。

4

日子一天天過去，湯姆發覺這城市的氣氛變得日益怪異，紐約彷彿少了些真實性或精髓什麼的，整個城市正為他一人上演一齣場面浩大的戲，戲中出現了穿梭往來的巴士、計程車與人行道上神色匆忙的人群，夾雜第三大道上所有酒館播放的電視節目，螢幕上映著充足的日光，數以千計的喇叭喧鳴及閒聊漫談的人聲權充音效。好似待他週六一出航，整座紐約市將立即如舞台上的紙板般「噗」的一聲完全崩塌。

或許這是他的恐懼感作祟也說不定。他討厭水，除了往返紐奧良與紐約之間外，他從來不曾經由水路到達任何地方，而且當時在香蕉貨船上工作時泰半待在船艙內，幾乎沒意識到自己正在水上。有幾回他到甲板上去，一看見水面先是感到害怕，繼之生起一股暈眩噁心感，他總是因此再度跑回船艙，在那兒，和大家所說的正好相反，他覺得舒服多了。他的雙親在波士頓港溺斃，湯姆一直認為這點大概和他的恐水症有些關聯，因為怕水的記憶一直存在，所以他從未學習如何游泳。一想到不到一週內將有數哩深的水自他腳下流過，思及搭乘大洋輪船的人大部分的時間都在甲板上度過，屆時他鐵定泰半的時刻都必須望著水面時，湯姆感到心窩湧上一陣噁心、空虛。他覺得暈船實在太遜了。雖然不曾有過暈船的經驗，但出發前幾天，他曾因數度想到雪堡之旅而產生幾近暈船的感覺。

他已告訴鮑伯・狄蘭西說他將在一週內啟程，但沒說要到哪兒去。反正鮑伯似乎也不感興趣，而且他們倆甚少在五十一街一帶碰頭。湯姆到東四十五街的馬克・普萊明傑家——他還留有那兒的鑰匙——去收拾一些他忘了帶走的物品，他特地挑了個他認為馬克不在的時刻去，不巧馬克正好和他的新室友喬爾，一個在出版社工作、清瘦的年輕男子一塊兒踏進家門。看在喬爾的面上，馬克擺出一副「主隨客便」的溫和舉止，其實倘若喬爾不在場，馬克一定會用葡萄牙水手也說不出口的髒字眼轟他出門。馬克（他的全名竟是馬賽拉斯——羅馬時期一名大將）是個小有收入的醜八怪，嗜好是幫助財務暫有困難的年輕男子，將他們安頓在他那二層樓高、有三間臥室的屋子裡，並以上帝的姿態叮嚀他們在屋內居住的權利與戒律，而且不時對他們的工作及生活提出建議，通常都是些餿主意。湯姆在那兒住了三個月，雖然其間近一個半月的時間馬克都待在佛羅里達州，留下湯姆一人獨居，但馬克回來後，卻因為幾片碎玻璃而臭罵了他一頓——馬克再度以上帝暨嚴厲的天父姿態自居——湯姆火大了，一口氣卯起來頂了幾句。結果馬克不但攆他出門，還不忘搜刮他六十三美元以賠償那些被他打破的玻璃器皿。好一個吝嗇的老傢伙！湯姆想，他應該頂著女校校長的頭銜去當個老管家才對。湯姆十分懊悔結識馬克・普萊明傑這號人物，若能盡快忘記他那雙愚蠢的豬眼、那張不時教訓別人的大嘴，以及那戴了俗麗戒指的醜陋雙手（它老在空中揮動，命令每個人做這做那），他可就開心多了。

所有的朋友之中，他只想對克蕾歐一人提起這趟歐洲之行，於是他在出航前的那個週四去見她一面。克蕾歐・朵蓓是個苗條的女孩，髮色深，看起來約在二十三歲至三十歲之間，湯姆並不知道她真實的年齡。她和父母住在葛蕾西廣場，專門畫一些很小的作品——非常的小，事實上，是畫在一些不比郵票大的小片象牙上，必須透過放大鏡才能看清楚，而克蕾歐作畫時也需要放大鏡。

「想想看，只要一個雪茄盒就能帶走我全部的畫作，是多麼方便啊！其他的畫家還得騰出一間又一間的房間來貯放他們的油畫呢！」克蕾歐說。

克蕾歐在她父母的房子後段另闢自己專屬的套房，裡面有間小浴室和廚房，由於小小的後院長滿了樗樹遮蔽了陽光，克蕾歐的屋子向來非常昏暗。克蕾歐總是點著微弱的燈光，無論何時，房間都有種夜晚的氣氛。但他遇見她的那一晚卻沒點燈，湯姆只看得見克蕾歐身穿合身的花色天鵝絨農夫褲及一件顏色鮮豔的條紋絲質襯衫。兩人初見面時便對彼此產生好感，克蕾歐當下邀請他隔天晚上到她的寓所晚餐。之後克蕾歐總是請他到她家裡來，然而卻從來不曾奢望他請她吃飯、看電影或者做一些年輕男女在一起時大都會做的事。她並不期待他來吃晚餐或喝雞尾酒時順便送她花、書或者糖果，但湯姆偶爾也會帶小禮物給她，而她會因此開心不已。克蕾歐是唯一能讓他放心明說這趟歐洲行及其目的的人。他也照實對她提起了這件事。

克蕾歐聽了之後心迷神往，他早預料她會有這種反應。她先是張開蒼白長臉上的紅唇，然後雙手按著大腿驚叫：「湯—米！真的，真的太棒了！真像是那種莎士比亞故事的情節！」

湯姆也這麼認為，他正需要別人這麼說。

克蕾歐整晚都在他身邊東問西問的，一會兒問他是否帶了克林尼克斯紙褲、感冒藥和羊毛襪，因為在歐洲秋天正是雨季的開始；一會兒問他是否注射了預防疫苗。湯姆說他覺得自己已有萬全準備。

「千萬別來為我送行，克蕾歐，我不想有人送行。」

「我才不會去呢！」克蕾歐會意地說。「哦，湯米，我覺得這實在太有趣了！你會寫信告訴我你和狄奇之間的一切事情嗎？你是我認識的人之中，唯一身負某種任務而去歐洲的。」

他對她提起參觀葛林里先生設於長島的造船廠之事，說廠內一長排數不清的桌子上面，堆滿了製造閃亮金屬零件的機器及漆得晶亮的木頭，乾涸的碼頭內停放各種大小的船架，他並套用葛林里先生提過的防水廊、內舷緣、龍骨與船脊等專業術語，著實讓她驚嘆不已。他也敘述二度到葛林里先生家吃晚餐的情形，說當時葛林里先生送他一只手錶。他拿出手錶給克蕾歐看，那並非什麼高級名貴的手錶，但仍相當不錯，而且樣式正是湯姆中意的——刻了精緻黑色羅馬數字的全白錶面，錶環鍍金，並配了一條鱷魚皮錶帶。

「只不過因為幾天前我正好提過我沒有手錶，」湯姆說。「他真的是把我當成兒子看待。」

除了克蕾歐之外，他無法對別人說出這種話。

克蕾歐嘆了口氣：「乖乖！所有的好運全降臨到你身上了。女孩子絕對碰不到這種好事，男人就是這麼自由！」

湯姆笑了笑。他時常覺得女人才自由咧。「這是小羊排燒焦的味道嗎？」

克蕾歐尖叫一聲跳了起來。

晚餐過後，她讓他看了五、六幅她最近的畫作，其中有幾幅是年輕男子的唯美肖像畫，畫上敞開白襯衫領口的男子，兩人都認識；另外三幅是想像的叢林風景畫，靈感來自她窗外的樗樹。湯姆想，畫中小猴子的毛髮畫得可真好，克蕾歐在其他部分都一畫再畫，只有小猴子的毛一筆帶過，使她的畫呈現出一種既原始又精緻的感覺。他們喝掉了她父親擺在酒櫃上近兩瓶的波爾多梅多紅葡萄酒，湯姆喝得醉醺醺的，直可當場就地躺下——他們時常並躺在壁爐前那兩大張熊毛地毯上。克蕾歐的另一項優點是，她從來不要求或期盼他向她求愛，而他也不曾這麼做——湯姆還是於十一點四十五分起身準備離開。

「我沒機會再見到你了吧？」克蕾歐在門口沮喪地說。

「哦，我六個禮拜後應該就會回來了。」湯姆說，其實他根本不這麼想。突然他傾身向前在她乳白的臉頰上留下一記堅定、友愛的吻。「我會想念你的，克蕾歐。」

她緊抓著他的肩膀，這是記憶中她唯一一次碰觸他的身體。「我也會想念你。」她說。

隔天他到布魯克斯兄弟商店去買葛林里夫人交代買給狄奇的一打黑色羊毛襪與浴袍。葛林里夫人沒指定浴袍的顏色，她說讓他自行決定。湯姆挑了一件有深藍色束帶與翻領的深栗色法蘭絨浴袍。湯姆認為這件並不是最好看的一件，但他覺得那正是理察會挑選的樣式，相信理察一定很中意。他將襪子和浴袍算在葛林里先生的帳上。他另外看見一件他十分喜歡的，縫了木釦的亞麻運動衫，本來也可輕易算進葛林里的帳，但他並未這麼做。他自掏腰包買下了它。

5

他出航的當天早上，他熱切期待的這個早上，一開始便發生可怕的事。湯姆尾隨船服員走到他的船艙，正慶幸自己對鮑伯表明不希望有人送行的堅決態度已奏效，誰知，一踏進艙房便響起一陣令人毛骨悚然的呼喊聲。

「香檳在哪裡，湯姆？大伙兒都在等呢！」

「乖乖，這間艙房可真臭哩！你怎麼不要求好一點的房間？」

「湯米，帶我走好嗎？」說話的是艾德．馬丁的女友，湯姆連看也懶得看她一眼。

都到齊了，大多數是鮑伯的狐群狗黨，床上、地板上，躺得到處都是。他是讓鮑伯知道他要搭船遠行，但湯姆卻沒料到他會使出這麼一招。湯姆努力克制，讓自己的口氣不要太顯冰冷。

「沒有什麼香檳。」他試著招呼每一個人，強顏歡笑，雖然他可能突然像個小孩似地大哭一場。他狠狠地瞪著鮑伯，可是鮑伯已亢奮得有些神智不清了。湯姆一向自許很少事物能觸怒他，但此情此景卻讓他怒火上升：這團突如其來的吵雜，這群原本以為上了船便永無瓜葛的痞子、粗人及笨蛋，正將他要待上五天的艙房弄得亂七八糟！

湯姆朝保羅．胡柏的方向走去，和他一塊兒坐在小沙發上，保羅是在場唯一值得他尊敬的人。「哈囉，保羅！」他悄悄地說。「真是不好意思。」

「哦！」保羅的語氣像是在看笑話似的。「你要去多久——怎麼了，湯姆？你不舒服嗎？」

情況真是可怕至極。眾人依然喧鬧嬉笑，女孩們一會兒試試床的硬度，一會兒又到洗手間探頭探腦的。還好葛林里伉儷沒來為他餞行。葛林里先生必須到紐奧良去談生意，而葛林里夫人則在今早湯姆打電話向她道別時，說她身體不適無法前來。

接著，鮑伯或某個人弄來了一瓶威士忌，一票人開始輪流用浴室裡拿出來的兩個杯子喝酒，隨後船服員端了一盤杯子走進來。湯姆不願喝酒，他汗如雨下，因此他脫下夾克以免弄髒了它。鮑伯走過來硬塞了一個杯子在他手裡，湯姆看得出鮑伯可不是鬧著玩的，他也明白原因所在——因為他曾接受鮑伯一個月的款待，所以他至少也該擺出一張笑臉。但此刻湯姆的臉彷彿花崗岩刻成似的，再也無法擠出一絲笑容。他想，就算自此之後大家都討厭他又何妨？他會損失什麼？

「我塞得進這裡吧，湯米。」說話的這個女孩一心想找個角落躲起來，好和他一起走。她側身擠進一個和置放掃帚的雜物櫃一般窄小的衣櫥內。

「我挺想看看湯姆和女孩在房間裡鬼混時，被人逮個正著的模樣！」艾德・馬丁哈哈大笑著說。

湯姆瞪了他一眼。「我們出去透透氣吧！」他低聲對保羅說。

其他人鬧翻天了，誰也沒注意到他們離開。他們站在近船首的欄杆邊。這是個陰天，在他倆右邊方向的紐約市已像一塊他即將在大海中遙望的灰色大地——少了艙房內那群混蛋就更圓滿了。

「你這一陣子都待在哪兒？」保羅問。「是艾德打電話告訴我說你要離開的，我好幾個禮拜沒碰到你了。」

保羅和一些人都以為他在美聯社工作。湯姆瞎掰說他獲派一項特別報導任務，可能和中東有關；他讓此事聽來相當機密似的。「我最近出了許多夜間任務，」湯姆說，「所以我很少露面。你來送別，我真是十分感謝。」

「我今天早上沒課。」保羅取出口中的菸斗笑著說。「要不然我大概也不會來，隨便找個藉口便搪塞了事！」

湯姆會心一笑。保羅在紐約一所女子學校教音樂，但他比較喜歡自由作曲。湯姆不記得是怎麼認識保羅的，可是卻記得有一次曾和一些人到河濱大道上的保羅家去吃週日早午餐，其間保羅曾用鋼琴演奏一些他自譜的曲目，湯姆當時覺得十分愉快。

「我請你喝一杯好嗎？我們找一找酒吧在哪兒。」湯姆說。

但這時一名船服員走出來，敲了聲銅鑼隨即高喊：「送客來賓請上岸！所有送客來賓請上岸！」

「在說我了。」保羅說。

他們握了握手，拍拍肩膀，答應寄明信片給對方，然後保羅便離開了。

鮑伯那幫人一定會待到最後一分鐘，他想，八成還得連推帶趕地請走他們。湯姆倏地轉身跑上一道狹窄的階梯，到頂上後他撞見鐵鏈上掛了一塊「普通艙專用」的牌子，他一腳跨過鐵鏈走上甲板。他想，他們肯定不會阻止一名頭等艙的乘客到二等艙去吧。他再也無法忍受鮑伯那票人的嘴臉。他已付給鮑伯半個月的房租，也送了他一件高級襯衫和一條高級領帶。他還能要求什麼？

湯姆等船啟程後才敢再回到艙房。他小心翼翼地走進房間。空盪盪的。乾淨的藍色床罩又平整了，菸灰缸也是清潔的，他們連個鬼影子也沒留下。湯姆笑著鬆了口氣。這樣才叫服務！冠達郵輪的優良傳統、英國船員的素質，所有的一切都挺正點的！他看見床邊地板上擺了一大籃水果。他迫不及待取下白色的小信封。裡面的卡片上寫著：

祝你旅途愉快平安，湯姆。我們全心真意祝福你。

艾蜜莉與赫伯特・葛林里　上

籃子有個高高的握把，整個表面覆蓋一層黃色玻璃紙，裡頭裝了些蘋果、梨子、葡萄、糖果和幾小瓶的酒。湯姆從來沒收過這種祝人一路順風的禮物籃。對他而言，這都是些擺在花店櫥窗內、價格貴得離譜，只能讓人一笑置之的東西。此刻，他發覺自己淚水盈眶，他突然雙手掩面，開始啜泣。

6

他的心情平靜祥和，卻不想與任何人打交道。他想擁有自己的思考空間，不想費心與船上的任何人打招呼，一個也不想，雖然他坐下來時曾對同桌的鄰座笑著打了聲招呼。他開始在船上扮演某個角色——一個有要事在身的正經年輕男子，溫文儒雅，儀表端正，修養良好且心事重重。

他突然興起買一頂無邊帽的念頭，隨即在男子服飾店買了一頂。那頂帽子款式保守，質地柔軟，藍灰色的英格蘭羊毛製品，想坐在躺椅上小睡片刻或假寐時，只要將帽舌壓低到幾乎遮蓋整張臉龐即可。無邊帽在帽子當中用途最多，他想，真納悶自己以前為何從未想過戴一頂試試看？他可以看來像個鄉紳、惡棍、英國人、法國人或者平凡的美國怪胎，端看他戴帽子的方式如何。湯姆在鏡子前搔首弄姿，自娛了一番。他一向自認擁有一張全天下最無趣的臉孔，一個看似溫馴（他始終不解）、過目即忘的面貌，臉上隱約蒙著一層抹不去的懼色。真是張大眾臉，他想。無邊帽改變了這一切，賦予他一股鄉村氣息，就像格林威治村、康乃狄克州之類的鄉村味兒。如今他看來像個小有收入的年輕人，也許才剛從普林斯頓大學畢業呢！他另外買了一枝菸斗來搭配這頂無邊帽。

他正在開展新的人生，告別了三年來在紐約一起鬼混的所有二流之輩。他覺得此刻的心境和那些拋棄一切、離鄉背井、拭去所有錯誤遠赴美洲新大陸的移民一樣，一身清白！無論狄奇的反應是如何，他都會潔身自愛，葛林里先生一定會得知他一直如此自處，並進而敬佩他的作為。葛林里先生給的錢用完之後，他或許不會回美國去，他可能在飯店之類需要聰明、體面、會說英語那種人才的地方，找到一份有趣的工作；或者，也可能成為某家歐洲企業的代表，遊走全球洽談商務；說不定，可能跑出某個人來對他說，他正需要一個像他這樣的年輕人，會開車，精算術，可以逗老奶奶開心或擔任某家千金舞會上的護花使者。多才多藝的他，世界何其寬廣啊！他暗自發誓，只要找到工作便好好把握，儲備耐心與毅力，向上邁進！

「請問有沒有亨利・詹姆士的《奉使記》？」湯姆詢問頭等艙圖書館的管理人員。書架上沒有這本書。

「很抱歉，先生，我們這兒沒有。」管理員說。

湯姆有些失望。葛林里先生曾問他是否讀過這本書，湯姆覺得應該看看。於是他到普通艙的圖書館去找。他在書架上找到了這本書，可是當他準備借閱並報出艙房號碼時，圖書館員向他道聲抱歉，並說頭等艙乘客不能從普通艙圖書館借書出去。湯姆就害怕會是這種情況。他乖乖地將書放回去，雖然他其實可以輕而易舉地走到書架邊，順手將這本書塞進夾克裡去。

早上他通常就在甲板上走來走去，步伐非常緩慢，因此在甲板上做運動、透氣的人往往會來來回回撞見他兩、三次，隨後他便會在躺椅上坐定，嚴肅思考自己的半生際遇。午餐過後，他習慣慵懶地在艙房內踱步，沉浸在一片隱密與舒適的氣氛中，無所事事。有時候他會坐在寫字間，利用船上的信紙專心地寫信給馬克・普萊明傑、克蕭歐及葛林里夫婦。在寫給葛氏夫婦的信上，湯姆一開頭先客套地問候他們二人，並感謝他們送了一籃禮物，又提供舒適的住宿；然後，為了自娛，他會開始隨意亂寫一通，還刻意將日期改寫得晚些。他說他已找到狄奇並與他一起住在蒙吉貝羅的家中；說他勸服狄奇返鄉的任務進展緩慢卻順利；還談起他閒來無事便游泳、釣魚及泡咖啡館。他洋洋灑灑欲罷不能地寫了八頁、十頁，卻知道自己永遠也不會寄出這封信，所以他繼續寫著，狄奇對瑪姬並無愛意（他面面俱到地分析了瑪姬的個性），因此狄奇絕非為了瑪姬而不回家，雖然葛林里夫人認為瑪姬可能是主因……寫著寫著，不知不覺紙張已堆滿了桌面，第一通通知晚餐時間已到的電話也撥了進來。

另一天下午，他寫了一封問候函給朵蒂姑媽。

親愛的姑媽（他甚少在信上如此稱呼她，更從未當面這麼叫過她）：

當您看到這封信時，我正在海上航行。我意外接獲一項任務，但目前無法向您解釋它的內容。由於出發的時間相當緊迫，所以沒辦法到波士頓去辭行，在此說聲抱歉，我可能要幾個月或幾年之後才會回去。

我只是希望您別為我擔心，也請您別再寄支票給我，謝謝。非常謝謝您大約一個月前寄來的那張支票。我想那之後您沒再寄任何支票了吧？我過得很好也十分快樂。

愛您的湯姆　上

不必祝她身體健康。她壯得像條牛似的。他附帶寫道：

附註：我根本不知道接下來會住在哪兒，因此無法告知您任何地址。

添了這一句讓他覺得輕鬆多了，因為如此一來，他便可徹底與她斷絕聯絡。他再也不需要向她報告行蹤。他受夠了她虛情假意、尖酸刻薄的來信，以及指桑罵槐地拿他和他父親相比的譏諷，還有那些微不足道的支票，金額總是六美元四十八分或十二美元九十五分等奇怪的數目，彷彿那是她繳了什麼費用之後剩下來的零頭，更像是從商店購物回來總得扔些碎屑似地丟給他的一些零錢。就朵蒂姑媽的所得而言，那些支票對湯姆簡直是侮辱。朵蒂姑媽堅稱她花在他身上的撫養費早已超過他父親遺留下來的保險金。或許這是事實，但她就得不斷在他面前強調這件事嗎？有誰會當著小孩子的面一直提起這類傷人感情的事情？許多為人姑媽者，甚至陌生人，都無條件養育別人家的小孩，並且樂在其中不是嗎？

給朵蒂姑媽的信寫好了以後，他起身到甲板上散步，轉換一下心情。寫信給她經常讓他一肚子火。他痛恨對她畢恭畢敬，但他還是必須讓她知道自己的行蹤，因為他一直都需要她那寥寥無幾的金錢支助。以前他不得不寫一堆信告知朵蒂姑媽他的新地址，但如今他已不需要她的錢了，他從今以後可以不再依賴她的金錢度日，永遠也不。

他突然想起十二歲的某個夏日，當時他和朵蒂姑媽及她的一位女性朋友一起到鄉下旅行，途中，在某個地方碰上塞車而動彈不得。那是個炎熱的夏日，朵蒂姑媽叫他拿著保溫瓶去加油站弄些冰水回來，突然間車陣開始移動。他記得當時他在緩緩前進的大車之間跑個不停，總是快要碰到朵蒂姑媽的車門卻又上不了車，因為她不斷加速前進，一分鐘也不願意等，並不時向窗外大喊：「快點，快點呀，慢郎中！」等他終於追上車子並坐進去之後，一股委屈憤怒讓他淚流滿頰，朵蒂姑媽竟然還開心地對她的朋友說：「娘娘腔！他徹頭徹尾是個娘娘腔，和他爸爸一模一樣！」在這種待遇下他還能成長茁壯，真是奇蹟。而且他也納悶，到底朵蒂姑媽憑什麼認定他父親是個娘娘腔？她能夠，或者曾經舉出任何一項事實嗎？沒有。

豪華的環境加強了元氣，豐富的美食滋潤了內心，此刻他躺在躺椅上，試著以客觀的角度來審視他過去的生活。過去四年大抵說來是虛度了，這點他不否認。一個個隨隨便便的工作，一陣陣失業的長期危急狀態，一段段缺錢而委靡不振的生活；接下來便是與一群笨瓜、蠢蛋鬼混，那是為了免除寂寞或因為他們暫時可以提供一些物援，例如馬克・普萊明傑便是其中之一。想及當初他懷著憧憬來到紐約的雄心壯志，後來的這些紀錄實在是不怎麼光彩。他以前一直想當演員，但當時二十歲的他根本不知道踏進這行的困難及其必要的訓練，甚或那不可缺的天份。他以為自己具備天份並且只要在某位製片面前表演自創的獨腳戲——羅斯福太太的未婚媽媽診所參觀後記之類的——即可事成，但三次的挫敗即扼殺了他的勇氣與希望。身無分文的他只好到香蕉貨船上工作，至少這讓他脫離紐約。他一直擔心朵蒂姑媽已通知警方在紐約尋找他，雖然他在波士頓並未做任何壞事，只不過和成千上萬的年輕人一樣去開創自己的人生罷了。

他想，他最大的缺點是：從來不曾專心、穩定地做任何事。就拿百貨公司那份會計工作來說吧，如果不是因為升遷緩慢而令他完全洩氣的話，他可能大有可為。唉，對於自己的缺乏毅力，或多或少該歸咎於小時候朵蒂姑媽從來不為他執著的任何事物而獎勵他——他十三歲時喜歡爬格子就是個例子，當時他獲得報紙「禮貌、服務與誠信」徵文比賽的銀牌獎。如今回想起當年瘦弱、終年抽著鼻涕、可憐兮兮的自己一心努力贏得這個獎的模樣，彷彿是另外一個人似的。朵蒂姑媽討厭他感冒，她習慣用她的手帕以一種幾乎要扭掉他鼻子的方式為他擤鼻涕。

湯姆躺在躺椅上想起此事，不禁難過地扭動身軀，但他優雅地伸手撫平長褲的摺痕來掩飾心情。

他想起自己八歲大的時候便發誓要逃離朵蒂姑媽，也想起他當時常在腦中想像的暴力場面——朵蒂姑媽想盡辦法不讓他出家門，他一拳打過去，將她推倒在地並緊勒她的脖子，最後扯下她衣服上別著的大胸針，死命地刺戳她的喉嚨百萬次。他十七歲曾蹺家，後來被帶回去，二十歲時他再度蹺家，一舉成功。真訝異過去的自己這麼天真，也感嘆自己對人情世故涉獵太淺，他似乎在「憎恨朵蒂姑媽」及「設法逃離她」這兩件事上，耗費了太多時光，因此他缺乏足夠的時間學習與成長。他記起剛到紐約第一個月在倉庫工作遭人解僱時的感覺。由於身體不夠強壯，無法一天連續八小時搬運一箱箱的橘子，不到兩週他就丟了這份工作。但這是他拚命使出渾身解數才得來的工作，他仍清楚記得讓人炒了魷魚之後心中那憤恨難平的情緒；他也記得他隨即認定這世界充滿了像賽門・李格里斯*這類人，你必須像隻野獸，像在倉庫工作的那些猩猩一樣強悍，否則只有挨餓的份；他更沒忘記被解僱之後，他立刻從食品店櫃上偷走一條麵包帶回家狼吞虎嚥，他覺得這個世界不只虧欠他一條麵包。

「雷普利先生？」前幾天和他一起坐在大廳沙發上用茶的一位英國女士趨身向前問他。「不曉得您是否願意和我們一塊兒在遊戲間打一場三勝制的橋牌？我們十五分鐘後開始。」

湯姆很有禮貌地站了起來。「非常謝謝您，可是我想我比較喜歡待在外面；而且，我不太會打橋牌。」

「哦，我們也不太會啊！好吧，下回再說。」她笑笑地離開。

湯姆又坐回躺椅上，將無邊帽壓低至眼下，雙手交握放在腰部的位置。他知道自己的孤僻已在乘客間引發小小的議論。每晚餐後的舞會上，總有一群沒大腦的女孩滿心期待地猛盯著他，並且傻笑個不停，但他不曾與其中任何一人跳舞。他猜想乘客們的推測一定是：他是個美國人吧！我認為是，可是他的舉止不像美國人，不是嗎？大多數的美國人都很聒噪，他可是超級嚴肅呢！而且他鐵定最多只有二十三歲，他一定正在思考十分重要的事情。

是的，他的確在思考要事：湯姆・雷普利的現在與未來。

＊賽門・李格里斯（Simon Legrees），《黑奴籲天錄》一書中監管奴隸的惡棍。

7

巴黎印象對他而言，只不過是火車站窗口外的匆匆一瞥：一家亮著燈的咖啡店門前，遮雨棚、露天咖啡座與圍籬一應俱全，恰似一張旅遊海報，車站內則是一連串長長的月台。他尾隨身著藍衣的小胖哥腳伕疾步前行，終於看見將一路載著他直奔羅馬的臥車。他想，他可以改天再回來巴黎，此刻的他急著要去蒙吉貝羅。

隔天早上醒來時，他已在義大利境內。這天早上發生了一件令人愉快的事。正當湯姆看著窗外的風景時，他聽見廂房外走廊上有人用義大利語交談，似乎提到了「比薩」這兩個字。火車另一邊閃過了一座城市，湯姆走進走廊想看清楚些，並下意識地找尋比薩斜塔的蹤影，雖然他根本不確定這裡就是比薩或者從車上看得到斜塔，但它真的出現了！從城鎮上一堆白堊石造的矮房子中冒出來的一根白色巨柱，傾斜著，傾斜的角度令他難以想像！他向來認為比薩斜塔傾斜的程度只是眾人言過其實。這似乎是個好預兆，顯示義大利將如他所料，而且他和狄奇也將一切進展順利。

當天傍晚他抵達那不勒斯，隔天早上十一點才有巴士開往蒙吉貝羅。他在火車站換錢時，一名身穿襯衫、西裝褲，腳蹬美國大兵軍鞋，全身髒兮兮，年約十六歲的男孩湊上前來，天知道他要推薦什麼給他，可能是要幫他找女人，也可能是向他兜售毒品；儘管湯姆再三抗議，他還是跟進了計程車內，並指示司機開往何處，他嘰哩咕嚕說了一堆並豎起一根手指，大概是表示他會搞定一切，只要等著看就好了。湯姆拗不過他，只好抱著臂膀坐在車內。終於，計程車來到一家面向海灣的大飯店前面，假如葛林里先生沒給他錢，湯姆早就讓這麼一家富麗堂皇的飯店給嚇著了。

「聖塔露奇亞！」男孩指著海得意洋洋地說。

湯姆點點頭。畢竟，男孩似乎是一番好意。湯姆付了司機車資，並給了男孩一百里拉，他估計那相當於美金十六分多，根據他在船上讀的一篇介紹義大利的文章，一百里拉在義大利算是合宜的小費。男孩一臉不悅，湯姆再給他一百，他還是不高興，湯姆便對他揮了一下手，然後跟著早已提起他行李的小廝走進飯店。

湯姆當天晚上在一家叫「泰瑞莎媽媽之家」的海上餐廳用餐，這家餐廳是飯店那位說英語的經理推薦的。他好不容易點完菜，結果發現第一道菜竟然是小章魚，顏色紫得可怕，像是浸在寫菜單用的墨水裡煮出來似的。他嚐了一口觸角，硬得像軟骨一樣噁心。第二道菜也出了差錯，成了什錦炸魚。第三道菜——他原來以為是一道甜點——竟是幾條小紅魚。哦，那不勒斯！還好葡萄酒香醇可口，食物美味與否也就罷了。他左上方一輪七、八分圓的明月正高掛在維蘇威火山口，湯姆平靜地凝視月亮，彷彿以前曾看過她千遍。維蘇威火山再過去的陸地一隅，坐落著理察的村莊。

隔天早上十一點，他搭上了巴士。一路沿著海岸駛進小城鎮，中途停靠了希臘之塔、安農查塔、卡斯特拉馬雷、索倫多等地。湯姆滿心期待地聽著司機大聲唸出的城鎮名。從索倫多開始，一路盡是沿著石崖的窄山路，湯姆曾在葛林里家看過這類的風景照片。海邊的小村落風光不時出現在他眼前——一棟棟白色麵包屑似的房子，一群群在海裡游泳的人。湯姆看見一顆顯然是從石崖掉落的大圓石擋在路中央，司機若無其事地一閃即過。

「蒙吉貝羅！」

湯姆跳起來並從行李架上迅速取下他的小型旅行箱，另外還有一只擺在車頂上，隨車小弟替他拿下來。巴士隨即開走，留下湯姆一人獨自站在路旁，腳邊堆放著旅行箱。高處有房子沿著山路而立，低處也有屋宇與湛藍的海水相輝映。湯姆拎著行李，穿越馬路走進一棟掛了「郵局」招牌的房子，隔著窗口向一個男人打聽理察・葛林里的住處。他脫口說出英文，但男人似乎明白他的意思，因為他走到門口指著湯姆剛才下車的那條路，並說了幾句義大利語，似乎是在說明狄奇的家該往哪裡走。

「Sempre seeneestra, seeneestra!」（往前直走，直走！）

湯姆向他道謝，並問他是否能將兩只旅行箱暫時寄放在郵局，男人似乎也聽得懂這句話，立即幫湯姆將行李提進郵局。

他不得已再問了兩個人理察・葛林里的住處，每一個人似乎都知道理察的家在哪裡，無奈他卻鴨子聽雷。終於第三個人有辦法指給他看——一棟兩層樓的大房子，有一道鐵門設在路邊，還有一座延伸至石崖邊的露台。湯姆按了鐵門邊的金屬門鈴。一個義大利女人從屋裡走出來，雙手正在圍裙上擦拭。

「葛林里先生在嗎？」湯姆滿懷希望地問。

女人笑著用義大利語說了一長串話，並指向海邊。「啾，」她似乎一直在發這個音，「啾。」

「謝謝。」湯姆點頭道謝。

他應該就這樣走下海灘，還是應該輕鬆些，換上泳裝？或者應該等到下午茶時間？應該先撥個電話給他嗎？湯姆沒帶泳褲來，顯然在這裡必須有一件泳褲才行。湯姆走進郵局附近一家櫥窗中擺了襯衫與泳褲的小店，試了幾件不合身、而且根本稱不上是泳褲的泳褲，最後他買了一件丁字褲大小的黃黑相間泳褲。他用風衣將衣物包成一捆，赤腳走出了門口，但立刻又跳回來。圓石熱得像煤炭似的。

「鞋子？涼鞋？」他問店裡的男人。

男人不賣鞋子。

湯姆再穿上自己的鞋子，穿越馬路來到郵局，打算將衣物與旅行箱寄放在一起，但郵局大門深鎖。他曾聽說，歐洲有些地方中午休息至下午四點。他轉身走到一條他猜想是通往海灘的石子路，走下十幾級陡峭的階梯，經過一道住宅及商店林立的石坡路，再走幾層階梯，他終於來到一處微微從海灘延伸上來的人行道，人行道上有幾家咖啡館及一家設有露天座位的餐廳。一群古銅色皮膚的義大利青少年坐在路邊的木板凳上從頭到腳打量著他。他腳上那雙棕色大皮鞋及一身慘白的膚色，讓他感到丟臉。他一整個夏天都沒去海灘，他討厭海灘。海灘中央有一條木道，湯姆知道那一定燙得不得了，因為每個人都躺在浴巾或其他東西上，但他還是脫了鞋子站在滾燙的木頭上一陣子，鎮靜地審視附近的人群。沒有人看起來像是理察，而熱浪讓他無法看清距離稍遠的人。湯姆伸出一隻腳踩在沙灘上，立刻又收了回來，隨後他深呼了一口氣，急奔下木道，穿過沙灘，將腳泡進無比清涼的海水裡，再開始走動。

湯姆在一條街長的距離外看見他——準是狄奇沒錯，雖然他曬了一身深棕色，鬈曲的金髮看起來也比湯姆印象中淺了些。他正和瑪姬在一起。

「狄奇・葛林里嗎？」湯姆笑著問。

狄奇抬起頭來。「有什麼事嗎？」

「我是湯姆・雷普利。幾年前和你在美國見過面。記得嗎？」

狄奇一臉茫然。

「我記得令尊說他會寫信跟你提起我。」

「哦，對了！」狄奇拍著前額說道，彷彿他忘了這件事真是愚蠢極了。他站起來。「你說你叫湯姆什麼？」

「雷普利。」

「這位是瑪姬・薛伍德，」他說，「瑪姬，這是湯姆・雷普利。」

「你好。」湯姆說。

「你好。」

「你準備在這裡待多久？」狄奇問。

「還不知道，」湯姆說。「我才剛到，還得四處逛逛。」

狄奇仔細打量著他，湯姆感覺他略帶敵意。狄奇抱著臂膀，一雙棕色的瘦腳丫踏在滾燙的沙灘上，一副若無其事的樣子。湯姆又穿上鞋子。

「要租房子嗎？」狄奇問。

「不知道——」湯姆猶豫不決地說，彷彿他一直在考慮這個問題。

「如果你要租房子過冬，現在正是時機，」女孩開口說。「夏天的遊客都走光了，這裡的冬天需要一些美國人。」

狄奇悶不吭聲。他又在女孩身旁的浴巾上坐下來，湯姆感覺他正等著他道別並離開。湯姆站在原地，覺得自己像呱呱落地那天一樣蒼白赤裸。他恨透了泳褲，這件泳褲非常暴露。湯姆設法從風衣包著的夾克中掏出一包香菸，將菸遞給狄奇和女孩。狄奇接了一根，湯姆用打火機替他點菸。

「你似乎不記得曾在紐約見過我。」湯姆說。

「我真的不記得，」狄奇說。「我是在哪裡見過你的呢？」

「我想——是不是在巴迪・蘭肯諾家？」

其實不是，但他知道狄奇認識巴迪・蘭肯諾，而且巴迪是個非常值得人尊敬的人。

「哦。」狄奇含糊地說。「希望你見諒，這一陣子我愈來愈不記得美國的事情了。」

「的確如此，」瑪姬替湯姆解危說，「愈來愈糟。你什麼時候到的，湯姆？」

「一小時前剛到。我才將旅行箱寄放在郵局。」他笑道。

「你要不要坐下來？這裡還有一條浴巾。」她在身旁鋪了一條比較小的白色浴巾。

湯姆滿懷感激地坐了下來。

「我要下水泡一下，消消暑。」狄奇起身說。

「我也去！」瑪姬說。「要來嗎，湯姆？」

湯姆尾隨他們。狄奇和女孩游得相當遠——兩人似乎都是游泳好手——湯姆則待在靠岸邊的淺水區，並且很快便上岸。狄奇和女孩回來坐時，狄奇像是被女孩催促似地說：「我們要走了，你願意到舍下和我們一起吃中飯嗎？」

「哦，好，多謝。」湯姆幫忙他們收拾浴巾、太陽眼鏡與義大利報紙。

湯姆以為他們永遠到不了他家。狄奇與瑪姬走在前頭，慢慢吞吞、不急不緩地兩階一步踩著走不完的石階。太陽曬得湯姆全身無力，雙腿開始抽痛，他的肩膀已曬得透紅，只好穿上襯衫阻擋陽光，但他可以感覺陽光穿過他髮梢，熱得他頭暈目眩。

「難受嗎？」瑪姬臉不紅氣不喘地問。「如果在這裡住下了，你就會習慣的。你應該見識一下這裡七月的熱浪。」

湯姆喘得答不上話。

十五分鐘之後他覺得舒服了些。他沖了冷水澡，正坐在狄奇家露台上的一把藤椅上，手上還端著一杯馬丁尼。他聽從瑪姬的建議，再穿上泳褲，外罩襯衫。趁著他沖澡時，他們已在露台上擺設了三個人吃飯的桌子，此刻瑪姬正在廚房用義大利語和女傭交談。湯姆不禁懷疑瑪姬是否住在這裡，這棟屋子鐵定夠住。房子裡面家具不多，義大利古董與美式波希米亞風兼具，十分協調。他在走廊上看到兩幅畢卡索原作。

瑪姬端著馬丁尼來到露台。「我家在那裡，」她指著前方。「看到了嗎？那棟方形白色屋身、屋頂顏色比較暗紅的就是了。」

要從一堆房子中找出她家，實在希望渺茫，但湯姆假裝他看見了。「你在這裡待多久了？」

「一年。去年整個冬天都待在這兒，可真要命，三個月中有兩個月天天下雨！」

「真的？」

「嗯。」瑪姬啜著馬丁尼，滿意地凝視著她的小村莊。她也換回了泳衣，一件番茄色的泳衣，外面搭上一件條紋襯衫。湯姆認為她頗有幾分姿色；如果有人喜歡這種健美型的女人，甚至可以說她有一副好身材。湯姆本人則不喜歡。

「狄奇好像有一艘船。」湯姆說。

「有啊，叫『小蝙號』。蝙蝠號的簡稱。要看嗎？」

她向下指著從露台角落才看得見的一處小碼頭。每艘船的樣子都非常像，但瑪姬說狄奇的船比那裡大部分的船來得大，而且有兩根桅桿。

狄奇走出來拿起桌上的酒罐替自己倒了杯雞尾酒。他穿了一件燙得亂七八糟的白色帆布褲及與他膚色同色的亞麻襯衫。「不好意思，沒有冰塊。我沒有冰箱。」

湯姆笑笑。「我幫你帶了一件浴袍，令堂說你要一件；還帶了幾雙襪子。」

「你認識我母親？」

「我離開紐約之前，正好碰上令尊，他邀請我到府上吃晚餐。」

「哦？我母親好嗎？」

「她那天晚上病才剛好。我覺得她很容易疲倦。」

狄奇點頭。「我這個禮拜收到一封信說她身體好了點，至少目前沒什麼特別嚴重的變化吧？」

「我可不這麼認為。我認為令尊幾個星期前很擔心她的狀況。」湯姆遲疑了一會。「你不回家，他也有點擔心。」

「赫伯特老是擔心這擔心那的。」狄奇說。

瑪姬和女傭從廚房端出一盤熱騰騰的義大利麵、一大碗沙拉與一碟麵包。狄奇和瑪姬開始談起海灘上一家餐廳擴大店面的事。店主正在拓寬露台，打算闢建舞池。他們慢慢地仔細討論這件事，就像小鎮居民關心附近的變化一樣。湯姆根本插不上嘴。

他盯著狄奇的戒指來打發時間。兩只戒指他都喜歡：右手中指上是一只鑲金的綠寶石長方形大戒指，左手小指上是一只璽戒，比葛林里先生戴的更大更華麗。狄奇的手指修長，湯姆認為和他自己的手指有些相像。

「對了，我離開之前，令尊帶我參觀了柏克—葛林里造船廠。」湯姆說。「他告訴我說，從你上次看過以後，他又做了許多改變。當時我留下深刻的印象。」

「我猜他也提供了一份工作給你，他喜歡招攬一些有前途的青年。」狄奇不斷轉著叉子，然後將一大團義大利麵送進口中。

「沒有，他沒給我工作。」湯姆覺得這頓中飯真是糟透了。難道葛林里先生已經對狄奇說過他是來勸他回家的？或者狄奇只是心情不佳？狄奇顯然已和往日不同。

狄奇拿出一個約六十公分高的滴濾式咖啡機，將插頭插進露台上的插座裡。過了一會，煮出了四小杯咖啡，瑪姬端了一杯到廚房給女傭。

「你住在哪家飯店？」瑪姬問湯姆。

湯姆笑了笑。「我還沒找到。你有什麼建議嗎？」

「米拉馬雷最好，就在吉歐吉歐之家附近。另外只剩一家，就是吉歐吉歐之家，可是——」

「人家說吉歐吉歐之家的床上有pulci。」狄奇打岔道。

「他指的是跳蚤。吉歐吉歐之家很便宜，」瑪姬熱心地說。「可是服務——」

「毫無服務可言。」狄奇補充說。

「你今天心情很好，是嗎？」瑪姬朝狄奇丟了一片羊乳酪。

「既然這樣，我去住米拉馬雷好了，」湯姆起身說。「我得走了。」

兩人誰也沒開口挽留他，狄奇陪他走到大門口，瑪姬仍留在露台上。湯姆猜想狄奇和瑪姬是不是正在談戀愛，那種聊勝於無而且並不顯現於外的老式戀情，因為兩人的表現都不太熱切。湯姆想，瑪姬愛著狄奇，但狄奇卻待她和五十歲的義大利女傭沒兩樣。

「有機會我想看看你的繪畫作品。」湯姆對狄奇說。

「好，我想如果你還在，我們會再見面的。」湯姆認為他說這句話的用意，只是因為他想起他幫他帶了浴袍和襪子。

「午餐吃得很愉快。再見，狄奇。」

「再見。」

鐵門鏗鏘一聲關上。

8

湯姆下榻在米拉馬雷飯店。從郵局取回旅行箱時已是下午四點，他硬撐到吊好自己最好的一套西裝之後，便一頭倒在床上。窗口下傳來一群義大利男孩的談話聲，聲音清楚得像是他們正在他房裡閒聊似的，其中一人不時發出一陣一陣粗野的呵呵笑聲，令湯姆輾轉反側。他假想著他們正在談論的是葛林里先生委託他的神祕任務，並對接下來可能發生之事做些不利的推測。

他在這裡做什麼？這兒他一個朋友也沒有，而他又不會說這兒的語言。萬一他生病了怎麼辦？誰會照顧他？

湯姆起身，知道自己快吐了，但仍慢慢地走，因為他知道自己什麼時候會吐，時間上允許他走到浴室。在浴室裡他吐光了所有的午餐，還有那不勒斯那條魚，他想。他吐完後回到床上立刻便睡著了。

他全身軟弱無力地醒來時，陽光仍然耀眼，新手錶上指著五點三十分。他走到窗口向外看，不自覺地在眼前的山坡地上那堆粉紅色與白色的屋宇間找尋狄奇的大房子及那塊凸出的露台。他發現了露台上淺紅色的欄杆。瑪姬還在那兒嗎？他們在談他的事嗎？他聽見小街上那片吵雜聲中傳來一聲笑聲，長而悠遠，聽來像是美國人談話時發出的美式笑聲。突然他看見狄奇和瑪姬正在穿越大路兩旁屋宇間的一處空地。他們拐了個彎，湯姆立即走到側邊窗口看個清楚。他的窗口正下方有條巷子，狄奇與瑪姬正打這兒經過，狄奇身穿白色褲子及赤褐色襯衫，瑪姬則著上衣與裙子。她一定回過家一趟了，湯姆想，要不然就是她有衣服留在狄奇家裡。狄奇和小碼頭上的一名義大利人說話，給了他一些錢，那名義大利人舉了舉帽子致謝，隨即解開繫在碼頭上的小船。湯姆看著狄奇扶瑪姬上船。白色小船開始前進，在他們的左後方，橘色的太陽正沉入水底。湯姆聽得見瑪姬的笑聲及狄奇用義大利語朝碼頭方向喊了一聲。湯姆察覺自己眼下所見的正是他們的日常生活——吃完過午的午餐後，可能小睡一會兒，然後在日落時駕狄奇的小船出遊；接下來在海灘上的咖啡館喝喝小酒。他們照樣在過他們的輕鬆日子，好似他從不曾來過。狄奇為什麼要回去適應搭地鐵與計程車、西裝畢挺、朝九晚五的上班族生活？甚或是出入有司機服務，南北四處度假的日子？這些當然不及現下的生活愜意。在這兒，他可以穿著舊衣駕船出遊，不必向任何人解釋自己的生活方式，而且擁有自己的房子和一個事事照料且脾氣又好的女管家；如果他想旅行的話，也有多餘的閒錢。湯姆打從心坎裡既羨慕又嫉妒他。

狄奇的父親八成在信上提起了某些事，讓狄奇想要與他保持距離，湯姆想。如果他是在海灘上某家咖啡館中不經意地與狄奇相識的，該有多好啊！如果他一開始就這麼做的話，他可能最終會說服狄奇回家，但如今一切泡湯了。湯姆咒罵自己今天竟如此笨拙，一點幽默感也沒有。凡是他嚴肅以對的事情，從來沒有一次成功。他多年前便發現這個事實了。

他想，他得等個幾天；無論如何，第一步是讓狄奇喜歡他。這是他目前最想做的事。

9

湯姆連續三天都沒有動靜。第四天早上近中午時，他來到海灘上，發現狄奇正獨自一人待在湯姆初次見到他的同一個地點，亦即從陸地延伸至海灘的一堆灰色岩石的前方。

「早啊！」湯姆喊道。「瑪姬呢？」

「早安。她大概得工作到晚一點，待會兒會來。」

「工作？」

「她是個作家。」

「喔。」

狄奇嘴角叼著一根義大利菸。「你這幾天都到哪兒去了？我以為你已經離開了。」

「生了一場病，」湯姆不經意地說，一邊順手將浴巾丟到沙灘上，但刻意地和狄奇的浴巾保持距離。

「哦，惱人的胃痛嗎？」

「在生死交替與浴室之間跌跌撞撞。」湯姆笑說。「不過現在完全沒事了。」

其實當時他虛弱得連走出飯店的力氣也沒有，但他還是費力地在房間內緩緩步行，追逐窗口灑進來的陽光，好讓自己下次到海灘時看來不那麼白皙。而且他還利用僅有的一點餘力K一本從飯店大廳買來的義大利會話讀本。

湯姆走進水裡，自信滿滿地走至水深及腰處才停下來，撈了些水濺濕肩膀。他低下身來讓臉頰埋進水裡，稍微游了幾下，隨即慢慢游回岸上。

「我可不可以趁你回家之前請你到飯店喝一杯？」湯姆問狄奇。「還有瑪姬，如果她來了的話。我要把你的浴袍和襪子拿給你。」

「哦，說得也是。非常謝謝你，我很樂意過去喝一杯。」他說完繼續看他的義大利文報紙。

湯姆攤開他的浴巾，他聽見村莊的時鐘敲了一聲。

「看來瑪姬是不會來了，」狄奇說。「我想我就一個人去吧！」

湯姆站了起來。他們往上走到米拉馬雷飯店，一路上除了湯姆開口邀請狄奇一塊吃中飯而狄奇以女管家已在家裡準備好為由拒絕之外，兩人沒聊什麼。他們上樓來到湯姆的房間，狄奇試穿了浴袍並赤腳套上襪子。浴袍和襪子的尺寸正好，而且，正如湯姆所預料，狄奇十分中意這件浴袍。

「還有這個，」湯姆從抽屜拿出一個用藥房包裝紙包著的方型盒子說。「令堂也託了些鼻用藥給你。」

狄奇笑了笑。「我已經不需要了，那是以前治療鼻竇炎用的。不過我還是收下來。」

現在狄奇什麼都拿到手了，湯姆想，他該給的都給了。湯姆知道接下來他一定也會婉拒喝酒的邀約。湯姆尾隨他走到門邊。「你知道，令尊非常關心你回不回家。他請我好好說服你，當然我不會這麼做，可是我還是得對他有些交代，我答應要寫信給他。」

狄奇握著門把轉過身來。「我不知道家父以為我在這裡做什麼——花天酒地還是什麼的。今年冬天我可能會回去幾天，不過我不打算長期留在那兒，我在這兒比較快樂。假如我回去定居，父親一定會叫我到柏克—葛林里公司去工作，那麼我就沒辦法畫畫了。我喜歡畫畫，而且我認為要怎麼過日子是我自己的事。」

「我明白。不過他說你如果回去的話，他不會強迫你到公司工作，除非你想待在設計部門，他還說你喜歡設計。」

「唉，父親和我總是因為這點意見不合。不管怎麼說，湯姆，謝謝你帶來的口信及衣物，你人真好。」狄奇伸出手來。

湯姆不能伸手去握這隻手。那將使他踏入失敗的境地，將導致葛林里先生所無法理解的失敗，而他和狄奇之間的聯結也會就此結束。「我想我應該告訴你另外一件事，」湯姆笑著說。「令尊是特地派我來這兒請求你回家去的。」

「你這話什麼意思？」狄奇皺著眉頭。「他付你錢嗎？」

「是的。」要引起狄奇的興致或讓他退避三舍，要使狄奇開懷大笑或不屑地甩門而去，全看這最後一個機會了。

笑容出現了，長長的嘴角逐漸上揚，正是湯姆記憶中狄奇的招牌笑容。

「付你錢！怎麼回事？他很絕望，是不是？」狄奇把門再關上。

「他在紐約的一間酒吧找上我，」湯姆說。「我對他說我和你並不熟，可是他堅稱，如果我過來的話會有些幫助。我告訴他說我會盡力而為。」

「他是怎麼碰到你的？」

「透過史立佛夫婦。我根本不太認識史氏夫婦，可是卻出現這種結果——我成了你的朋友，而且還對你很有幫助。」

兩人都笑了起來。

「我不希望你認為我想利用令尊，」湯姆說。「我期望盡快在歐洲找到工作，那樣我就能還他旅費了。他幫我買了來回票。」

「哦，別費心了！反正那都記在柏克─葛林里公司的帳上。我能想像老爸在酒吧裡找你搭訕的樣子！是在哪家酒吧？」

「拉奧的店。事實上，他從碧廬一路跟蹤我。」湯姆注視著狄奇的表情，看他是否知道碧廬這家非常有名的酒館，但看來狄奇並不知道。

他們下樓到飯店的酒吧小酌了一番，為赫伯特・理察・葛林里乾一杯。

「我剛才才想起今天是禮拜天，」狄奇說。「瑪姬上教堂去了。你最好趁這個機會來和我們一起吃午餐，我們禮拜天都吃雞肉。你知道這是美國的一項古老習俗，禮拜天吃雞肉。」

狄奇想到瑪姬家看看她還在不在那兒。他們沿著一片石牆爬上一道石階，穿過某戶人家的花園再繼續往石階上走。瑪姬家是一棟看起來雜亂無章的平房建築，一頭是亂七八糟的花園，另一頭則有一堆水桶和一條水管散放在門前走道上，窗台上掛著番茄色泳衣和一件胸罩，表示有女性住在這兒。透過一扇開著的窗戶，湯姆瞧見一張放了台打字機、桌面亂槽糟的桌子。

「嗨！」她開門時說道。「哈囉，湯姆！你這一陣子都到哪兒去了？」

她想請他們喝酒，但發現她的吉爾貝琴酒瓶裡只剩下約莫一公分高的酒。

「沒關係，到我家去。」狄奇說。他在瑪姬的臥室兼客廳泰然自若地走來走去，彷彿他自己有大半的時間住在這兒。他彎下腰來盯著栽了一種小植物的花盆，輕輕用食指碰了碰葉子。「湯姆有好玩的事要告訴你，」他說。「告訴她，湯姆。」

湯姆吸了一口氣後開始娓娓道來。他將整件事說得十分滑稽，瑪姬笑得像個多年沒聽過任何笑話的人似的。「當我發現他跟蹤我到拉奧的店裡時，我還準備爬後面的窗子逃走哩！」

他幾乎不假思索地劈哩啪啦說了一長串，腦中思忖著他的笑料多麼對狄奇和瑪姬的胃口啊！他從他們的臉上看得出這點。

通往狄奇家的山丘小路似乎不若過去那般漫長了。露台上散發一股烤雞的香味，狄奇準備了一些馬丁尼。湯姆沖了個澡，狄奇隨其後沖完澡出來，為自己倒了一杯酒，就像初次見面時一樣，但如今氣氛完全改觀。

狄奇坐在藤椅上，將雙腳跨放在扶手上。「再多說一些事情，」他笑說。「你做些什麼工作？你說你可能會找份新工作。」

「怎麼，你有工作讓我做嗎？」

「不能說有。」

「哦，我會做一堆事——當僕人、看小孩、會計——我很不幸地具有數學天份。不管我喝得多麼爛醉，服務生想騙我錢絕對是門兒都沒有。我會偽造別人的簽名、開直昇機、擲骰子、模仿任何人、做菜……我還可以在夜總會代生病的駐場藝人上場表演獨腳戲。我還要繼續說嗎？」湯姆傾身向前，用手指一樣一樣數著，他還可以再數下去。

「什麼樣的獨腳戲？」狄奇問。

「嗯——」湯姆突然站起來。「就像這樣。」他擺了個一手插腰一腳向前伸的姿勢。「這是亞絲伯登女士在美國搭地鐵的經驗。她連倫敦的地下道也沒走過，可是卻想從美國帶些經驗回家。」湯姆全部用默劇的方式表現：找零錢，發現零錢投不進投幣孔，想買代幣，卻又不知道該走哪道階梯下去，被噪音及地鐵又長又快的速度嚇得一臉驚恐，不曉得怎麼走出地鐵站而再度迷惑——此時瑪姬走出來，狄奇對她說這是個英國女人在搭地鐵，但瑪姬似乎聽不懂而問說「什麼？」——亞絲伯登女士走進一扇可能是男生廁所的門內，飽受驚嚇的她終於禁不住暈倒了。湯姆優雅地昏倒在露台的搖椅上。

「太棒了！」狄奇拍手叫好。

瑪姬沒笑，她站在那兒看來有些失神。他們兩人誰也沒費心解釋給她聽，反正她看起來似乎也沒那種幽默感，湯姆想。

湯姆啜了口馬丁尼，對自己非常滿意。「我改天再表演另一齣給你看。」他對著瑪姬說，但泰半是在暗示狄奇他還有另一套把戲。

「午餐弄好了嗎？」狄奇問她。「我餓死了。」

「我在等那該死的朝鮮薊煮好。你知道前面有那個破洞，東西很難煮開的。」她對著湯姆笑。「狄奇對某些東西的觀念很落伍，湯姆，尤其是一些他不必動手的東西。這裡仍然只有一個火爐，而且他拒絕買個冰箱，甚至連冰櫃也不買。」

「這就是我逃離美國的一個原因，」狄奇說。「那些東西在一個佣人這麼多的國家實在是太浪費錢了。如果艾梅琳半小時就能夠弄好一餐，她要怎麼打發其他的時間？」他站起來。「進來吧，湯姆，我讓你看一些我畫的東西。」

狄奇領著湯姆走進一個他沖澡前後經過好幾次的大房間，房間裡兩扇窗下擺了一張長沙發，地板中央放了一個大畫架。「這是我正在畫的一幅瑪姬的肖像畫。」他指著畫架上的畫說道。

「哦？」湯姆興趣盎然地說。他認為他畫得不好，大概任何人都會這麼認為。她那野性洋溢的笑容有些失敗，她的膚色也紅得像個印第安人似的，倘若瑪姬不是這一帶唯一的金髮女郎，他一點也看不出來這是瑪姬。

「還有這些——一些風景畫。」狄奇嗤笑道，其實他希望湯姆讚美幾句，因為他顯然十分滿意這些作品。那都是一些大同小異的粗糙作品，幾乎每一幅都少不了赤褐色與淺藍色，赤褐色的屋頂與山脈，淺藍色的大海。他也用同一種藍色來塗瑪姬的眼睛。

「這是我的超寫實作品。」狄奇用膝蓋抵著另一幅油畫說。

湯姆不好意思地退了一步。顯然又是瑪姬，畫中人物仍有頭彎彎曲曲的長髮，更糟的是雙眼各有一條地平線，一眼畫的是蒙吉貝羅屋宇與山脈的縮小風景，另一眼裡則是充滿了小紅人的海灘。「不錯，我喜歡。」湯姆說。

葛林里先生果然沒錯。不過這總是讓狄奇有些事做，不會到處去惹麻煩，湯姆想，對美國境內數以千計的三流業餘畫家而言，莫不是如此。他只遺憾狄奇走上繪畫這條路，因為他希望狄奇更有作為。

「我不會成為舉世聞名的大畫家，」狄奇說，「可是我從繪畫中得到很多樂趣。」

「是的。」湯姆想忘記這些畫，忘記狄奇畫畫這件事。「我可以看一看這間屋子的其他地方嗎？」

「當然可以！你還沒看過客廳吧？」

狄奇打開走廊上一道門，門後是一間非常大的房間，有壁爐、沙發、書架，而且面對露台和房子的另一邊空地及屋前的花園。狄奇說他夏天不用這個房間，因為他喜歡留著冬天時來這裡欣賞不同的景致。湯姆覺得，這裡與其說是客廳，不如說是書庫。真令他驚訝，他一向認為狄奇是個不怎麼聰明的年輕人，八成大部分時間都在玩樂。或許他看錯了。但他可不認為他錯看了狄奇此刻正悶得慌，需要有人教他玩樂這事。

「樓上有什麼？」湯姆問。

樓上讓人大失所望。狄奇位於屋角與露台上方的臥室空空盪盪——一張床、一個置物櫃、一張搖椅，看起來和周圍的空間全然無關；另外還有一張不比單人床寬的床。二樓的另外三個房間甚至沒有裝潢，或者裝潢不完全，其中一間只放了木柴與一堆廢棄的油畫。沒有一點瑪姬的痕跡，狄奇的臥室更沒有。

「找一天和我一起去那不勒斯好嗎？」湯姆問。「我南下來這兒的時候，沒什麼機會在那裡觀光。」

「好，」狄奇說。「瑪姬和我禮拜六下午要去。我們幾乎每個週末晚上都在那裡用餐，然後搭計程車或馬車回來。跟我們一塊去吧！」

「我想白天去或者在那裡度週末，這樣我才能多看點東西。」湯姆說，希望能擺脫瑪姬。「或者你一整天都要畫畫？」

「沒有。每週一、三、五的十二點各有一班巴士到那裡。我想我們明天可以出發，如果你想去的話。」

「好啊！」湯姆說，雖然他仍不確定狄奇是否會邀請瑪姬。「瑪姬是天主教徒嗎？」兩人下樓時他問。

「狂熱得很呢！六個月前她迷得要命的一個義大利人改變了她。那男人可真會說話！他滑雪出了意外之後，來這裡休養幾個月。艾杜亞多走了以後，瑪姬只好接受他的宗教來安慰自己。」

「我以為她愛你。」

「愛我？別傻了！」

他們走到露台時，餐點已準備好，甚至還有瑪姬親手做的熱硬麵包夾奶油。

「你認識紐約的維克・席蒙斯嗎？」湯姆問狄奇。

維克那裡經常雲集著紐約的藝術家、作家與舞者，但狄奇不認識他。湯姆再問了他兩、三個人名，一樣未果。

湯姆希望瑪姬喝完咖啡會離開，可是她沒有。待她暫時離開露台時，湯姆開口說：

「我今天晚上可以請你到我住的飯店用晚餐嗎？」

「謝謝你，什麼時候？」

「七點半好嗎？這樣我們還有時間喝雞尾酒。畢竟，這是你爸爸的錢。」湯姆笑著說。

狄奇笑了笑。「好啊，雞尾酒和一瓶上等的葡萄酒，瑪姬！」瑪姬正好走回來。「我們今天晚上要在米拉馬雷用餐，託葛林里老爹的福！」

這麼說來瑪姬也要去了，湯姆實在沒轍，畢竟這是狄奇父親的錢。

當夜的晚餐氣氛愉快，只差瑪姬在場，壞了他談話的興致，而且他也不想在瑪姬面前表現得聰明伶俐。餐廳內有瑪姬認識的一些人，吃過晚餐她暫時告退，端著她的咖啡走到另一桌坐了下來。

「你要在這裡待多久？」狄奇問。

「哦，至少一個禮拜吧。」湯姆回答。

「是這樣——」狄奇的臉頰泛起紅暈，托斯卡尼紅葡萄酒讓他心情很好。「如果你準備在這裡待上一段時間，何不就搬來和我住呢？不必住飯店，除非你真的喜歡住飯店。」

「非常謝謝你。」湯姆說。

「女傭的房間裡有張床——你沒看過這個房間——艾梅琳沒睡過那張床。我相信我們可以利用四處堆放的家具來裝潢，如果你願意的話。」

「我願意。對了，你爸爸給了我六百美元，我還剩五百美元，我想我們兩個應該好好花用這筆錢，對吧？」

「五百美元！」狄奇說，彷彿他這一輩子從未一次見過這麼多錢。「可以買一部小車了！」

湯姆並未附和買車這項提議，他找樂子的方法不是如此，他想搭機去巴黎一趟。他看見瑪姬走回來了。

隔天早上他搬進狄奇家。

狄奇和艾梅琳合力在樓上的一個房間內擺了一個衣櫥和幾張椅子，狄奇還在牆上釘了幾幅聖馬克大教堂的馬賽克複製畫。湯姆協助狄奇將鐵床從女傭的房間搬上樓，十二點之前便結束工作。工作時喝了弗拉斯卡提酒的兩個人，此刻有些頭昏眼花。

「我們還要去那不勒斯嗎？」湯姆問。

「當然要去。」狄奇看看手錶。「只差十五分就十二點了，我們可以趕上十二點的巴士。」

他們只帶了夾克和湯姆的旅行支票簿便出門。他們走到郵局時，巴士正好到達。湯姆和狄奇站在門邊，等著別人下車；接著狄奇準備跨上巴士，正好與一名穿著刺眼運動衫的紅髮青年迎面撞上，那是個美國人。

「狄奇！」

「佛雷迪！」狄奇喊道。「你在這裡幹嘛？」

「來看你呀！還有切吉一家人，我會在他們家住幾天。」

「真好！我和一個朋友要到那不勒斯去。湯姆！」狄奇招手叫湯姆過來並介紹兩人認識。

那個美國人名叫佛雷迪・邁爾斯。湯姆認為他很醜。湯姆討厭紅頭髮，尤其是這種胡蘿蔔紅髮配上白皮膚加雀斑的傢伙，他更討厭。佛雷迪有雙游移不定的紅棕色大眼睛，看起來像是鬥雞眼，他也許是那種說話從來不正眼瞧著別人的人。他也太胖。湯姆別過頭，等著狄奇結束談話。湯姆察覺巴士正在等他們。狄奇與佛雷迪正談起滑雪，並約定十二月要在一個湯姆從未聽過的城鎮見面。

「到時候柯狄納大概會有十五個人。」佛雷迪說。「來個和去年一樣炫的派對！假如錢夠的話，玩它三個禮拜！」

「如果我們撐得下去的話！」狄奇說。「今晚見，佛雷迪！」

湯姆跟著狄奇上車。沒有空位，兩人擠在一個汗臭味十足的瘦男人與幾名體味更難聞的老農婦中間。巴士才剛出發，狄奇便想起瑪姬和平常一樣會到他家吃中餐，他們昨天以為那不勒斯之行會因湯姆搬家而取消，所以忘了通知瑪姬。狄奇大喊司機停車。司機緊急煞車，巴士滑向一邊停了下來，站著的乘客都失去平衡，狄奇將頭伸出窗外大喊：「季諾！季諾！」路上一名小男孩跑來接過狄奇給他的一百里拉。狄奇說了幾句義大利話，男孩說了一句「我馬上去，先生！」之後立即飛奔上路，狄奇向司機道謝，巴士再度上路。「我叫他去跟瑪姬說我們今天晚上會回去，不過也許晚一點。」狄奇說。

「好。」

司機在那不勒斯一處喧鬧的大廣場放他們下來，兩人頓時置身在載著葡萄、無花果、點心與西瓜的推車之間，四周並有一些青少年拉著嗓門兜售鋼筆與機械玩具。眾人讓路給狄奇。

「我知道有個好地方可以吃中餐，」狄奇說。「道地的那不勒斯披薩店。你喜歡吃披薩嗎？」

「喜歡。」

披薩店坐落在一條又窄又陡，車子進不來的小街上。門口掛著珠簾，每張桌上都擺了一瓶酒，整個店裡只有六張桌子，是一處可以讓人安安靜靜喝酒消磨數小時的地方。他們在店裡坐到五點，狄奇提議去加勒里亞咖啡館。狄奇因為沒帶湯姆去美術館而向他致歉。他表示館內有達文西與葛雷柯的原作，不過他們可以改天再來看。狄奇一整個下午泰半在談論佛雷迪•邁爾斯，湯姆覺得這個話題與佛雷迪的臉孔一樣無趣。佛雷迪是美國一家連鎖飯店的小開，也是劇作家——湯姆猜想，那一定是他自己冠上的名號，因為他只寫過兩齣戲，而且沒有一齣在百老匯上演過。佛雷迪在卡那須梅有一棟房子，狄奇來義大利之前曾在他家住了幾個星期。

「我就是喜歡這樣，」狄奇在加勒里亞高談闊論道，「坐在桌旁注視人來人往。這對開展視野有幫助。盎格魯薩克遜人不愛在露天咖啡座盯看人群，真是犯了大錯。」

湯姆點頭，他以前聽過這種論調。他正等著狄奇說出自己的看法。狄奇長得頗為英俊，姣好的臉型、機智的雙眼以及自信的態度，讓他顯得與眾不同，身上穿的衣物絲毫不減他的風采——此刻他穿著一雙破涼鞋和一條邋髒的白褲子。他坐在那裡用義大利語和端咖啡來的侍者聊天，一副加勒里亞老闆的樣子。

「嗨！」他對著一名經過咖啡館的義大利男孩說。

「嗨！狄奇！」

「他專門在禮拜六幫瑪姬兌換旅行支票。」狄奇向湯姆解釋。

一名穿著講究的義大利人走過來熱情地與狄奇握手，並在他們身旁坐了下來。湯姆聽他們用義大利語交談，東猜一句，西猜一句。湯姆開始感到疲倦。

「要不要去羅馬？」狄奇突然問他。

「好啊。」湯姆答道。「現在嗎？」他站起來，伸手拿錢付帳。服務生將帳單塞在咖啡杯下。

義大利人開著一部灰色凱迪拉克，車內配有活動百葉窗、四聲道喇叭及一個似乎影響不了狄奇和他的惱人音響。兩個鐘頭左右之後，他們來到羅馬郊外。他們經過阿庇亞大道時，湯姆坐正身子，義大利人對湯姆說這條路是特別為他走的，因為湯姆以前沒看過這條古道。路上坑坑洞洞，義大利人說這些都是古羅馬時代遺留下來的路面，好讓人們體驗古羅馬路面的感覺。左右兩旁的平地在暮色中顯得荒涼，湯姆想，那看來像是一處古老的墓園，只剩下幾座墳墓與一些破墓碑。義大利人在羅馬一條街道中央放他們下車，道了再見後立即揚長而去。

「他在趕時間，」狄奇說。「要去看他的女友，而且得趕在他女友的老公十一點回來前開溜。那裡就是我要找的音樂廳，走吧。」

他們買了當晚的音樂會門票。離演出尚有一個鐘頭，兩人於是走到委內特大道，找了家咖啡館，點了美式咖啡坐在人行道上。湯姆發覺狄奇在羅馬一個人也不認識，或者他認識的人都沒打這兒經過。兩人邊喝咖啡，邊注視著眼前經過的數百名義大利人與美國人。湯姆實在不大明白音樂劇的內容，但他仍盡力了解。音樂劇尚未結束，狄奇便提議離開。隨後他們叫了輛馬車開始遊城，經過一處又一處的噴泉，穿過古羅馬廣場並繞經圓形競技場。月亮已出現在天際。湯姆有點睏，但這股睡意夾雜首度置身羅馬的興奮，反而讓他產生一種包容、甜蜜的感覺。他們癱坐在馬車內，各自蹺著二郎腿，腳上皆穿著涼鞋，湯姆看著狄奇的腿和腳，覺得自己似乎正看著一面鏡子。他們兩人身高一樣，體重也差不多，狄奇或許重些，而且他們也穿相同尺寸的浴袍和襪子，說不定襯衫尺寸也一樣。

湯姆付錢給馬車夫時，狄奇甚至說了一句「謝謝你，葛林里先生」，湯姆覺得有些奇怪。

他們在晚餐喝下的那一瓶半葡萄酒，讓兩人在凌晨一點時心情更加舒暢。他們勾肩搭背、一路哼哼唱唱，來到漆黑的街角時與一名女孩迎面相撞，還撞倒對方。他們扶她起來，道了歉並表示願意護送她回家。她不願意，他們堅持，兩人將她夾在中間。她說她得趕電車，狄奇不理她，逕自招來一輛計程車。狄奇和湯姆正襟危坐地坐在車裡，抱著臂膀像一對保鏢似的，狄奇不時與她交談，逗她開心。湯姆幾乎聽得懂狄奇說的每件事。他們在一條像是那不勒斯那裡的小街道放女孩下車，她說了聲「多謝」並與兩人一一握手，隨後便消失在一處黑漆漆的門後。

「你聽見了嗎？」狄奇說。「她說我們是她見過最好的美國人！」

「你知道大多數的笨美國人在這種情況下會做什麼嗎？強暴她。」湯姆說。

「這是哪裡呀？」狄奇轉來轉去地問。

誰也不知道這是什麼地方。他們走了幾條街，連個路標或熟悉的街名也沒看見。兩人對著一道黑牆撒尿，隨即再上路。

「天亮時我們就知道這是哪裡了。」狄奇開心地說，看著手錶。「只差幾個小時天就亮了。」

「嗯。」

「送一個好女孩回家可真是好事一樁，是吧？」狄奇步履有些蹣跚地問。

「的確是，我喜歡女孩子，」湯姆大聲說。「不過也是因為瑪姬今天晚上不在這裡。有瑪姬在的話，我們根本不可能送那個女孩子回家。」

「哦，我不知道，」狄奇低頭看著正在前進的雙腳，若有所思地說。「瑪姬不是——」

「我的意思只是，假如瑪姬在這裡，我們就會擔心旅館住宿的問題，我們八成就得待在飯店內，連羅馬的一半街景也看不完！」

「說得也是！」狄奇伸出手臂攀著湯姆的肩膀。

狄奇粗暴地搖著他的肩膀，湯姆試圖翻身並抓住他的手，「狄奇！」湯姆睜開眼睛，恰與一名警員正面相對。

湯姆坐了起來。他發現自己置身於一座公園，天剛亮。狄奇坐在他身旁的草地上，正用義大利語非常冷靜地與警員交談。湯姆趕緊摸一摸身上的旅行支票，還在口袋裡。

「護照！」警員再次對他們咆哮，而狄奇又一次冷靜地解釋。

湯姆知道狄奇在說些什麼。他說他們是美國人，只不過是出來走一走，看看星星，所以沒帶護照。湯姆很想笑，他步伐不穩地站了起來，拍拍身上的灰塵。狄奇也站起來，兩人不顧仍對著他們大叫的警員，開始舉步離開，臨走前狄奇客氣地回了警察一句委婉的話，警員終於不再跟著他們。

「我們看起來真的很像癟三。」狄奇說。

湯姆點頭表示贊同。他的長褲膝蓋處開了一道長長的裂縫，八成是在哪裡跌倒時劃破的，他們的衣服都皺巴巴的，沾了草漬、灰塵及汗漬，全身髒兮兮的，還冷得簌簌顫抖。之後看見路旁有家咖啡館，他們立刻走進去，喝了拿鐵咖啡，吃了甜麵包，再喝幾杯難喝卻暖身的義大利白蘭地。接著兩人笑了起來，他們仍有幾分醉意。

他們在十一點之前回到那不勒斯，正好趕上開回蒙吉貝羅的巴士。一想到日後將穿著正式些再回來羅馬參觀美術館，就讓人愉快；想到今天下午能躺在蒙吉貝羅海灘上享受陽光，也令人開心。但是他們沒去海灘。在狄奇家沖過澡之後，他們便各自倒頭大睡，直到四點左右瑪姬來叫醒他們。瑪姬正因為狄奇沒拍電報告訴她說要在羅馬過夜而生氣。

「並不是我介意你在外面過夜，可是我以為你在那不勒斯，而那不勒斯什麼事都可能發生。」

「哦。」狄奇拉長語調說，並瞄了湯姆一眼。湯姆正在調製血腥瑪麗。

湯姆閉緊嘴巴一聲不吭，他不打算告訴瑪姬他們做過的任何事情，隨她去猜吧！狄奇擺明了兩人玩得十分愉快的樣子。湯姆發現她一臉不悅地看著狄奇，不滿他宿醉，不喜歡他沒刮鬍子，也看不慣他手中端著的飲料。瑪姬非常嚴肅時，便會出現某種眼神讓她看起來睿智成熟，儘管她穿著幼稚，留了瀏海，全身一股女童軍味兒。她現在看起來像個母親或姐姐——一副反對小男孩與大男人胡搞瞎搞的女性模樣。了不得啊！或者她只是嫉妒？她似乎知道狄奇與他在二十四小時之內建立了親密關係，只因為他也是男人。不論狄奇是否愛她，她與狄奇的關係從來無法如此親密，事實上狄奇也不愛她。過了一會兒，她放鬆了，睿智的眼神也隨之消失。狄奇留下他與瑪姬二人在露台。湯姆問起她寫的書。她說，是一本和蒙吉貝羅有關的書，加上她自己拍的照片。她說她是俄亥俄州人，並從皮夾中拿出一張她老家的照片給他看，瑪姬笑著說，那不過是幾塊爛板子搭起來的房子，但還算個家。她說的這個「爛」字，讓湯姆覺得有趣，因為她通常用這個字來形容醉鬼，而且幾分鐘前她才對狄奇說：「你看起來真爛吔！」湯姆想，無論遣詞用字或者發音，她說話的方式都很惹人不悅。他試著對她表現和善，他覺得他辦得到。他陪她走到大門口，兩人親切地互道再見，但誰也沒約定今天晚一點或明天大伙兒再碰頭的事。瑪姬略微生狄奇的氣，這點準沒錯。

10

接下來的三、四天，除了在海灘之外，他們很少見到瑪姬，在海灘上碰面時，她對二人的態度明顯地冷淡許多。她像以前一樣有說有笑甚至話更多，但現在帶有一絲客氣的成分，這也正是凸顯她冷淡的原因。湯姆發覺狄奇很擔心，但顯然還不至於擔心到去找瑪姬私下一談。自從湯姆搬來後，他就不曾單獨和瑪姬見面。湯姆一搬進狄奇家之後，便和狄奇寸步不離。

終於，為了顯示他並非對瑪姬感覺遲鈍，湯姆對狄奇提起他認為她的舉止有些異樣。

「哦，情緒問題吧。」狄奇說。「也許她工作得很順，她專心工作的時候不太想見人。」

湯姆想，狄奇與瑪姬的關係顯然正如當初他所料，瑪姬喜歡狄奇的程度勝過狄奇喜歡她。

無論如何，湯姆把狄奇逗得開開心心的。他有許多紐約朋友的笑料可說給狄奇聽，有些是真的，有些是他瞎編的。他們每天都駕著狄奇的小船出海。誰也沒提湯姆什麼時候要離開，顯然狄奇喜歡有他做伴。狄奇想作畫時，湯姆便退到一邊去，而狄奇想出去走走或駕船出海或只是想坐下來聊天時，他總是願意放下手邊的事情陪狄奇。狄奇似乎也很高興湯姆認真地學習義大利文，湯姆一天花數小時研讀文法與會話讀本。

湯姆寫信給葛林里先生，說他目前和狄奇一起住了數天，並說狄奇曾提過今年冬天想搭機回美國一陣子，屆時他大概可以說服他待久一點。前些時候寫的第一封信，他說他正住在蒙吉貝羅的一家旅館，這封信則提到他目前居住在狄奇家，聽起來好多了。湯姆也在信上提說等他錢用盡時，他打算找一份工作，也許到村內的某家旅館工作。他不經意地提起這件事，其實有兩項目的，一來提醒葛林里先生六百美元可能用盡，二來表示他是個蓄勢待發且願意努力工作的年輕人。湯姆也想讓狄奇對他留下相同的好印象，因此他先讓狄奇讀了這封信後才裝進信封裡。

又一週過去了，天氣十分宜人，日子過得相當慵懶，湯姆每天最耗體力的是爬石階往返海灘，而最花心思的是努力用義大利語和法斯多聊天。法斯多是狄奇從村裡找來教湯姆義大利文的二十三歲男孩，一週來三次。

有一天他們駕著狄奇的帆船到卡布里島去。卡布里的位置遠得與蒙吉貝羅兩不相望。湯姆滿心期待，但狄奇心事重重，做什麼事都提不起勁。他在停放蝙蝠號時與碼頭管理員吵了一架。狄奇甚至不願意到廣場四周那些美麗的小巷去走走。他們在廣場上一家咖啡館坐下來喝了幾杯斐內特酒，狄奇便說想趁天黑前回家，雖然只要狄奇同意在卡布里過夜，湯姆可是十分願意負擔旅館住宿費。湯姆猜想日後他們還會再來卡布里，因此他那天就這麼算了，並且試著忘記這回事。

葛林里先生來了封信，正好錯過湯姆寄出的信，葛林里先生在信上重申他要狄奇回來的理由，希望湯姆能達成任務，並要求他盡速回信。湯姆再一次盡本份地提筆回信。葛林里先生的來信竟充滿讓人訝異的商業口吻——湯姆想，真像在查核船艇零件的船務瑣事——因此他發覺用相同的格式回信十分容易。湯姆回信時有些亢奮，因為剛吃過午餐，喝過葡萄酒，正處於微醺狀態，有時候這種美好的感覺只消喝幾杯義大利式濃縮咖啡或出門走走便能立即回復正常，有時候他們會繼續喝上一杯，一邊閒話家常，讓這種感覺持續。湯姆在信上注入了一絲微弱的希望，並自我消遣一番。他按照葛林里先生的格式回信：

假如我沒弄錯，理察正考慮是否要在此地度過今年冬天。之前我已向您保證，我將竭盡所能說服他別在這裡過冬，屆時——雖然離聖誕節還有好長一段時間——我也許能讓他回美國過節，並從此定居下來。

湯姆邊寫邊笑，因為他和狄奇正計畫今年冬天搭船到希臘諸島，而且狄奇已打消回家的念頭，除非他母親到時候真的病情轉劇。他們也談過要在蒙吉貝羅氣候最糟的一月及二月份到馬約卡去，而且湯姆肯定瑪姬不會和他們一起去。他和狄奇兩人每回討論旅行計畫時都未將瑪姬列入考慮，雖然狄奇有一次不小心說溜了嘴，告訴瑪姬他們冬天可能會出海航行。狄奇真是藏不住話！如今，雖然湯姆知道狄奇依然確定只有他們倆一起去，但狄奇較往常更加關心瑪姬，因為他覺得她獨自一人留在這裡一定很寂寞，而且他們沒邀請她一起去也實在不厚道。狄奇和湯姆設法讓瑪姬以為他們將用最省錢、最克難的方式環遊希臘，說他們也許會搭乘載牲畜的船、和農夫一起睡在碼頭等等的，而這種旅遊方式絕對不適合女孩子，所以才沒邀請她。但瑪姬仍一臉沮喪，而狄奇也常常請她到家裡吃午餐及晚餐，企圖補償她。兩人從海灘走回來時，偶爾狄奇會牽牽瑪姬的手，雖然瑪姬並非每次都願意讓他牽。有時候她讓狄奇牽了一下便抽開手，那個動作看在湯姆眼裡，其實正表露了她渴望有人牽她。

而當他們開口請她一起去海克力斯時，她一口回絕了。

「不了，我要待在家裡，你們男生好好去玩吧！」她勉強笑說。

「好吧，假如她不想去，就別勉強她。」湯姆對狄奇說，並刻意進屋裡去，好讓她和狄奇有機會在露台上單獨談談。

湯姆坐在狄奇工作室的大窗台上，抱著古銅色的臂膀看海。他喜歡望著湛藍的地中海，想像他和狄奇任意在海上遨遊，坦吉爾、索非亞、開羅、塞瓦斯托波……等到他一毛不剩時，狄奇八成已非常喜歡他，並十分習慣有他陪伴，因此他可以理所當然地認為他們會繼續住在一起。狄奇每個月固定的五百美元收入，應付兩人的生活綽綽有餘。他聽見露台上傳來狄奇的苦苦哀求聲及瑪姬無動於衷的回答。接著他聽見大門鏗鏘一聲關上。瑪姬離去了，她本來要留下來吃午飯的。湯姆從窗台上跳下來，走到露台站在狄奇身旁。

「她在生什麼氣嗎？」湯姆說。

「不是，她只是想離開吧，我猜。」

「我們已經盡力將她列入計畫之內了。」

「不只這件事。」狄奇在露台上緩緩地走來走去。「現在她甚至說，她也不想和我一起去柯狄納了。」

「哦，她十二月之前應該會對柯狄納之行回心轉意的。」

「我懷疑。」狄奇說。

湯姆猜想原因出在他也要去柯狄納。狄奇上週開口邀請他。他們從羅馬回來時，佛雷迪・邁爾斯已經離開，據瑪姬表示，他突然有事必須趕去倫敦。但狄奇說他會寫信告訴佛雷迪，說他會帶一位朋友去。「你希望我離開嗎，狄奇？」湯姆嘴上這麼問，心中卻肯定狄奇不希望他離開。

「我覺得我介入了你和瑪姬之間。」

「當然不希望！你哪有介入什麼？」

「嗯，她是這麼認為。」

「不是的，只是我對她有所虧欠，而且我最近並沒有好好關心她。我們都沒有。」

湯姆明白他的意思是，去年漫長、可怕的冬天他都和瑪姬彼此做伴，當時他們是村裡僅有的美國人，如今他不應該因為來了新人就忽略她。

「那我來勸她去柯狄納。」湯姆提議說。

「那她鐵定不會去。」狄奇簡短地丟下一句話便進屋裡去了。

湯姆聽見他對艾梅琳說午餐先擱著，因為他還不準備吃。雖然說的是義大利話，但湯姆聽得出來狄奇以主人的口吻說他不打算吃中餐。狄奇出現在露台上，用手遮著打火機準備點燃香菸。狄奇有一個漂亮的銀質打火機，但是它在微風中不太管用。最後湯姆拿出他那個和軍用設備一樣醜陋實用的打火機，為他點燃香菸。湯姆抑止自己提議喝點酒，這不是他家，雖然他正巧買了三瓶吉爾貝擺在廚房裡。

「兩點多了，」湯姆說。「要不要出去走走，順便到郵局去一下？」

有時候陸吉會在兩點三十分打開郵局的門，有時候四點才開，他們永遠也猜不準時間。

他們靜靜地走下山丘。湯姆不禁懷疑瑪姬說了他什麼。心中陡生的罪惡感讓湯姆前額冒出冷汗，這是股模糊卻強烈的罪惡感，彷彿瑪姬已明確地告訴狄奇他偷了東西或做了些可恥的事情似的。狄奇不可能只因為瑪姬態度冷淡就呈現這種反應，湯姆想。狄奇垂頭喪氣地走著，只見他兩隻膝蓋在他身前晃呀晃地，湯姆不知不覺也學了他這種走路方式。現在狄奇頭低垂在胸前，雙手塞進短褲口袋，開口說話也只是為了與陸吉打招呼，並謝謝他送信來。沒有湯姆的信。狄奇的信是那不勒斯一家銀行寄來的一張表格，湯姆看見上面有一行空白處用打字機打上了「五佰圓整」。狄奇隨意地將這張紙塞進口袋，並將信封丟進垃圾桶裡。湯姆猜想那是每個月都會寄來通知狄奇錢已匯入那不勒斯銀行的通知單。狄奇說過，他的信託公司會將他的錢匯入那不勒斯一家銀行。他們繼續走下山丘，湯姆以為他們會像往常一樣走村子另一邊一條繞過懸崖的大路回家，但是狄奇在通往瑪姬家的石階前停了下來。

「我想上去看看瑪姬，」狄奇說。「我去去就來，你不用等我。」

「好。」湯姆突然有種被遺棄的感覺。他注視著狄奇爬上穿牆而建的陡峭石階一會兒，隨即猛然轉身朝回家的方向走。

走到半山腰時他停下腳來，有股衝動想下山到吉歐吉歐之家喝一杯（可是吉歐吉歐之家的馬丁尼難喝死了），還有股衝動想走上瑪姬家去，佯裝向她道歉，其實是嚇嚇他們並惹惱他們以達到洩怒的目的。他突然覺得此刻狄奇正擁著瑪姬，或者在撫摸她，他既想看，卻又討厭看到這種場面。他回頭走向瑪姬家的大門。雖然她家還有一段距離，她絕不可能聽見關門聲，但他還是小心翼翼地關上大門，然後一路兩級跳地跑上階梯。他爬上石階最上一層時放慢了腳步。他想要對她說：「嗯，瑪姬，如果我在這裡製造了緊張氣氛，我很抱歉。我們請你今天離開，我們是說真的，我是說真的。」

看見瑪姬的窗戶時湯姆停了下來，狄奇正抱著她的腰。狄奇在她臉頰上輕輕吻了幾下，並對她微笑。他們和他相距不過五公尺，但和他所站之處燦爛的陽光相較，房間顯得陰暗，因此他必須竭盡眼力才能看清楚。現在瑪姬的臉轉過來與狄奇正面相對，一副神魂顛倒的樣子，讓湯姆感到噁心的是，他知道狄奇並非出自真心，狄奇只是利用某種不費吹灰之力的舉動來鞏固他的友誼。更教湯姆噁心的是，她那包在農夫裙底下的大屁股正抵著狄奇抱著她腰的手臂，而且狄奇——湯姆真不敢相信狄奇會做出這種事！

湯姆掉頭跑下石階，幾乎尖叫出來。他「碰」地一聲用力關上大門，一路跑回家。進了狄奇家大門後，氣喘如牛地靠著矮牆休息。他在狄奇工作室中的沙發上坐了一會兒，腦筋一片空白。那個吻——看起來不像初吻。他走向狄奇的畫架，不自覺地避視畫架上的劣作，拾起調色盤上揉成一團的橡皮擦，用力地丟向窗外，看著它們呈拋物線地落入海裡。他從狄奇的桌上抓起了更多的橡皮擦、筆心、骯髒的小棍子、炭筆與粉彩筆，逐一丟向角落或丟出窗外。他感覺自己的頭腦仍然冷靜正常，只是身體失去控制。他跑到露台去，想跳上矮牆跳舞或倒立，但矮牆另一邊的懸崖讓他打消了這個念頭。

他走上狄奇的房間，雙手插在口袋裡來來回回走了一會兒。不曉得狄奇何時會回來？或者他會繼續待上一整個下午，和她上床？他迅速地拉開狄奇的衣櫥並往內望。有一套燙得平整、看起來全新的灰色法蘭絨西裝，湯姆從未見狄奇穿過。他將它拿了出來。他脫下及膝短褲並套上那件西裝褲，穿上狄奇的鞋子。然後他拉開櫃子最下層的抽屜，取出一件乾淨的藍白條紋襯衫。

他選了一條深藍色的絲質領帶，小心翼翼地結上它。西裝正好合身。他重新梳了髮型，學狄奇旁分前髮。

「瑪姬，你必須了解我並不愛你。」湯姆模仿狄奇的聲音對著鏡子說，狄奇說到重要的字眼時總會提高聲調，語句結尾總是低沉地自喉嚨發出聲音，這種聲音聽來有時愉快有時不悅，有時親密有時冷淡，端視狄奇的心情而定。「瑪姬，住手！」湯姆突然轉身朝空中抓了一下，彷彿他正掐著瑪姬的喉頭。他使勁地搖動她，扭著她的頸項，她漸漸地倒了下來，終於他鬆開手，讓她癱在地板上。他上氣不接下氣，學著狄奇的動作擦去前額汗水，他伸手想取手帕卻找不著，便從狄奇最上層的抽屜取出一條再回到鏡子前。他張開的嘴唇也像狄奇游完泳後喘氣的模樣，微微張開露出下排牙齒。「你明白我為什麼會那麼做。」他仍然氣喘吁吁地對瑪姬說，雖然他正注視著鏡中的自己。「你介入了湯姆和我之間——不，不是那回事！但我們之間有一條連線！」

他轉身過去，一腳踩上想像的瑪姬軀體，再悄悄地走到窗口。他隱約看得見蜿蜒小道再過去的那道通往瑪姬家的石階。狄奇不在石階上，路上也不見他人影。或許他們此刻正睡在一起。湯姆一想到這點，便感到喉嚨卡著一股強烈的噁心。他想像兩人親熱的情景，狄奇覺得笨手笨腳，一點也不滿足，瑪姬卻愛死了。即使他折磨她，她也會大呼過癮！湯姆飛奔回衣櫥前，從上層拿出一頂帽子，是一頂小的灰色登山帽，帽邊有一根綠白相間的羽毛，他隨手將它戴上。被帽子遮住額頭的自己竟然和狄奇如此相像，真讓他驚訝，說來只有他略深的髮色和狄奇十分不同；不然的話，他的鼻子——至少鼻型、瘦削的下巴，如果把眉毛拉直一些的話——

「你在幹嘛？」

湯姆猛然轉身，狄奇正站在門口。湯姆明白一定是他眺望遠方時，狄奇剛好走到樓下大門口。「哦——只是玩玩而已。」湯姆用他一貫低沉的尷尬口吻說。「對不起，狄奇。」

狄奇微微張口，隨即又閉上，似乎是氣得說不出話來了，這和他開口說話一樣令湯姆難受。狄奇走進房間。

「狄奇，對不起，如果——」

房門猛然「碰」了一聲關上，他住了嘴。狄奇當湯姆不存在似地開始解開襯衫，因為這是他的房間。那麼湯姆在這裡做什麼？湯姆嚇得僵立原地不動。

「我希望你別亂動我的衣服。」狄奇說。

湯姆開始脫衣服，因內心懊惱、震驚，手指遂不聽使喚。以前狄奇總是指著他的衣服對湯姆說他可以穿這穿那的，今後狄奇再也不會這麼說了。

狄奇看著湯姆的腳。「連鞋子也穿？你瘋了嗎？」

「沒有。」湯姆一邊掛上西裝，一邊試圖回復心神，隨後他開口問：「你和瑪姬和好了嗎？」

「瑪姬和我之間沒什麼問題。」狄奇高聲答道，頓時讓湯姆語塞。「有件事我想說，你聽清楚——」他看著湯姆說，「我不是同性戀，我不知道你是否懷疑我是。」

「同性戀？」湯姆苦笑道。「我從來沒想過你是同性戀。」

狄奇欲言又止，他坐正身子，黝黑胸膛上的肋骨隱約浮現。「嗯，瑪姬認為你是。」

「為什麼？」湯姆感覺自己面紅耳赤。他無力地踢掉狄奇的另一隻鞋子，再將整雙鞋放進衣櫥裡。「她憑什麼這麼說？我做了什麼嗎？」他快暈了，從來沒有人明白指出他是同性戀，沒有人如此直截了當。

「問題出在你的行為方式。」狄奇不悅地低吼，並走出房門。

湯姆迅速套上短褲，雖然他有穿內褲，但他剛才仍躲在衣櫥門後，不讓狄奇看見他的下半身。湯姆想，只因為狄奇喜歡他，瑪姬便在狄奇面前汙蔑他，而狄奇也沒膽量當面反駁她。他下樓後，看見狄奇在露台上的吧台邊喝酒。「狄奇，我想跟你說清楚。」湯姆開口說。「我不是同性戀，而且我不希望有任何人認為我是。」

「好啦！」狄奇咆哮道。

這種口氣讓湯姆想起了他以前問狄奇是否認識紐約的某某人時，狄奇給他的回答。他對狄奇提起過的一些人的確是同性戀者，而且他時常覺得狄奇明明認識他們，卻刻意否認。好啦！到底是誰挑起這個話題的？是狄奇。湯姆遲疑了一會，不知該惡言相向，或是修好了事。他想起了在紐約認識的那群人，想起了那些他認識卻不再來往的人，他現在後悔認識他們。他們接納他是因為他逗他們開心，但他根本和他們一點關係也沒有！其中幾人曾表示對他有意思，他一一拒絕了——雖然他記得事後他還是替他們放冰塊在酒裡，搭計程車繞道送他們回家，努力地修補友誼，因為他怕他們就此不喜歡他。他可真是孬種！同時他也記得維克・布蒙斯說出「哦，看在老天的份上，湯米，住嘴！」這句話後令他羞愧的那一幕，因為他好像是當著維克的面三度或四度對一群人說：「我無法確定我喜歡男人還是女人，所以我想兩者都放棄。」湯姆以前佯裝他去看心理醫生，因為別人都去看心理醫生，而且他習慣在派對上瞎掰他和心理醫生之間的笑料來娛樂大家，每次他提起放棄男人女人這件事時總是引起一陣哄堂大笑，直到維克叫他住口那一次。自此以後湯姆絕口不提這件事，也不再提起他的心理醫生。湯姆想，事實上維克說得很有道理。茫茫人海中，他是他認識的人之中最天真純潔的一個；而諷刺的是，此刻他和狄奇的情況正是舊事重演。

「我覺得我好像——」湯姆開口說話，但狄奇根本聽不進去。狄奇嘴角帶著冷笑，轉身端著酒杯走到露台角落。湯姆略感害怕地跟了過去，不知道狄奇會將他丟下露台，或者只是轉過來叫他滾出這間屋子。湯姆小聲地問：「你愛瑪姬嗎？狄奇。」

「不愛，可是我覺得對不起她。我在乎她，她對我一直很好，我們一起度過一段美好的時光。你似乎不能了解這種情形。」

「我能了解。我原來對你和她的感覺就是這樣——你把她當成朋友而已，而她大概愛著你。」

「她是愛著我。你知道，每個人都盡量不去傷害愛你的人。」

「當然。」他又遲疑了，心想該說些什麼才好。雖然狄奇氣消了，也不會趕他出去，他仍然戰戰兢兢。他以略微鎮定的口氣說：「我可以想像如果你們兩人都在紐約，你就不會這麼常碰到她，也許根本碰不到，可是在這村莊如此寂寞——」

「你說的沒錯。我沒和她上過床，而且我也不想這麼做，可是我真的想和她維持友誼。」

「那，我是不是礙著你了？我跟你說，狄奇，我寧願離開也不願破壞你和瑪姬的友誼。」

狄奇看了湯姆一眼。「不是的，你並沒有特別妨礙什麼，只是你擺明了不喜歡她。每次你努力想對她說些好話時，都看得出來你很勉強。」

「對不起。」湯姆懊悔地說。他懊悔的是自己不夠努力，所以搞砸了原本或許能做好的一件事。

「唉，不談這些了，瑪姬和我會相安無事的。」狄奇不耐煩地說，別過頭俯瞰大海。

湯姆走進廚房替自己煮些咖啡。他不想用狄奇的滴濾式咖啡機，因為狄奇非常寶貝他的咖啡機，不喜歡別人用它。湯姆想，他要將咖啡端上房間，趁法斯多來之前讀一點義大利文。目前不適合與狄奇言歸於好，狄奇拉不下臉。他大概整個下午都會悶在工作室裡，五點左右會放下畫筆出來透透氣，屆時就當不曾發生這起穿衣事件。有件事湯姆很肯定：狄奇喜歡有他做伴。狄奇獨自一人住得無趣，而且對瑪姬也膩了。葛林里先生給的錢還剩三百美元，湯姆和狄奇打算用這筆錢到巴黎狂歡，不帶瑪姬去。當湯姆對狄奇說，他只在火車站隔著窗戶看了巴黎一眼時，狄奇非常訝異。

趁著煮咖啡的空檔，湯姆將原本已準備好的午餐移開。他將幾鍋食物擺進一個加了水的大鍋中，以免螞蟻沾食。另外還有一小包奶油、兩顆蛋及艾梅琳帶來給他們當明天早餐的四條蛋捲。因為沒有冰箱，他們只得每天買一點東西。狄奇想用他父親的錢買冰箱，最近他提過好幾次。湯姆希望他能改變心意，因為買冰箱勢必要刪減他們的旅費，而且狄奇每月的五百美元收入都有非常固定的開銷。狄奇一方面用錢謹慎，然而在碼頭或村內的酒館裡，他常常出手大方地東給西給小費，而且碰上乞丐時，一律出手就是五百里拉。

五點鐘時，狄奇回復正常。湯姆猜想，他下午一定畫圖畫得很愉快，因為前一個鐘頭他都在工作室中吹著口哨。狄奇走到露台上看著湯姆讀義大利文法書，並糾正他的發音。

「他們不是經常這麼清楚地說『想要』，」狄奇說，「例如，他們會說『我想』介紹我的朋友瑪姬。」狄奇說著說著，一隻長手順勢往後揮動。他說義大利語時總夾帶著手勢，動作優雅地像是在指揮管弦樂團演奏圓滑音。「你最好多聽聽法斯多說話，少K那本文法，我的義大利文都是在街上打屁學來的。」狄奇笑著說，並走向花園。法斯多正好走進大門。

湯姆仔細聽他們開心地用義大利語打招呼，努力聽懂一字一句。

法斯多笑著出現在露台，找了張椅子坐下並將赤腳蹺上矮牆。他通常只有兩種表情，微笑或皺眉頭，而且能在瞬間變換。狄奇說他是村裡少數幾個不說南部方言的義大利人。法斯多住在米蘭，來蒙吉貝羅的姑媽家玩幾個月。他一週來上三堂課，每次都在五點到五點半之間到達，然後就和湯姆兩人坐在露台上喝葡萄酒或咖啡，用義大利語閒聊一小時。湯姆竭盡所能地記住法斯多談起的所有事物，岩石、海、政治（法斯多是持有黨證的共產黨員，狄奇說他常大大方方地將黨證秀給美國人看，因為看見他們一臉驚訝，他便開心不已），以及某些村民的瘋狂地下情等等。法斯多有時候想不出話題時，便會盯著湯姆，然後突然大笑。但湯姆進步神速，義大利文是他唯一學得津津有味並自覺能持之以恆的東西。湯姆希望他的義大利文能和狄奇一樣好，他認為如果繼續用功，再一個月就能趕上狄奇的程度。

11

湯姆輕快地穿過露台來到狄奇的工作室。「要不要搭棺材到巴黎去？」他問。

「什麼？」狄奇隔著水彩畫板探出頭問。

「我在吉歐吉歐之家和一個義大利人聊了一陣子。我們要躺在火車貨運車廂載運的棺材裡，從的港出發，車上會有個法國人護送這些棺材，然後我們兩人可各得十萬里拉的酬勞。我覺得這件事和毒品走私有關。」

「把毒品放在棺材裡？這招不是老掉牙了嗎？」

「我們是用義大利語交談的，所以我不是一字一句都聽懂，不過他說會有三副棺材，可能只有第三副有真的屍體在裡面，他們會把毒品放進屍體裡面。總之，我們會有一趟免費的旅行外加新奇的經驗。」他從口袋掏出數包剛才向街頭小販買來給狄奇的強棒出擊牌香菸。「你覺得怎麼樣？」

「我認為這是個很棒的主意，搭棺材去巴黎！」

狄奇的臉上出現曖昧的笑容，好像他一點也不想躺進棺材裡，卻伸長了腿假裝要躺進去似的。「我可是說正經的，」湯姆說。「他真的在找一些願意合作的年輕人。那些棺材假裝裝運了由印度支那運回來的法國人的屍體，而那個擔任護送的法國人則假裝是死者的親戚。」湯姆的說法和那名義大利人所說的不大一樣，但相當接近。二十萬里拉超過三百美元，好歹到巴黎狂歡一下也綽綽有餘。

狄奇仍在權衡去巴黎的得失，目光銳利地看著湯姆，順手捻熄他正在抽的國際牌香菸，並拆了一包「強棒出擊」。

「你確定和你談話的那個人沒嗑藥嗎？」

「你這一陣子還真他媽的小心啊！」湯姆笑說。「你的膽子到哪兒去了？看來你似乎連我也不相信！跟我來，我帶你去見那個人。他還在那裡等我，他名叫卡羅。」

狄奇動也不動。「提供那種好處的人，不會對你透露太多內幕。可能他們是要找兩個勇敢大膽的傢伙從的港出發到巴黎去，不過光是這點資訊，對我來說是不夠的。」

「你要不要跟著我去和他談一談？假如你不相信我，至少也看看他的樣子。」

「沒問題。」狄奇突然站起來。「說不定為了十萬里拉我就幹了。」狄奇閤上一本放在他工作室沙發上的詩集，隨即跟著湯姆走出房間。瑪姬有一堆詩集，最近狄奇向她借了一些。

他們走進吉歐吉歐之家的時候，那人還坐在角落那張桌子旁。湯姆笑著對他點點頭。

「哈囉，卡羅，」湯姆說。「我可以坐下來嗎？」

「可以，可以。」那名男子指著桌旁的椅子說。

「這是我的朋友，」湯姆小心翼翼地用義大利語說。「我們想知道這趟鐵路之旅的工作有沒有問題。」湯姆看著卡羅上下打量狄奇，他那雙深色、堅定冷酷的眼睛流露的竟然只是一股客氣的好奇，他似乎一瞬間就將狄奇略帶淺淺笑意卻狐疑的表情、狄奇那曬了數月陽光才可能有的古銅色肌膚、他身上的破舊義大利製衣衫與手上的美國製戒指都一一看在眼裡，同時開始評斷狄奇。

那名男子蒼白的薄嘴唇逐漸泛起笑容，隨即將目光移向湯姆。

「怎麼樣？」湯姆不耐煩地催促著。

那人端起他的馬丁尼喝了一口。「工作是真的，不過我不認為你的朋友是合適的人選。」

湯姆看著狄奇。狄奇警覺地注視著那名男子，非善非惡的笑容依舊，湯姆突然覺得這笑容裡帶著輕蔑。

「喂，至少這件事是真的，你看吧！」湯姆對狄奇說。

「嗯。」狄奇應了一聲，眼睛依舊盯著那個男人，彷彿對方是他感興趣的某種動物，如果狄奇決定動手殺死他，一定可以達成目的。

狄奇本來可以用義大利語和那個人交談，但狄奇一語未發。若是三週以前，湯姆想，狄奇早就接受這個人的提案了。難道他一定得坐在那兒擺出那副死樣？那樣子簡直像個線民或準備逮人的警探。

「那麼，」湯姆終於開口說道：「你相信我了吧？」

狄奇將視線移向他。「你是說這份工作？我怎麼知道？」

湯姆滿心期待地看著那個義大利人。

義大利人聳了一下肩膀。「不必討論了吧？」他用義大利語問。

「不必了。」湯姆說。一股狂亂莫名的怒意在他血液裡沸騰，讓他不由得顫抖。他生狄奇的氣。狄奇此刻正上上下下打量著那人的髒指甲、髒衣領以及他那張最近刮過卻沒洗過、所以原本留鬍子的部位較其他部位白了許多的醜黑臉。可是這個義大利人的眼神冷靜和善，而且比狄奇的眼神堅定。湯姆感到一陣窒悶，他自知無法用義大利語表達，他想同時和狄奇及那個男人說話。

「什麼也不要，謝謝你，柏多。」狄奇鎮靜地對走過來問他們需要什麼的服務生說道，然後看著湯姆。「要走了嗎？」

湯姆猛然跳起來，弄翻了椅子。他重新將它扶正，並對那名義大利人鞠躬道別。他覺得應該向那義大利人道聲抱歉，可是他連最起碼的再見也說不出口。那名義大利人笑著點頭以示道別。湯姆跟著狄奇那雙穿了白褲的長腿走出酒館。

在酒館外，湯姆說：「我只是要你了解至少這件事是真的。我希望你明白這點。」

「好吧，是真的，」狄奇笑說。「你是怎麼回事？」

「你才怎麼回事！」湯姆說。

「那個人是個騙子。你就是要逼我說出來？好啊！」

「你一定要這麼自命清高嗎？他對你做了什麼嗎？」

「難道我應該向他下跪不成？我以前見過這類騙子，這個村子裡多的是。」狄奇金色的眉毛皺著。「你到底是怎麼了？你要接受他那個瘋狂的提議？請便！」

「就算我想，現在也辦不到了。在你表現出那種態度之後，不可能了。」

狄奇在路中間停下來，看著他。他們爭吵的音量十分大，惹來附近一些人看熱鬧。

「這件事本來會很好玩的，」湯姆說，「不是你想的那樣。一個月前我們去羅馬的時候，你曾認為這類事情很好玩。」

「哦，不，」狄奇搖頭說。「我可不這麼認為。」

挫折感與詞不達意讓湯姆極為難受，再加上眾人圍觀，他不由自主地繼續前行，起初小步快走，直到他確定狄奇跟上來之後才放慢腳步。狄奇仍是一臉疑惑，湯姆知道狄奇不懂他為何會有這種反應。湯姆想解釋，想打破和狄奇的僵局，好讓狄奇明白，也使二人感覺一致。狄奇一個月前和他的感覺一直是一致的。

「問題出在你的態度，」湯姆說。「你不必那樣的，那個人又沒礙著你。」

「他看起來像個下流的騙子！」狄奇反駁說。「天啊，如果你那麼喜歡他，你就回去呀！你不必採取和我一樣的作法呀！」

此時湯姆停下腳步。他有股衝動要往回走，不一定是要回頭找那個義大利人，只不過是想離開狄奇。隨即他的情緒突然崩潰。他雙肩低垂、抽痛，開始氣喘吁吁，他想至少開口說一句「好了，狄奇」以示修好，使狄奇忘了這件事，但他說不出口。他盯著狄奇那仍緊鎖眉頭的藍眼睛，他的眉毛讓陽光照得發白，眼珠閃亮而空洞，只不過像是一小片夾了小黑點的藍色果醬，毫無意義，和他一點關聯也沒有。你應該能透過眼睛看見靈魂，透過眼睛看見愛才是，這是你可以看清別人真意的唯一處所，而在狄奇的眼中，湯姆此刻看見的不過是面冷硬的鏡子。湯姆感到胸口一陣絞痛，隨即用雙手掩面。狄奇就像突然被人奪走了，他們不再是朋友，兩人互不相識。這個可怕的事實重擊著湯姆，那是一直以來的事實，對過去他所認識及未來他將認識的人而言都是不可避免的事實：他將一次又一次地明白，自己永遠無法了解那些曾經或即將出現在他面前的人，更糟的是某段時間中他總是誤以為自己了解他們且和他們氣味完全相投。一瞬間，他這番無言懾人的領悟似乎讓他承受不住，他感到一陣不適，像是快昏厥似的。周遭的陌生環境，不同的語言，他的失敗，還有狄奇討厭他的這項事實，全然令他招架不了，他感覺陌生、敵意包圍著他。狄奇將他掩面的雙手拉下。

「你怎麼了？」狄奇問。「那個傢伙有幫你注射毒品什麼的嗎？」

「沒有。」

「你確定？飲料裡也沒有放嗎？」

「沒有。」晚間的第一滴雨打在他頭上，轟隆一聲雷響。連老天也和他做對。「我想死。」湯姆小聲地說。

狄奇一把拉著他的手臂來到郵局對面的小酒館。湯姆被門檻絆倒。湯姆聽見狄奇點了杯白蘭地，還指名要義大利白蘭地，湯姆猜想原因是他不大喜歡法國白蘭地。湯姆一口氣喝完它，酒有點甜，帶有藥味，他一連喝下三杯。就像是吞仙丹似的，那讓他回到其心智熟知的所謂現實世界。他聞到狄奇手上那根國際牌香菸的味道，他看見手指下吧台的捲曲木紋，他感覺肚子沉重得像是有人對著他的肚臍打了一拳，他想起了從這裡回到家那段顯而易見的陡峭長路，還有因此帶來的大腿疼痛。

「我沒事了，」湯姆低沉地說。「我不知道剛剛怎麼回事，一定是熱昏了頭。」他微微一笑。

狄奇不言不語，只是弄熄了口中的香菸，並從黑色鱷魚皮夾內抽出幾百里拉放在吧台上。他的沉默傷了湯姆的心，湯姆像個生了病或是一時鬧情緒的小孩般，期待事後至少獲得一句安慰的話語。但狄奇漠不關心。狄奇請他喝白蘭地的態度，冷淡得和請個又病又窮的陌生人沒什麼兩樣。湯姆突然認為：狄奇不希望我去柯狄納。這不是湯姆首次有這種想法。如今瑪姬也要去柯狄納，上回在那不勒斯時她和狄奇買了一個新的超大保溫瓶，準備帶去柯狄納。當時他們並未問他是否喜歡那個保溫瓶或者其他的東西，他們只是悄悄地一步一步將他排除在計畫之外。湯姆覺得狄奇期望他離開，事實上，最好在柯狄納之行以前離去。數星期前，狄奇曾說過要帶他去柯狄納附近的一些滑雪場，也在一張地圖上將這些地點做了標記。但後來，有天晚上狄奇在看這張地圖，卻沒對他說些什麼。

「要走了嗎？」狄奇問。

湯姆像條狗似地尾隨他走出酒館。

「如果你自己一個人可以平安無事地回家，我想要去看一下瑪姬。」半路上狄奇開口說。

「我沒問題。」湯姆說。

「很好。」狄奇一邊離去一邊回頭說：「要不要去拿郵件？我怕我會忘記。」

湯姆點頭。他走進郵局，有兩封信，一封是狄奇的父親寫給湯姆的，一封是湯姆不認識的某個人從紐約寫來給狄奇的。他在門口拆開葛林里先生的信，慎重地打開打了字的信紙。信紙上印有令人印象深刻的淺綠色柏克—葛林里船舶企業股份有限公司的信頭，信紙中央有輪船形註冊商標。

我親愛的湯姆：

鑑於你和狄奇已共處月餘，而他仍和你赴歐之前一樣沒有打算回家的跡象，我只能因此斷定你並未達成任務。我明白你是基於一番好意才說他正在考慮回家，但坦白說，在他十月二十六日寫來的信上我看不出任何徵兆。事實上，他似乎較以往更篤定要留在現居地。

我希望你知道，我和內人都很感激你為我們和他所做的一切努力。你已不需再自覺對我負有任何義務。我相信過去一個月來你所做的努力，並未造成你極大的不便，而且我也真誠地希望這趟旅行帶給你一些樂趣，儘管此行的主要目的失敗了。

內人和我在此向你問候並致上我們的謝意。

赫伯特·葛林里　敬啓

十一月十日，一九—

這是最後的一擊。語氣冷淡——甚至較他往常那商業化的客套口吻要冷淡許多，因為這是封加了致謝之意的解僱書——葛林里先生就這樣與他斷絕往來。他並未達成任務。「我相信……並未造成你極大的不便……」這不正是個諷刺嗎？葛林里先生甚至未提起他回美國時希望再見到他。

湯姆僵直地走上山丘。他猜想狄奇此刻正在對瑪姬敘述酒館裡那個卡羅的事情，以及他後來一路上的古怪舉止。湯姆知道瑪姬一定會說：「你為什麼不甩掉他，狄奇？」他不知道是否應該回頭向他們解釋，強迫他們聆聽？湯姆轉過身去看著山丘上瑪姬家前那片神祕難測的廣場，看著她家那空洞黑暗的窗戶。雨淋濕了他的夾克。他拉起衣領，然後快速地朝山丘上狄奇家的方向走去。至少，他自傲地認為，他並未再施花言巧語騙取葛林里的錢，而其實他可以。他甚至可以和狄奇一起聯手，假如他趁狄奇心情好的時候向他提議的話。換做任何人都會這麼做，湯姆想，任何人，但是他沒有，這點算了不起。

他站在露台角落，呆呆地注視著模糊的地平線，除了一股隱隱約約、虛幻飄渺的失落與孤寂感之外，什麼感覺也沒有。甚至狄奇與瑪姬也似乎離他遠去，而且他們可能談論的話題也已無關緊要。他孤獨無依，那才是唯一要緊之事。一陣因恐懼而引起的刺痛在背脊間流竄，直滲進腰間。

然後他聽見大門打開的聲音，他立即轉身過去。狄奇走了上來，面帶笑容，但湯姆覺得這是個勉強的禮貌性微笑。

「你站在雨中做什麼？」狄奇閃進正門時問道。

「雨讓人神清氣爽，」湯姆愉快地說。「這兒有你的一封信。」他將狄奇的信交給他，並將葛林里先生寄來的那封塞進口袋裡。

湯姆將夾克吊在大廳的衣櫥裡。待狄奇看完那封讓他邊讀邊哈哈大笑的信，湯姆提起：「你想我們上巴黎的時候瑪姬會跟去嗎？」

狄奇一臉訝異。「我想她會吧。」

「嗯，問她看看。」湯姆開心地說。

「我不知道該不該上巴黎，」狄奇說。「到其他地方去待個幾天是可以，可是巴黎……」他點燃一根菸。「我倒寧願去聖雷默或熱那亞，熱那亞真是個很棒的城鎮。」

「可是巴黎……熱那亞比不上巴黎吧？」

「不，當然比不上，不過它可是近多了。」

「可是我們什麼時候會到巴黎去？」

「我不知道。找一天吧，巴黎又不會不見。」

湯姆聽著這些話在耳中迴響，分析著他的語調。前天，狄奇收到他父親寄來的一封信，他大聲唸了幾句，兩人因為其中一些內容而笑成一團，但他卻不像前幾次一樣唸完整封信。湯姆深信葛林里先生一定對狄奇說他受夠了湯姆．雷普利，八成也說他懷疑湯姆利用他的錢找樂子。湯姆想，一個月前狄奇會對這類的事情一笑置之，但如今已不可同日而語。

「我只是認為趁我還剩下一點錢，我們應該到巴黎玩一趟。」湯姆堅持著。

「你去吧，我現在沒心情，得為柯狄納之行留點精力。」

「那——我想我們就去聖雷默好了。」湯姆故作欣然地說，其實他想哭。

「好吧。」

湯姆從大廳衝進廚房，角落那個大型的白色冰箱突然閃進他視線裡。他本來想喝一杯加了冰塊的酒，此刻他卻不想碰那個巨無霸。他和狄奇及瑪姬在那不勒斯花了一整天的時間選冰箱、檢查冰櫃、評量零件的精細程度，東挑西撿地直到湯姆再也區別不出每台冰箱的差異，可是狄奇和瑪姬仍像新婚夫婦似地興致勃勃看個不停。接下來他們還在咖啡館一一討論那些冰箱的個別特點，達數小時之久，最後才決定買這台。而現在瑪姬進進出出的次數較往常更頻繁，因為她也在冰箱內儲放了自己的食品，而且她經常來借冰塊。湯姆突然間明白自己為何如此討厭這台冰箱，它表示狄奇將死守此地。它非但終結了他們倆今年冬天的希臘之旅，同時也表示，狄奇大概永遠不會實行他在湯姆剛搬來這兒時說過要一起搬到巴黎或羅馬生活的事了。有了這個全村只有四台的冰箱——它有六個冰櫃而且置物架奇多無比，每次一開門便活像有個超級市場在眼前晃動——他什麼遠門也去不了。

湯姆替自己弄了杯未加冰塊的酒，雙手抖個不停。狄奇昨天才提起「你聖誕節要回家嗎？」雖然是在談話中隨口問起，但狄奇十分清楚他不會回家過聖誕節。他無家可歸，狄奇也知道。他已將波士頓朵蒂姑媽的事情一五一十地告訴過狄奇了。狄奇說這話的用意不過是個明顯的暗示罷了。瑪姬有一大堆聖誕節的計畫，她存了一罐英國李子布丁，而且也準備到某戶農家去弄一隻火雞。湯姆可以想像她滿心甜蜜地大事鋪張的樣子。一棵耶誕樹，當然少不了，可能是從紙板上剪下來的；「平安夜」蛋酒；為狄奇準備的貼心禮物；瑪姬親手織的衣物，她向來常將狄奇的襪子帶回家補。然後他們兩人會不經意地、客氣地將他排除在外，他們一定會十分勉為其難地假裝親切招呼他……。好吧，他離開就是了，與其忍氣吞聲地和他們一起過聖誕節，倒不如做些別的事情。

12

瑪姬說她不想和他們去聖雷默，說她正在「醞釀」她的書。瑪姬寫書有一陣沒一陣的，懷有相當熱情——雖然在湯姆看來她根本是江郎才盡了——套一句她說的話，百分之七十五的時間她都是處於「醞釀」狀態，她相當樂在其中。這本書鐵定爛透了，湯姆想。他很清楚作家是怎麼一回事，那可不是動動小指、懶洋洋地在海灘耗上大半天想著晚餐該吃什麼，就可寫本書的。但他很高興她還在他和狄奇要去聖雷默的這段時間「醞釀」。

「如果你能花點時間幫我找到那瓶香水，我會很感激你，狄奇。」她說。「你知道，就是那瓶我在那不勒斯沒找著的史特拉狄瓦莉。聖雷默應該有，那裡有好多賣法國貨的商店。」

湯姆可以想見他們得花一整天在聖雷默找這瓶香水，就像他們某個週六曾在那不勒斯花了數小時找尋一樣。

他們只帶了狄奇的一只小型旅行箱，因為打算只去四天三夜。狄奇的心情愉快了些，但可怕的結局改變不了，那是種預言此行將是他們最後一次攜手出遊的感覺。對湯姆而言，狄奇在火車上那種溫和有禮的愉悅態度，就好像一個對賓客感到厭煩卻又害怕賓客察覺的主人，在最後一刻強顏歡笑設法補償他的客人。湯姆這輩子從不知道自己竟是這麼一個不受歡迎又無趣的賓客。在火車上，狄奇談起聖雷默以及他剛來到義大利時曾和佛雷迪・邁爾斯在這兒待過一星期。聖雷默很小，卻是個著名的國際購物中心，狄奇說，人們穿越法國邊界來這兒購物。湯姆突然認為，狄奇可能正想辦法在聖雷默鎮上將他賣掉，而且也會設法說服他一人留在那裡不要回蒙吉貝羅。湯姆不由得開始嫌惡起聖雷默來了。

接著，幾乎是火車滑進聖雷默車站的同時，狄奇開口說：「對了，湯姆……我實在不願意對你提起這件事，怕你聽了會十分介意，可是我真的比較想單獨和瑪姬一起去柯狄納。我想她比較喜歡這樣，畢竟我對她有些虧欠，至少該給她一個愉快的假期，而且你似乎對滑雪也不是很熱中。」

湯姆感到一陣僵冷，但他盡量不動聲色。瑪姬這個禍水！

「好啊，」他說。「當然。」他不安地看著手中的地圖，絕望地找尋聖雷默附近有無地方可以落腳，此時狄奇已將旅行箱從行李架上取了下來。

「我們距離尼斯不遠吧？」湯姆問。

「不遠。」

「坎城呢？既然大老遠跑來，我想到坎城看看，至少坎城是在法國。」他語氣多了分責備。

「嗯，我想我們應該可以去走走。你有帶護照吧？」

湯姆正好帶著。他們搭上一輛開往坎城的火車，並於當天晚上十一點左右抵達。

湯姆認為坎城很美──彎曲綿延、點點燈火圍繞的港灣，成排棕櫚樹、成排高級飯店林立的濱海大道，優雅卻又十足熱帶風情。法國！它比義大利多了份靜謐，多了份別致，即使在黑夜中他都能感受到這點。他們下榻在沿岸最後一條街上的一家飯店「不列顛情懷」，狄奇說，格調高尚而價錢也不離譜，雖然湯姆其實極願不惜任何代價去海岸邊最好的旅館住一晚。他們將旅行箱留在飯店，然後來到狄奇宣稱全坎城最當紅的卡東飯店附設酒吧。正如他所料，酒吧裡沒多少人，因為每年此時坎城都沒什麼人潮。湯姆提議再喝一回，但狄奇拒絕。

隔天早上他們在一家咖啡館吃過早餐，便散步到海灘去。他們都在長褲底下穿了泳褲。天氣涼涼的，但並非涼得無法游泳。在蒙吉貝羅時，比這更寒冷的日子，他們都曾下水。海灘上幾乎空無一人——只有一小撮零零落落的男人在堤防上玩著某種遊戲。浪潮冷冽地沖刷著沙灘。此時湯姆看清那群男人是在練特技。

「他們一定都是專業人員，」湯姆說。「他們都穿了黃色的丁字褲。」

湯姆津津有味地看著他們腳踩著大腿、手緊抓手臂，開始疊羅漢，他聽得見他們喊「上！」、「一——二！」

「快看！」湯姆說。「最上面一個疊上去了！」他靜靜地站著注視身形最小的那個人，那是個年約十七歲的男孩，其他人正將他推上最上層三人居中那個男人的肩膀。男孩泰然自若地高高在上，雙臂大張，像在接受掌聲似的。「太棒了！」湯姆大喊。

男孩對湯姆微微一笑後便跳下來，身手靈巧地像隻老虎。

湯姆望著狄奇，狄奇正看著坐在附近沙灘上的一些男人。

「千篇一律的把戲，不過就是輕快地跳跳舞、點點頭罷了。」狄奇尖酸地對湯姆說。

湯姆吃了一驚，隨即感到一股莫大的恥辱，這和那天在蒙吉貝羅狄奇對他說「瑪姬認為你是(同性戀)」時感受相同。好吧，湯姆想，特技藝人是小把戲，也許坎城處處是小把戲。那又如何？湯姆的拳頭在褲袋裡緊握。他想起了朵蒂姑媽那番嘲弄：「娘娘腔！他徹頭徹尾是個娘娘腔，和他父親一模一樣！」狄奇抱著臂膀站著眺望大海。湯姆小心翼翼地不再看特技藝人一眼，雖然看他們顯然比望著大海有趣多了。

「你要下水嗎？」湯姆說著，一邊大膽地解開襯衫，雖然海水突然間看來冰冷凍人。

「我不想下去。」狄奇說。「你為什麼不留在這兒看那群特技藝人？我要回去了。」他不等湯姆回答轉身就走。

湯姆急忙扣上衣衫，看著狄奇往對角方向走去，離那群特技藝人遠遠的，雖然下一個通上人行道的階梯是在靠近特技藝人的那道階梯的兩倍距離之外。去他的，湯姆想，他一定得經常這麼冷漠孤僻、高高在上嗎？說不定他連同性戀男子也沒見過！顯然狄奇在意的正是這件事，好吧！他為何不乾脆一次決裂算了！他又會有什麼重大損失？他追趕狄奇時腦中想了一堆辱罵他的字眼。然後狄奇一臉嫌惡地回頭冷冷瞥了他一眼，湯姆一句話也罵不出口。

他們當天下午啟程前往聖雷默，時間正好拿捏在三點之前，如此一來可省下一天的旅館費。狄奇提議三點之前離開，雖然付了一夜三千四百三十法郎，相當於美金十元八分住宿費的人是湯姆。到聖雷默的火車票也是湯姆買的，雖然狄奇口袋裡法郎滿滿。狄奇從義大利帶來了他每月收到的支票，並將它兌成法郎，他認為從法郎再兌成里拉可以小賺一番，因為法郎最近突然大幅升值。

狄奇在火車上悶不吭聲。一陣睡意襲來，於是他抱著臂膀闔上雙眼。湯姆坐在他對面，凝視他瘦削、冷傲、英俊的臉龐，以及戴了綠寶石戒指與金璽戒的雙手。湯姆突然興起離開時要偷走這只綠寶石戒指的念頭。這是件輕而易舉的事，狄奇游泳時總是將它拔下來，有時候他在家中淋浴時也會脫下它。湯姆想，他要在最後一天採取行動。

湯姆盯著狄奇閉著的眼皮，心中泛起一陣憎恨、愛戀、不耐與挫折交雜的狂亂感，讓他呼吸困難。他想殺死狄奇，他已不只一次這麼想。以前，一次，兩次或者三次，都是憤怒或失望引起的一股衝動，但衝動瞬間即會消逝，只留給他一陣羞愧。此刻他整整一分鐘、兩分鐘都想著這件事。反正他要離開狄奇了，還有什麼好羞愧的？他與狄奇之間徹底玩完了。他恨狄奇，因為無論他如何看待過去發生的事，他的失敗並非他一個人的錯，起因並非他做的任何事，而是狄奇不通人情的頑固以及他的狂妄無禮！他給了狄奇友誼、陪伴與尊重，給了他能給的一切，狄奇非但忘恩負義，如今更視他為眼中釘。狄奇正逼他走上絕路。如果他此行殺了狄奇，湯姆想，他只要推說出了意外即可。他可以——他突然靈機一動——他可以變成狄奇．葛林里，他可以做狄奇做過的任何事。他可以回蒙吉貝羅收拾狄奇的東西，隨便向瑪姬瞎掰一篇故事，在羅馬或巴黎找間房子，每個月接收狄奇的支票並在支票上偽造狄奇的簽名。他可以大大方方地穿上狄奇的鞋子，他可以把葛林里這位老先生耍得服服貼貼的。儘管這項行動危險，甚至必然只能換來一時的享受，卻讓他更加熱中。他開始思考如何下手。

就在水裡吧！可是狄奇的泳技高超；那就懸崖，趁散步時將狄奇推下懸崖根本不費吹灰之力，但可能狄奇會抓著他把他一起拉下去，他緊張得掐疼了大腿。他得將另一枚戒指也弄到手，他必須將頭髮染得淡一些，但他當然不會住在一個有人認識狄奇的地方。要用狄奇的護照，只得和他外貌十分相似。嗯，他是長得像他，如果他——

狄奇睜開雙眼，直視著他，湯姆立即像昏厥似的，猛然別過頭去癱在角落裡，雙眼緊閉。

「湯姆，你沒事吧？」狄奇搖著湯姆的膝蓋問道。

「沒事。」湯姆微微笑道。他看見狄奇略顯煩躁地坐正身子，湯姆明白原因何在：因為狄奇連理也不想理他。湯姆暗暗竊笑，對於自己假裝昏倒的靈敏反應感到得意，因為那是避免狄奇看見他一臉奇特表情的唯一方法。

聖雷默。花朵。又是一條濱海大道，大店小鋪，法國、英國與義大利觀光客。又一家旅館，陽台種滿了花。在哪裡下手？今晚，在這些小街上選個地點嗎？到了半夜一點，這個城鎮一定是一片暗寂，他有辦法讓狄奇在外面逗留到那麼晚嗎？在水裡嗎？天氣有些陰陰的，但不冷。湯姆絞盡腦汁。在旅館房間內下手也很容易，但要如何處理屍體？屍體絕對必須消失。這麼一來只剩水裡了，而水對狄奇再適合也不過了。海灘上有出租給遊客的小舟、划艇和小型汽艇。在每一艘小型汽艇內，湯姆注意到，都有一塊綁了繩索、拋錨用的圓型水泥錘。

「我們租一艘船好不好？狄奇。」湯姆問，語氣盡量不流露出渴望，雖然他其實很渴望。狄奇看著他，自從他們抵達這裡後，他一直沒熱中過任何事物。

木碼頭邊並列了十艘藍白、綠白相間的汽艇，一名義大利人急著招攬生意，因為這天早上相當寒冷陰霾。狄奇眺望地中海，海上有些灰濛濛的，但沒有一絲下雨的跡象。這是那種一整天也不會消逝的陰暗，而且太陽不會露面。此刻大約十點半左右，是早餐後的慵懶時刻，整個漫長的義大利白晝就在他們前方展開。

「嗯，好吧，就在港灣附近繞一個鐘頭。」狄奇說完後立即跳上一艘汽艇，湯姆從他淺淺的笑容中可以看出他以前也做過類似動作，他期待在情感上喚起那段記憶，喚醒那些個早晨與佛雷迪或瑪姬一起共度的另一個早晨。瑪姬的香水瓶放在狄奇棉布夾克的口袋裡。幾分鐘前他們在濱海大道上一家像極了美國藥房的商店買了這瓶香水。

管理船隻的那名義大利人拉扯一條繩子啟動馬達，並問狄奇是否知道如何操作，狄奇說知道。湯姆看見船上有一支槳，就單單那麼一支擱在船底。狄奇握起舵柄，二人筆直地朝外海前進。

「酷啊！」狄奇歡呼道，髮絲迎風飄揚。

湯姆東張西望。一邊是斷崖，像極了蒙吉貝羅，另一邊是籠罩在迷霧中的一片狹長平地。他無法即刻決定走哪個方向比較好。

「你對這一帶的地理熟嗎？」湯姆大聲吼叫以蓋過馬達的隆隆聲。

「不熟！」狄奇開心地說，他正享受駕船的樂趣。

「那東西很難駕駛嗎？」

「一點也不難，要不要試試看？」

湯姆遲疑了一會兒。狄奇仍朝著大海的方向前進。「不要了，謝謝。」他左顧右盼。左邊有一艘帆船。「你要開往哪兒去？」湯姆大喊。

「有什麼差別嗎？」狄奇笑道。

不，沒差別。

狄奇突然向右轉，這突如其來的動作使得二人不得不左右傾斜以維持船身的穩定。一片白色的水牆在湯姆左方升起，隨即漸漸消褪，露出了空盪盪的地平線。他們再度飛馳在茫茫大海上，漫無目標。狄奇正笑著享受速度的快感，一雙藍眼充滿笑意地看著這片空曠。

「在小艇內總是感覺比實際速度快得多！」狄奇喊道。

湯姆點頭，會心一笑，沉默不語。事實上，他可是嚇得要命。天知道這兒的水有多深。萬一汽艇突然有個閃失，他們，或者至少是他，絕對無法回到岸上。但也絕對不會有人看見他們在這兒的一舉一動。狄奇再度稍微地偏向右方，朝那片灰濛的土地前進。他仍可以攻擊狄奇，撲倒他，或者親吻他，或者將他丟下海，在這種距離之內沒有人看得見他。湯姆冒著冷汗，渾身發熱，額頭發冷。他感到恐懼，但並非因海而起，而是狄奇的緣故。他知道他要下手了，此刻他不會阻止自己，或許是「無法」阻止自己，而他可能無法得逞。

「你敢接受我的挑戰跳進海裡嗎？」湯姆吼道，並開始解開夾克。

對於他的這項提議，狄奇只是張嘴哈哈大笑，眼睛仍盯著前方。湯姆繼續寬衣，脫了鞋襪。他在長褲裡穿了泳褲，狄奇也是。

「如果你跳，我就跳！」湯姆喊道。「你敢跳嗎？」他希望狄奇減速。

「我敢嗎？當然敢！」狄奇猛然地減低馬力。他鬆開了舵柄並脫下身上的夾克。汽艇上下疾動，失去動力。「脫啊！」狄奇指著湯姆仍穿著的長褲說。

湯姆瞥了陸地一眼，聖雷默是一抹朦朧的粉白堊岩。他不經意地拿起木槳，好像想把它夾在兩膝之間把玩似的，待狄奇脫下長褲時，湯姆舉起了木槳，對準狄奇的頭打下去。

「嘿！」狄奇皺著眉頭不悅地大叫，整個人半滑出木椅，他驚惶茫然地揚起蒼白的眉毛。湯姆站起來再一槳打下去，狠狠地，像彈射出的橡皮筋似的釋放全身的力量。

「老天……」狄奇喃喃地說，怒視著他，一臉兇惡，但那雙藍眼睛已游移不定，失去意識。

湯姆左手一揮打中狄奇的太陽穴，他看到狄奇的頭被木槳的邊緣打出一道血痕。狄奇倒在船底，全身扭曲，再扭曲。狄奇發出一聲怒吼，聲音之宏亮嚇著了湯姆。湯姆用木槳邊緣當斧頭砍樹似的，朝狄奇的脖子砍了三下。船身搖晃不定，海水濺濕了他緊撐在船舷上緣的腳。他在狄奇的額頭劃了一道線，一灘血順著木槳劃過之處緩緩流下。湯姆舉起木槳準備再揮砍時，突然感到一陣疲倦，然而狄奇仍在船底伸長手腳朝他的方向掙扎前進。湯姆於是像拿著刺刀似地用槳柄一把刺向狄奇。狄奇倒臥的軀體隨之鬆垮、無力，終至靜止不動。湯姆挺直身子，難過地調勻呼吸。他四下環顧。除了遙遠、極遙遠處一艘急駛向海岸的汽艇像個左右搖晃的小白點之外，沒有別的船隻，什麼也沒有。

他放下木槳，扯下狄奇的綠寶石戒指，順手放進口袋；另一只戒指緊了些，但他還是扯得狄奇指關節皮破血流地把它硬取了下來。他翻看狄奇的褲袋，有些法郎與義大利幣。他放著不動，拿了一個串了三把鑰匙的鑰匙環，再拾起狄奇的夾克，並從口袋取出瑪姬的香水。接著陸續掏出香菸、狄奇的銀質打火機、一小截鉛筆、鱷魚皮夾及塞在內口袋裡的數張小卡片。湯姆將這些東西全塞進他的棉夾克。隨後他伸手抓起繞在白色水泥錘上的繩索，繩索尾端繫在船的金屬環上，湯姆設法解開繩結。這是個惹人厭的繩結，濕答答的，解也解不動，一定是結了多年沒打開過。他「碰」地一拳打下去，他得弄把刀來才行。

他看了狄奇一眼。他死了嗎？湯姆在狹窄的船首彎下身來察看狄奇是生是死。他不敢碰他，不敢碰他的胸膛或手腕來感覺脈動。於是他轉身死命猛扯繩索，直到他察覺自己只是愈扯愈緊才罷休。

他的打火機。他站在船底從褲袋中摸出打火機，點燃，再握著繩索乾燥的一段湊近火焰。繩索約有四公分粗，點燃的速度緩慢，非常緩慢，湯姆利用數分鐘的空檔再一次察看四周動靜。出租船隻的那名義大利人在這個距離內看得見他嗎？頑強的灰繩始終拒絕著火，只泛了些紅光，冒了些白煙，一股一股地慢慢分開。湯姆用力一扯，打火機熄滅了。他再點燃，並且不斷拉扯繩索；繩索斷了之後，他強忍著害怕，將繩索在狄奇的腳踝上繞了四圈，接著用力打了個又大又醜的結，一來是為了避免繩結鬆脫，二來是因為他不擅長打繩結。他估計繩索約有十至十二公尺長。他開始冷靜下來，也比較平穩而且有條不紊了。他想，水泥錘應該足以弄沉一具屍體。屍體也許會漂流一陣子，但不會浮出水面。

湯姆拋下水泥錘。撲通一聲，它沉入清澈的海裡，激起一團泡沫，隨即消失蹤影，沉呀沉地，直到狄奇腳踝上的繩索緊繃，湯姆乘機將狄奇的腳踝抬上船緣，接著再拉起狄奇的一隻手臂，以便將他全身最重的肩膀部分抬過船舷上緣。狄奇那軟趴趴的笨手仍是溫的，肩膀靠著船底，他一拉，狄奇的手臂像橡皮般伸展，身體動也不動。湯姆單腳跪著，努力想將他推過船緣，船身因而晃動。他忘了海水的存在，他唯一怕的就是海水。他想，必須從船尾將他丟入海裡，因為船尾離海面比較近。他拖著軟綿綿的屍體走向船尾，繩索隨之繞著船舷上緣滑動。依照水泥錘仍在海裡漂流的情況看來，他判斷水泥錘尚未沉到海底。他讓狄奇頭朝外，正面朝上，一點一點地推出去。狄奇的頭部浸在海裡，腰部抵著船舷上緣，雙腿卻像磁鐵般緊貼著船底，動也不動，正如剛才他肩膀靠在船底時一樣，以驚人的重量抗拒湯姆的力量。湯姆深吸了一口氣，用力舉起丟下。狄奇整個人落入水裡，但湯姆卻因此失去平衡，跌撞到舵柄。原來慢慢轉動的馬達突然發出怒吼。

湯姆立刻衝向控制桿，但船身這時已瘋狂地左旋右轉。突然他看見身旁有水，一伸手，碰到的也是水，本來他想抓住船舷上緣，船舷卻不見蹤影。

他整個人正泡在水裡。

他大口喘息，縱身一躍，想抓船身。沒抓著，船身早已開始打轉。湯姆再跳，結果只讓他更往下沉，海水以緩慢卻足以致命的速度漸漸淹至他頭部，他來不及換氣，便一下子淹過他的眼睛，害他嗆了一鼻子水。船跑得更遠了。他以前看過這種打轉的船，除非有人爬上船關掉馬達，否則船永遠轉個不停。如今置身茫茫大海，他預先感受到死亡的痛苦，同時再次沉入水裡。海水灌進他耳裡，阻隔了外界所有的聲響，他只聽見自己體內呼吸、掙扎、絕望等狂亂的聲音。

他又一次浮出水面，並且不自覺地拚命往船的方向移動，因為它是唯一漂浮的東西，雖然它正在旋轉，讓人無法碰著；尖銳的船首兩次、三次、四次掃過他上方，他好不容易才換了口氣。

他大聲求救，卻只換來滿口海水。他在水裡摸到了船身，船首隨即野蠻地推了他一把。他狂亂地伸手碰觸船尾，毫不理會步步逼進的螺旋槳。摸到了船舵，他迅速俯身，卻來不及，龍骨擊中他頭頂，一掃而過。船尾又轉了回來，他伸手摸著船舵，另一隻手抓著船尾舷緣。他打直手臂，讓身體與螺旋槳維持一段距離。使出一股莫名的力量，他躍向船首，一隻手臂攀上了船緣；接著他伸手碰到了控制桿。

馬達開始減緩速度。

湯姆雙手緊攀著舷緣，腦筋一片空白，無法相信自己竟然脫困；一回神，才發覺喉嚨灼熱，胸口一陣陣的刺痛。他不確定自己是休息了兩分鐘還是十分鐘，一心只想著該如何聚集力量爬上船，終於他慢慢地在水中跳了幾下後跳上船，趴在船上，雙腳仍在舷緣懸晃。他趴著不動，朦朧地意識到手指下狄奇那一灘滑膩的血，混雜著從他鼻子、嘴巴流出來的水，濕答答的。他趴在原地開始思考這艘血淋淋且歸還不得的船該如何處理，思考等會兒他如何站起來啟動馬達，思考前進的方向。

狄奇的戒指！他摸摸夾克口袋，戒指還在。戒指可能出什麼問題呢？他想看看四周是否有船隻在附近，或正朝他駛近。一陣咳嗽模糊了他的視線，他揉揉眼睛。除了遠方那艘小汽艇依然自得其樂地順著海灣急駛前進之外，周圍沒有任何船隻。湯姆看了看船底。他有辦法清洗乾淨嗎？他聽說血汙很難去除。他本來打算將船歸還回去，若是船隻出租人問起他朋友，他就說已在某處放他上岸即可。如今這可行不通了。

湯姆小心翼翼地推動控制桿。慢吞吞的馬達開始加速，他連這點也怕，所幸馬達似乎比大海更有人性，更容易操控，因此不再那麼可怕。他朝聖雷默北方的海岸斜行前進。也許他可以在海岸上找一塊地方，一個荒無人跡的小海灣，將船拖上岸後放手離去。但萬一他們發現船呢？問題似乎大得不得了。他試著回復冷靜，但腦筋卻似短路，不知該如何處理這艘船。

現在他看見松樹、一塊乾荒的褐色海灘與一片綠油油的橄欖樹園。湯姆緩緩地東轉西繞，察看是否有人。一個人也沒有。他駛近這個淺短的海灘，謹慎無比地握著節流控制桿，因為他不確定馬達會不會再次發威。接著他感覺到船首底部與土地摩擦碰撞。於是他將節流控制桿推至正常位置，再扳動另一支控制桿停掉馬達。他謹慎小心地下船走進二十公分深的水裡，用盡全力拉船上岸，隨後換上狄奇的棉夾克，套上涼鞋並取出瑪姬的香水，走上海灘。他所在的這個小海灣——不足五公尺寬——給他一種安全隱密的感覺。四下荒無人跡，湯姆決定將船弄沉。

他開始撿石頭，每顆石頭都是人頭般大小，因為再大的他搬不動；然後逐一將石頭丟上船，最後他不得不撿小一點的石頭，因為附近的大石頭全被他撿光了。他一刻也不停地進行，深怕稍微一休息，便累癱在地上起不來，得等別人來發現他。石頭堆得幾與舷緣平齊時，他用力推船下水，愈推愈遠，直到海水灌進船身。船開始下沉，他一路推著、走著，終於走到水深及腰的地方，船瞬間沉到他無法觸及的深處去了。接著他費力地走回岸上，臉朝下地在沙灘上趴了一陣子。

他開始計畫如何回到飯店，思索故事內容及下一步行動——天黑前離開聖雷默，回蒙吉貝羅，屆時再瞎掰故事。

13

日落時分，正是村民梳洗打扮後聚集在露天咖啡座，凝視來來往往人事物，並熱切等待小道消息的時刻。湯姆踏進村裡，全身上下只穿著泳褲、涼鞋和狄奇的棉夾克，腋下夾著他沾有些微血跡的長褲和棉夾克。拖著一身疲憊，他無精打采地來到通往他下榻的濱海飯店的必經之路，凝於路旁咖啡座上數百人的目光，只得一路抬頭挺胸。先前他在聖雷默邊界一家酒館喝了五杯甜死人的義大利濃縮咖啡和三杯白蘭地來強振精神。此刻他扮演的角色是一個在水上玩了一下午的強健男兒，泳技佳，不怕冷，特別喜歡在寒冷的日子下水游至傍晚才上岸。他一路硬撐回飯店，向櫃台取得鑰匙，走入房間後立刻倒在床上。他想，先休息一個鐘頭，但不能睡著，以免一睡就是數個鐘頭。他躺著休息，覺得自己快睡著時，立即起身去洗一把臉，拿條濕毛巾再倒回床上，一隻手不停甩動毛巾以避免睡著。

終於他起床開始清洗沾在棉褲管上的血跡。他用肥皂與指甲刷用力地刷洗，刷得累了，便暫時停下來整理旅行箱。他依照狄奇一慣的方式整理狄奇的東西，牙膏和牙刷放在背面左邊的口袋。隨後他再回頭將褲管刷洗乾淨。他的夾克沾了太多血跡，不能再穿，也留不得，但他可以穿狄奇的夾克，因為同樣是羊毛色，尺寸也幾乎完全一樣。湯姆的夾克款式與狄奇的夾克款式一模一樣，出自蒙吉貝羅同一位裁縫師之手。他將自己的夾克放進旅行箱內。接著他提著旅行箱下樓結帳。

櫃台人員問說他朋友到哪裡去了，湯姆表示要在火車站與他會合。櫃台人員愉快地笑著，並祝湯姆旅途愉快。

湯姆在兩條街外的一家餐館停了下來，他強迫自己吃了一碗通心粉蔬菜湯，以增加體力，並密切注意出租船隻的那名義大利人是否在附近出現。他想，最重要的一件事是——今晚離開聖雷默，倘若沒有火車或巴士，便搭計程車到下一個城鎮。

湯姆在火車站得知十點二十四分有一班南下列車，是一列臥車。明天在羅馬醒來，再轉車前往那不勒斯。事情莫名其妙地突然變得簡單容易，一陣安心感讓他興起去巴黎玩幾天的念頭。

「等一下，」他對著準備將票交給他的售票員說。湯姆繞著旅行箱走來走去，滿腦子巴黎。過一夜，只是去看一看，待個兩天也好。告訴瑪姬與否，都無所謂。但突然間，他決定不去巴黎。他無法放鬆心情，他急著回蒙吉貝羅查看狄奇的財產。

火車臥鋪上潔白的床單似乎是他見過最棒的奢侈品。他忍不住伸出雙手撫摸一番，還有藍灰色的毛毯及頭上那張實用的小蚊帳，也棒得不得了——一想到狄奇的錢，他的床、桌子、海、船、旅行箱、襯衫、N年的自由、N年的逍遙盡在眼前，湯姆便狂喜莫名。隨後他熄燈躺下，不一會兒即呼呼大睡，他快樂、滿足，並感受到這一生前所未有的自信。

到了那不勒斯，他走進火車站的男廁，從旅行箱中取出狄奇的牙刷、梳子和他自己的棉夾克，與狄奇的血褲一起捲在狄奇的風衣裡。他拎著這一捆衣物走到車站對街，將它塞進牆角一個麻布製的大垃圾袋內。接著他在巴士站廣場上一家咖啡館喝了杯咖啡，吃了個甜麵包當早餐，再搭上十一點開往蒙吉貝羅的巴士。

他下了巴士幾乎與瑪姬碰個正著，瑪姬身穿一向穿去海灘的泳裝與寬鬆的白夾克。

「狄奇呢？」她問。

「他在羅馬。」湯姆從容地笑著，一副胸有成竹的樣子。「他會在那裡待個幾天，我是回來幫他帶點東西去的。」

「他跟誰住在一起嗎？」

「沒有，只是住在旅館。」湯姆露出另一個半帶道別意味的笑容，遂提著旅行箱開始走上山丘。過了一會，他聽見瑪姬的軟木鞋底追趕著他的聲音。湯姆停下腳步。

「我們那個甜蜜的家，一切都還好嗎？」他問。

「哦，無聊死了，還是老樣子。」瑪姬笑說。她在他身旁有些不自在，但還是尾隨他走進屋子。大門沒鎖，湯姆依照慣例，在種了一棵要死不活的爛灌木盆後面，取得了露台大門用的一把鐵製鑰匙。兩人一起走到露台。桌子稍微移動了位置，吊椅上有本書。湯姆想，自從他們離開後，瑪姬便一直待在這裡。他只不過離開三天三夜，卻感覺像離開了一個月似的。

「蹦蹦好嗎？」湯姆開朗地問，一邊打開冰箱取出一個冰盤。蹦蹦是瑪姬前幾天撿到的一隻流浪狗，是隻毛色黑白夾雜、奇醜無比的臭狗，卻讓瑪姬嬌寵得跟個痴呆的老佣人似的。

「牠跑掉了，我也不期待牠會留下來。」

「哦。」

「看起來你好像玩得很愉快。」瑪姬有些羨慕地說。

「是啊。」湯姆笑說。「我幫你倒杯酒好嗎？」

「不，謝謝。你想狄奇會離開多久？」

「呃──」湯姆皺著眉頭，一臉沉思。「我不大清楚，他說要在那邊看一些藝術表演。我想他只是在享受環境轉換的滋味。」湯姆替自己倒了一大杯琴酒，並加了蘇打和一片檸檬。「我猜他再過一個禮拜就會回來。對了！」湯姆伸手從旅行箱中拿出香水。他已把商店的包裝紙拆了，因為紙上沾了血跡。「你的史特拉狄瓦莉，我們在聖雷默買的。」

「哦，謝謝，非常感謝。」瑪姬笑著接過香水，開始小心翼翼、如夢似幻般地打開它。

湯姆端著琴酒緊張地在露台上踱來踱去，不發一語，只等瑪姬離去。

「唉──」終於瑪姬開口說：「你要待多久？」

「待哪裡？」

「這裡。」

「一夜而已，我明天要上羅馬去，大概下午出發。」他之所以這麼表示，是因為他明天或許下午兩點以後才拿得到郵件。

「我想，除非你也到海灘上去，否則我沒辦法再和你碰頭了。」瑪姬故示友善地說。「萬一我碰不到你，在這兒先祝你玩得愉快。告訴狄奇寫張明信片來。他住在哪一家飯店？」

「哦，呃──那家叫什麼名字啊？西班牙廣場附近的那家？」

「英吉特拉嗎？」

「就是這家。不過他好像說過要用美國運通做為通訊處。」湯姆想，她不會撥電話給狄奇；假如她寫信，他明天在飯店就收得到。「明天早上我大概會到海灘去一趟。」湯姆說。

「好。謝謝你們的香水。」

「別客氣！」

她往下走出鐵門。

湯姆提起旅行箱跑上狄奇的房間。他拉開最上層的抽屜，那裡面有信件、兩本通訊錄、幾本小筆記本、一條錶鍊，一堆零散的鑰匙和一張保險單。他一一拉開其他抽屜，讓它們開著不動。襯衫、短褲、折好的毛衣和一堆亂七八糟的襪子，房間角落擺了一堆作品集和老舊的畫本。真是工程浩大。湯姆脫光衣服，赤裸裸地衝下樓，迅速沖了一個冷水澡，然後穿上狄奇吊在衣櫥裡的一條舊白色麻褲。

他先從最上層的抽屜著手，原因有二：一來近期的信件很重要，以防有些狀況需要立即處理，二來萬一瑪姬碰巧今天下午又來，屆時他看來絕不能像是要火速拆掉整棟房子的樣子。湯姆想，今天下午，他至少也可以開始動手將狄奇最好的衣物裝進最大的皮箱裡。

深夜時，湯姆仍在屋裡走來走去。狄奇的皮箱已整埋好，此刻他正在評估屋內裝潢的價值，思考該留給瑪姬什麼東西，並如何處理剩下來的物品。臭冰箱可以給瑪姬，她應該會很樂；走道上那個狄奇用來放床單、餐巾等用品的雕花大櫃，應該值個數百美元。湯姆有一次問起這個櫃子有多古老時，狄奇說大概有四百年或五百年。他打算對米拉馬雷飯店的副理卜契先生這麼說，並請他居中仲介房屋與家具出售事宜，還有船也請他代售。狄奇曾告訴他卜契先生會為村民做些仲介工作。

他本來想將狄奇所有的財產一併帶上羅馬，但為顧及瑪姬看他在匆促間帶走這麼多東西將做何感想，他決定還是佯裝狄奇後來才決定搬到羅馬比較妥當。

於是，湯姆隔天下午三點左右到了郵局，收了一封狄奇的美國友人寄給狄奇的有趣信函。沒收到自己的信。他慢慢地走在回家的路上時，已開始想像他正讀著狄奇的來信，他構思確切的字眼，以防必要時能引述給瑪姬聽；他甚至讓自己感受狄奇改變主意帶給他的些許訝異。

他一回到家即開始動手將狄奇最好的畫作與最好的亞麻衫放進大紙箱中，大紙箱是他在回家途中向雜貨店的阿多要來的。他不慌不忙、有條不紊地整理，期盼瑪姬隨時來訪，但她過了四點才出現。

「你還在啊？」她走進狄奇的房間時問。

「是啊！對了，我今天收到狄奇的來信，他決定搬到羅馬去。」湯姆微微一笑站了起來，彷彿這件事也讓他吃了一驚似的。「他要我盡可能地帶走他所有的東西。」

「搬去羅馬？去多久？」

「我不知道，顯然是度過這個冬天。」湯姆繼續捆綁油畫。

「他整個冬天都不回來了嗎？」瑪姬的聲音聽來已若有所失。

「不回來。他說可能會將房子賣掉，不過，還沒決定。」

「天啊！這到底是怎麼回事？」

湯姆聳聳肩膀說：「他顯然要在羅馬過冬。他說會寫信給你，你今天下午可能也收到信了。」

「沒有。」

一陣沉默。湯姆繼續打包狄奇的衣物，他突然想到自己的行李一點也沒整理，他連房間都還沒回過。

「他還要去柯狄納吧？」瑪姬問。

「不，他不去了。他說要寫信給佛雷迪取消這趟旅行。不過你不必因此就也不去。」湯姆注視著她。「對了，狄奇說把冰箱送給你，你可以找人來搬走。」

送她冰箱這件事根本起不了作用，瑪姬依然一臉訝異。湯姆知道她正在猜測他是否將與狄奇住在一起，而且八成因為他一臉開心而認定他將和狄奇一起住。湯姆感覺問題已到她嘴邊——對他而言，她像個小孩般讓人一眼就能看穿——接著她就問道：「你要和他一起住在羅馬嗎？」

「也許住一陣子吧，我會幫他安頓好。我這個月想去巴黎，然後我想十二月中旬左右就回美國。」

瑪姬一臉沮喪。湯姆知道她正想像著未來那無數寂寞的日子——即使狄奇偶爾回來蒙吉貝羅看她，也填補不了那些空虛的週日早晨及寂寞的晚餐時光。「他聖誕節打算怎麼過？你認為他想在這裡還是在羅馬過？」

湯姆略顯不耐地說：「唉，我不認為他想在這裡過。我總覺得他想一個人獨處。」現在她震驚得說不出一句話，既震驚又傷心。湯姆想，等他從羅馬寫信給她以後才更有得瞧呢！他當然會和狄奇一樣對她溫柔，但狄奇絕對不想和她見面。

數分鐘後，瑪姬站起來心不在焉地道別。湯姆突然覺得她也許今天會撥電話給狄奇，或者可能直奔羅馬。萬一她真這麼做該怎麼辦呢？狄奇可以換飯店。即使她到羅馬找他，羅馬大大小小的飯店就夠她忙個幾天了。等她撥電話或到羅馬都找不著他時，她一定會猜他和湯姆・雷普利一起到巴黎或其他城市去了。

湯姆翻遍那不勒斯的報紙找尋聖雷默附近有沒有發現沉船的消息。照片說明可能這樣形容：「聖雷默附近的沉船」，而且他們會針對船上的血跡小題大做，如果血跡還在的話。這正是誇張渲染的義大利報紙喜歡的題材：「吉歐吉歐・史蒂芬尼，聖雷默的一個年輕漁夫，昨天下午三點左右，在水深兩公尺處有了一項驚人的發現。一艘內部有血跡的小汽艇……」但湯姆什麼相關消息也沒看到，也沒有任何報導。他想，可能需要數月這艘船才會被發現，也可能永遠不會發現。萬一他們真的發現，又怎會知道狄奇・葛林里與湯姆・雷普利一起駕這艘汽艇出海？他們沒向聖雷默那名出租船隻的義大利人報過姓名。義大利人只不過給了他們一小張橘色的票根，湯姆後來發現票根在他口袋裡，便將之銷毀。

湯姆在吉歐吉歐之家喝了一杯濃縮咖啡，並向吉歐吉歐、法斯多及另外數名他和狄奇認識的村民道別，隨即於六點左右搭計程車離開蒙吉貝羅。對所有的人，他一概千篇一律地說葛林里先生要在羅馬過冬，他問候大家。湯姆表示狄奇不久之後一定會回來看看。

他當天下午將狄奇的亞麻衫和畫作交由美國運通裝箱，連同狄奇的皮箱與兩只較重的旅行箱一起托運至羅馬，收件人是狄奇・葛林里。湯姆隨身帶了他自己的兩只旅行箱與狄奇的一只旅行箱上計程車。他已在米拉馬雷與卜契先生談過，表示葛林里先生可能有意出售房屋與家具，卜契先生是否能代為處理呢？卜契先生非常樂意。湯姆也與碼頭管理員彼特洛談過，請他留意是否有人要買蝙蝠號，因為葛林里先生極可能希望在這個冬天脫手。湯姆說葛林里先生開價五十萬里拉，一艘可以睡兩個人的船只賣不到八百美元，實在是大特價，彼特洛認為數週之內便能賣出去。

湯姆在開往羅馬的火車上謹慎地構思寫信給瑪姬的內容，甚且記住了整個內容，待他抵達哈斯勒飯店，他便從狄奇的旅行箱中拿出赫姆斯牌打字機，坐下來立刻開始寫信。

親愛的瑪姬：

我決定在羅馬找間房子過冬，只不過是想轉換環境，並且暫時離開蒙吉老鎮。我熱切渴望一人獨處。很抱歉，這件事來得突然，沒機會向你道別，但事實上我離你不遠，我希望偶爾能和你碰面。我只是不想自己整理那些東西，所以我將這個重擔丟給湯姆。

雖然我們暫時互不見面，對我們的關係不會造成任何妨害，反而有可能改善一切。我深深覺得我是在煩擾你，雖然你沒因此厭惡我。請你別以為我在逃避，相反的，羅馬應該會將我更拉近現實，這點蒙吉當然辦不到。我不滿的部分原因是你。當然，我這一離開，並未解決任何事，但這有助於我發現自己對你真正的感受。因此，我寧願暫時不和你見面，親愛的，我希望你會了解。如果你不了解——唉，如果你不了解，我也只能甘冒這個風險了。我可能會與湯姆到巴黎去幾個禮拜，因為他非常想去，也就是說，除非我立刻開始畫畫，才有可能不去。我遇到一位名叫狄馬西默的老畫家，我非常喜歡他的作品，他手頭不太寬裕，如果我付他一些錢，他似乎很樂意收我為學生。我要在他的畫室和他一起作畫。

這城市棒透了，噴泉整夜噴個不停，人人通宵達旦，和蒙吉老鎮正好相反。你錯看湯姆了。他不久要回美國，我才不管他什麼時候走，雖然他其實人不壞，可是我不喜歡他。總之，他和我們沒關係，我希望你能了解這點。

暫時請你寫信寄到美國運通羅馬辦事處，直到我確定地址再說。我找到房子以後會讓你知道。同時，請你繼續使用壁爐、冰箱，還有你的打字機。親愛的，關於聖誕節之事，我十分抱歉，但我不認為我應該這麼快就與你見面，就算你因此而恨我的話，也無所謂。

獻上我所有的愛　狄奇

羅馬，十一月二十八日　一九——

湯姆一進飯店便戴上無邊帽，並遞給櫃台狄奇的護照，他發覺飯店從來不看護照上的照片，只登記正面的護照號碼。他模仿狄奇潦草又醒目的簽名筆跡，在住宿登記冊上簽了大大的R和G。他出門寄信時，順便走到數條街外的一家藥房買了些他認為需要的化妝品。他和那位義大利女店員鬼扯一番，讓她以為他是替丟了化妝包的太太來買化妝品，因為她胃不舒服，留在飯店。

當天晚上他不停練習狄奇的簽名，準備簽銀行支票。再不到十天，狄奇每月定期的匯款便會從美國寄來。

14

隔天他搬至歐洲飯店，這是委內特大道附近一間價錢中等的飯店，因為哈斯勒有些浮奢，他想，是那種影劇界人士光顧的飯店，也是佛雷迪．邁爾斯等認識狄奇的人來羅馬時可能的歇腳處。

湯姆在飯店房間內想像和瑪姬、法斯多及佛雷迪的對話。他想，瑪姬是最有可能來羅馬的人。假設是在電話上交談，就以狄奇的身分和她說話，如果是面對面，則以湯姆的姿態出現，她可能突然來到羅馬並找到他住的飯店，堅持要上去他的房間，如此一來他便得摘下狄奇的戒指並改變裝扮。

「我不曉得。」他會用湯姆的聲音對她說：「你是知道他個性的——喜歡遠離一切事物的感覺。他說我可以在他房間住幾天，因為我的房間正巧暖氣設備壞了……哦，他過幾天就會回來，要不然他也會寫張明信片報平安。他和狄馬西默到某個小鎮上一間教堂看畫去了。」

（「難道你不知道他往北方還是往南方走嗎？」）

「我真的不知道，我猜是往南走吧。不過他往哪裡走對我們有什麼影響嗎？」

（「算我活該要想念他，是不是？為什麼他不說清楚一點他要上哪兒去？」）

「是啊，我也問過他。我找找看房間裡有沒有地圖或其他東西可能顯示他的行蹤。他只是在三天前打電話對我說，如果我願意，可以使用他的房間。」

練習如何瞬間回復他原來的角色，是個不錯的主意，因為將來他很可能需要在幾秒之間轉換角色，而且湯姆·雷普利的正確音色不知為何非常容易忘記。他不斷模擬與瑪姬的對話，直到耳中聽見的自己的聲音和他記憶中的一模一樣為止。

但泰半的時刻他是狄奇，聲音低沉地和瑪姬及佛雷迪談天，和狄奇的母親通長途電話，和法斯多、和晚宴上一名陌生人用英語及義大利語閒聊。做這些練習時，他將狄奇的手提式收音機開著，這麼一來飯店服務人員經過走廊又正巧知道葛林里先生只有獨自一人時，也不會認為他是怪胎。偶爾，收音機傳來的正是湯姆喜歡的歌曲，他會獨自起舞，舞姿就像狄奇和女孩子共舞時一樣——他曾有一次看見狄奇在吉歐吉歐之家的露台上和瑪姬跳舞，在那不勒斯的「橘園」也見過他跳。他舞步開闊卻也相當僵硬，實在稱不上好舞者。一分一秒對湯姆而言都是快樂的，無論是在房間獨處，或者是走在羅馬街頭一邊觀光一邊找房子，他想，只要他是狄奇·葛林里，就不可能寂寞或是無聊。

去美國運通取信時，他們稱呼他葛林里先生。瑪姬的第一封來信說：

狄奇：

怎麼說呢，真是有點訝異，不明白你為何突然要搬去羅馬或聖雷默或其他地方？湯姆只說他會和你住在一起，其他一概神祕兮兮的。除非我親眼看見，否則我不相信他即將回美國去。也許是我搬弄是非，老兄，我可不可以說我不喜歡那個傢伙？在我或其他人看來，他都是在利用你。如果你為了自己要做些改變，那看在老天的份上，讓他離你遠一點。好吧，他或許不是同性戀，他只是個無能之輩，但這點更糟——他無法享有任何正常的性生活，如果你明白我的意思的話。可是我關心的不是湯姆，而是你。是的，我可以忍受幾個星期沒有你，親愛的，哪怕是聖誕節，雖然我寧願不去想聖誕節，不去想你，而且——如你所說——讓感情順其自然。可是在這裡我無法不想你，因為在村裡，我所到的每一寸角落都有你的影子，而且在這棟屋子裡，我眼見之處都有你的一些痕跡，我們一起種的籬笆，我們合力修築卻一直沒有完工的圍牆，我向你借來卻一直未歸還的書籍，還有桌旁那張你專用的椅子，那才最令人難過。

讓我再繼續搬弄是非吧！我不敢說湯姆會做出什麼對你實際有害的事，但是我知道他對你有些不好的影響。其實每當你在他身邊時，你都隱隱約約表現出羞於和他在一起的樣子，你知道嗎？你曾經試過分析這種情況嗎？我以為前幾個禮拜你已開始明白這一切，如今你卻又和他在一起，坦白說，親愛的男孩，我真不知該如何解釋這種關係。如果你真的「不在乎他何時離開」，那就看在老天的份上，叫他捲鋪蓋滾吧！他永遠不會幫你或任何人理清事情的，事實上他弄得你一團亂並操控你和令尊，那才是他最大的利益所在。

謝謝你給我的香水，親愛的。我會保存一整瓶——或者保存大部分——以備下次見你時可用。我尚未將冰箱搬到我家，當然，你想要隨時可以搬回去。

或許湯姆已告訴你蹦蹦跑走了。我是否應該抓一隻蜥蜴來養，並在牠脖子上綁一根繩子？我必須立刻動手整修我家的牆壁，免得它完全發霉，整個塌在我身上。真希望你在這兒，親愛的——我是說真的。

帶著許多愛意寫了一堆。

XX瑪姬

親愛的媽媽、爸爸：

我目前正在羅馬找房子，可是我還沒找到中意的。這裡的房子不是太大就是太小，如果太大，冬天就得關上所有的房間只留一間，以確保暖氣產生功效。我想找一個不大不小、價錢合理的地方，這樣我才能不花大筆錢而獲得充足的暖氣。

很抱歉，我最近的信都寫得很糟。我希望在此處安靜的生活步調下，能有進步。我覺得我需要離開蒙吉貝羅改變一下——正如你們長久以來所說的——所以我收拾了行囊，而且可能會賣掉房子和船。我遇見一個很棒的畫家，叫狄馬西默，他願意在他的畫室教我畫畫。我準備花幾個月的時間瘋狂地作畫，看看結果如何，算是段考驗期吧！我知道您對這件事不感興趣，爸，可是您老是問我如何打發時間，這就是我的方式，一直到明年夏天，我都將過著寧靜、用心的畫家生活。

另外，您可以寄給我柏克—葛林里公司最近的檔案嗎？我也想知道您在做些什麼，而且我好久沒看任何東西了。

媽，我希望您沒為了我的聖誕節而忙得團團轉，我真的不需要任何東西。您好嗎？能夠常常出去走動嗎？去劇院等等的？愛德華舅舅現在情況如何？代我向他問好並保持聯絡。

愛你們的狄奇

羅馬十二．十二．一九——

湯姆把信整個讀了一遍，認為逗號可能太多，於是耐心地重打一封並簽了名。他曾在狄奇的打字機上看過一封他寫給他父母而未完成的信，他知道狄奇的一般格式。他曉得狄奇寫信從來不超過十分鐘。倘若這封信有異於以往之處，湯姆想，可能只是較往常多了些貼心和熱情。他將信再讀了一遍，覺得相當滿意。愛德華舅舅是葛林里夫人的兄弟，得了某種癌症住在伊利諾州一家醫院。湯姆是從狄奇他母親最近寄給他的信中得知這件事。

數天後他搭機飛往巴黎。離開羅馬前他撥了通電話到英吉特拉飯店：沒有理察．葛林里的信件或電話。下午五時他在奧利機場降落。雖然湯姆用過氧化氫水稍微弄淡了髮色，也用髮油勉強弄了些波浪，更為了通過護照檢查那關而做出狄奇護照上那種相當憂慮不安的表情，但檢查員只匆匆瞄了他一眼便在護照上蓋章。湯姆住進伏爾泰飯店，這家飯店是他在羅馬一家咖啡館碰到的一些美國人向他推薦的，說是地點便利，也不會碰上太多美國人。然後他出門散步。十二月的夜，冷颼颼，霧濛濛，他抬頭挺胸、面帶微笑地走著。他愛的是這個城市的氣氛。這個他久仰的氣氛，彎曲的街道，開著天窗的灰色屋宇，喧囂的汽車喇叭聲以及隨處可見貼滿了色彩鮮豔影劇廣告的公共廁所與布告欄。他要讓這種氣氛緩緩地沉澱，或許沉澱數天，再去參觀羅浮宮或登上艾菲爾鐵塔或拜訪一些名勝。他買了一份《費加洛報》，在圓頂的花神咖啡館內找了張桌子坐下，點了一杯淡白蘭地，因為狄奇有一次曾提起他在法國最常喝的就是淡白蘭地。湯姆的法文程度有限，可是狄奇的也很破，湯姆知道。一些蠻有意思的人隔著咖啡館的玻璃門凝視他，但誰也沒走進來和他交談。湯姆等待著隨時會有人從座位上站起來，並走過來說：「狄奇・葛林里！真的是你嗎？」

他並未刻意改變他的外貌，可是他的表情，湯姆想，已和狄奇所差無幾。他帶著一種對陌生人具有危險吸引力的笑容，那是種比較適合迎接老友或情人的笑容。這是狄奇心情奇佳時的招牌笑容。湯姆心情也好，這裡是巴黎。坐在著名的咖啡館內想著明天、後天，天天都是狄奇・葛林里，那是多麼美好啊！袖釦、白色絲質襯衫，甚至舊衣物，那些配有銅釦環的棕色舊皮帶、棕色的粗革舊皮鞋——是《潘趣週刊》廣告上那種一輩子也穿不壞的鞋子，還有那件芥末色、口袋鬆垮的舊羊毛外套，這些全都屬於他，而他也愛不釋手。還有那枝刻了金色姓名縮寫的鋼筆，以及那使用已久的古馳牌鱷魚皮夾，皮夾裡還有一疊鈔票。

隔天下午，他受邀至克雷柏路參加派對，邀請他的是曾與他在聖哲曼大道上一家大餐廳聊過天的法國女孩及一名年輕美國男子。派對上約有三十至四十位賓客，中年人居多，在這又大又冷又傳統的屋子裡，大伙兒表情呆滯地四處站著。在歐洲，湯姆猜想，暖氣不足乃是冬季時尚的正字標記，就像夏季流行不加冰塊的馬丁尼。為了取暖，最後他搬到羅馬一家更昂貴的飯店，卻發現那家飯店更冷。陰暗，古老，是這間屋子的高級之處吧，湯姆猜想。屋內有一名管家及一名女傭，一張擺滿了餡餅、火雞肉片、小糕點及一堆香檳的大桌子，不過沙發椅套和窗簾被歲月磨損得脫了線，而且他也在電梯通道上看見老鼠洞。別人為他引介的賓客之中，至少有半打以上的伯爵及伯爵夫人。有位美國人告訴湯姆，邀請他的年輕人和女孩即將結為連理，而女方家長並不怎麼贊成這樁婚事。偌大的房間裡有種沉悶的氣氛，湯姆努力以笑臉迎接每個人，連對那些板著面孔的法國佬也不例外，雖然他只能對他們說上一句「真愉快呀，不是嗎？」他竭其所能，至少贏得了邀請他來的那位法國女孩的微笑。他慶幸自己能來這裡。有多少隻身在巴黎的美國人能夠在這城市只待了一週左右即受邀至法國家庭做客？湯姆聽說，法國人特別難得邀請陌生人上家裡做客。在場的美國人似乎沒有人認識他。湯姆覺得十分自在，記憶中參加過的派對從不曾讓他產生這種感覺。他的行為舉止正是他一向想在派對上表現的那般，正是當初他搭船赴歐洲在船上所希求的感覺，那種清清白白的感覺。從此，那段過去及昔日的自己將徹底毀滅，湯姆．雷普利脫胎換骨成一個全新的人。一名法國女人和兩個美國人開口邀請他參加其他的派對，但湯姆一律回了一句「非常謝謝您，可是我明天要離開巴黎」加以婉拒。

湯姆想，和這些人走得太近可不行。說不定他們之中有人認識某個和狄奇非常熟稔的人，而那個人也許會在下次的派對上出現。

十一時一刻，他向女主人及其雙親道別，他們看來似乎非常捨不得他走。但他希望午夜之前能趕到聖母院，這天是聖誕夜。

女孩的母親再次問他姓名。

「葛隆拉先生，」女孩為她重述了一遍。「狄奇・葛隆拉。對嗎？」

「沒錯。」湯姆笑說。

他走到樓下大廳時突然想起佛雷迪・邁爾斯在柯狄納舉行的派對。十二月二日……幾乎一個月前了！他本來打算寫信告知佛雷迪他不參加。不曉得瑪姬去了沒？他沒寫信說明他無法出席的原因，佛雷迪一定覺得十分奇怪，湯姆希望瑪姬至少已告訴佛雷迪一聲。他必須立即寫信給佛雷迪，在狄奇的通訊錄上有佛雷迪在佛羅倫斯的地址。這是個失誤，但不算嚴重，湯姆想，只是他千萬不能讓類似的事情再度發生。

走出門外，一片漆黑，他隨後轉進通往燈火通明、灰白凱旋門的方向。此刻他似與周遭事物分外融合，卻又備覺孤單，這種感覺實在奇怪，剛才在派對上就有這種感覺，此刻他站在聖母院廣場前的人群外圍，再度體驗這種滋味。人潮洶湧，他根本不可能走進聖母院，但擴音器清楚地將音樂傳送至廣場四周，是一些他不知歌名的法國聖誕歌曲；然後是「平安夜」，一首莊嚴的歌曲；接著是一首輕快吵雜的歌；再來是個男聲。他身旁的法國人都脫下帽子，湯姆跟著脫。他昂首挺胸地矗立著，面色凝重，卻也準備隨時擺出笑臉迎接開口和他說話的人。他此刻的感覺和當初在船上的感覺一樣，充滿善意，是個人格上一塵不染的紳士，只不過多了份緊張。此刻他是狄奇，脾氣好又天真的狄奇，笑臉迎人，誰若伸手要錢，就給他一千法郎。湯姆走離聖母院廣場時，確實有個老人向他要錢，他給了他一張又新又亮的藍色千元法郎大鈔。老人笑得合不攏嘴，舉了舉帽子致意。

湯姆有些餓，但他今晚想餓著肚子上床。他想，他要先讀一小時左右的義大利會話，再上床睡覺。隨後他記起他決定增胖五公斤，因為狄奇的衣服套在他身上有些寬鬆，而且狄奇的臉也比他胖一些，所以他在一家小吃店停下來，叫了一份長麵包夾火腿的三明治及一杯熱牛奶。牛奶幾乎沒有味道，那讓湯姆不禁聯想起在教堂嚐過的聖餅，純潔又帶有懲戒意味。

他一路悠閒地從巴黎南下，在里昂過了一夜，也在亞爾勒停下腳來參觀梵谷待過的地方。天氣惡劣，他卻始終開心、鎮定。在亞爾勒，正當他準備找出梵谷作畫所站的位置時，一陣朝地中海方向下的西北雨打濕他全身。他在巴黎買了一本美麗的梵谷畫冊，卻無法在雨天帶書出來，只好不停地走回飯店查對梵谷的行走路線。他在馬賽逛了逛，發現除了坎比耶之外，馬賽單調得很，隨後他搭火車向東行，分別在聖托培、坎城、尼斯、蒙地卡羅等所有他聽過的地方停留了一天。雖是十二月，這些城市上空陰雲密布，地面冷清，連除夕夜在蒙東也不見熱鬧的人群，但湯姆依然覺得這些地方充滿了吸引力。他自行想像人群的活動，身著晚禮服的男女正走下蒙地卡羅豪華賭場的寬廣石階，穿著亮麗泳裝、明亮如杜菲*的水彩畫中的人物，正走在尼斯英國大道的棕櫚樹下。人們——美國人，英國人，法國人，德國人，瑞典人，義大利人。浪漫，失望，爭吵，和好，謀殺。全世界再也沒有其他地方比蔚藍海岸更讓他興奮了，這個位於地中海岸的海灣是這麼的小，卻聚集了一連串清脆美妙的地名——土倫，佛雷瑞斯，聖拉斐爾，坎城，尼斯，蒙東與聖雷默。

一月四日回到羅馬時，他收到瑪姬的兩封來信。信上說，她打算三月一日離開現在住的房子。她的書初稿尚未完成，但她正準備將四分之三的初稿與照片寄給對她的構想甚感興趣的那位美國出版商，她去年夏天曾寫信給他，他當時即非常感興趣。她的來信寫道：

> 我何時才能再見到你？又度過一個天候不佳的冬天之後，我討厭再在歐洲過夏天，我想我三月初會回家。是的，我終於想家了，真的。親愛的，如果我們能搭乘同一艘船回家，那就太棒了。有這個可能嗎？我不認為有。今年冬天，你也不回美國看一下嗎？我正考慮從那不勒斯海運我所有的東西（八件行李，兩個皮箱，三箱書和一些雜七雜八的東西！）再途經羅馬，如果你有心情，我們至少可以一起再到地中海岸看看馬密堡與維亞雷吉歐，以及我們喜歡的其他地方——去看最後一眼。我沒有心情去管天氣好壞，我知道屆時天氣一定很可怕。我不敢請你陪我到馬賽搭船，但從熱那亞呢？你覺得如何……

另一封信保留了些，湯姆明白原因：近一個月來他連張明信片也沒寄給她。她在信上說：

＊杜菲（Raoul Dufy, 1877-1953），法國畫家，擅長風景和靜物畫，以野獸派的作品著名。

我改變主意，不去里維拉了。也許是這潮濕的天氣打消了我的計畫，或者是我的書影響我。總之，我準備搭更早出發的一艘船——二月二十八日的憲法號，從那不勒斯啓程回美。想想看，我一踏上船就能回到美國；美國食物，美國人，用美元買飲料和賭馬——親愛的，很遺憾無法再見你一面，從你的沉默來研判，我想你依然不想和我見面，所以你別在意，也別再為我費心思。

當然我確實希望在美國或其他地方再見到你。萬一你突然心血來潮於二十八日前來蒙吉，我想，你十分明白的，我非常歡迎你。

瑪姬

附註：我甚至不知道你是否還待在羅馬。

湯姆可以想見她含淚寫這封信的模樣。他有股衝動想寫一封非常體貼的信給她，說他才從希臘回來，問她是否收到他寄的兩張明信片？但湯姆想，還是讓她在不確定他行蹤的情況下離開，他會安全一些。於是他什麼也沒寫給她。

唯一讓他不安，但還不至於太過不安的是，瑪姬可能在他尚未找到房子安頓下來前就到羅馬來看他。如果她搜尋各家飯店便找得到他，若是他住進某棟公寓，她就永遠也找不到了。小康的美國人在這裡不必上警局登記地址，雖然根據居留許可規定，每個人每換一次住址就得上警局登記。湯姆曾和一位在羅馬有間房子的美國人聊過，他說他從來不到警局登記地址，警方也從來沒找過他麻煩。假如瑪姬真的突然來羅馬，湯姆的衣櫥裡早已備好一堆自己的衣物。他外表上的唯一改變是髮色，但這點可以用「被陽光曬的」來解釋。他其實不太擔心。湯姆用眉筆自娛一番——狄奇的眉毛比較長，眉角略微上揚——再在鼻頭撲了些粉，好讓鼻子看起來長一些、尖一點，但後來他一一放棄了這些改裝，因為太容易被識破。湯姆想，模仿別人最重要的一點是，保持那個人的心情與性情，並隨之裝出自然的臉部表情，其他的倒是其次。

湯姆在一月十日寫了封信給瑪姬，說他一人在巴黎待了三週後才剛回到羅馬，並表示湯姆一個月前離開羅馬，臨走之前表示要上巴黎，再從那裡回美國，但他在巴黎沒碰見他；另外他還提及尚未在羅馬找到房子，但他正在找，等他找到，會立刻讓她知道地址。他誇張地謝謝她的聖誕包裹：她寄來一件從十月起為狄奇量身而編織的紅色V字條紋白毛衣、一本有四百幅圖片的畫冊，及一套刻了他姓名縮寫 H.R.G. 的皮製刮鬍用具包。包裹一月六日才剛寄來，這也是湯姆提筆寫信的主要原因——他不希望她以為他沒收到包裹，想像他已消失無蹤，然後開始找尋他。他問她是否收到他的包裹？是從巴黎寄的，他猜可能有些耽誤。他在信上寫道：

我跟著狄馬西默又開始畫畫了，非常愉快。我也很想念你，但是你如果還能忍受我對自己的考驗，我寧願再堅持數週不和你見面（除非你真的突然在二月回家。這點我依然懷疑！），屆時你也許不想再見到我。

代我問候吉歐吉歐夫婦與法斯多，如果法斯多還在，也順便問候管理碼頭的彼特洛……

這封信維持狄奇一貫的心不在焉與略微悶悶不樂的口氣，稱不上溫不溫暖，說了等於沒說。

事實上他在皇家大道上平西恩門附近一棟公寓大廈找到一間房子，並簽了一年租約，雖然他不準備長期待在羅馬，更遑論在羅馬過冬。他只是想要個家，一個落腳處，因為許多年來他從來沒有屬於自己的窩。羅馬很別致，羅馬是他新生活的一部分。他希望能在馬約卡、雅典、開羅或他所到之處對他人自信地說：「是的，我住在羅馬，我在那裡保有一間房子。」提起房子時，「保有」是國際通用的字眼。在歐洲有間房子，就像在美國有間車庫一樣。他也希望他的房子布置優雅，雖然他打算盡量不讓人來；他討厭裝電話，就算不讓電話號碼登記在電話簿上也不喜歡，但經過一番考慮之後，他覺得電話的安全性勝過威脅性，於是他裝了一支電話。屋子裡有一間大客廳，一間臥室，一個類似會客室的房間，廚房和浴室。裝潢有些浮華，但正好適合這高尚的環境及他計畫履行的高尚生活。房租冬天含暖氣費用是一百七十五美元，夏天一百二十五美元。

瑪姬回了一封語露狂喜的信，說她才剛收到從巴黎寄來的美麗絲質襯衫，並表示她根本沒想到會收到這樣一份禮物，而且襯衫非常合身。她說她在聖誕節時請法斯多與切吉一家人到家裡用晚餐，火雞棒透了，還有栗子、什錦肉湯、李子布丁，叭啦叭啦一堆東西，唯獨少了他。瑪姬問他正在做什麼及想什麼？快樂些了嗎？還說如果他在這幾天捎信告知他的地址，法斯多回米蘭時會順道到羅馬看他，否則就請他在美國運通留言，告訴法斯多在哪裡找得到他。

湯姆猜想她心情之所以如此愉快，絕大部分的原因是，她以為湯姆已經從巴黎回美國去了。和瑪姬的信同時寄來的還有卜契先生的來信，說他在那不勒斯賣出他的三件家具，共得十五萬里拉，而且他也替船找到買主，是蒙吉貝羅一個叫安納斯塔西歐•馬丁諾的人，此人答應一週內先付第一筆款，但房子可能必須等到夏天美國人開始陸續出現後才賣得出去。扣除卜契先生應得的百分之十五的佣金，售出三件家具共得二百一十美元。湯姆當晚便到羅馬一家夜總會慶祝，他點了一套高級晚餐，獨自優雅地在燭光中用餐。他一點也不介意一個人用餐或一個人上劇院，因為這讓他更有機會集中精神扮演狄奇•葛林里。他以狄奇的方式撕麵包，學狄奇用左手將叉子送進口中，和善、專心地凝視別桌的客人與跳舞的人們，他不知不覺看得失神，服務生對他說了好幾次話才引起他注意。某桌的客人向他招手，湯姆認出他們是他在聖誕夜派對上碰到的一對美國夫婦。他回了一個招呼手勢。他甚至記得他們的姓氏：蘇德。他整晚沒再看向他們，但他們較早起身離開，就順道走過來向他問好。

「自己一個人？」男人問。他看起來有些醉意。

「是的，我在這裡與自己進行一年一度的約會。」湯姆答道。「我在慶祝某個週年紀念日。」美國人有點茫然地點點頭，湯姆知道他說不出什麼有見識的話，就像站在都會感十足、莊嚴、多金且身著高級服飾人士面前的美國鄉下人，舉手投足莫不顯得侷促不安，即使眼前只是另一個美國人。

「您說您住在羅馬，對嗎？」他的妻子問。「您知道，我們忘了您姓什麼，可是我們在聖誕夜那天對您印象深刻。」

「我姓葛林里。」湯姆答道。「理察•葛林里。」

「哦，我想起來了！」她鬆了口氣說。「您在這兒有房子嗎？」

她已準備記下他的地址。

「目前我住在飯店，不過我打算等房子一裝潢好，就馬上搬進去。我現在住在艾里西歐飯店，你們可以撥個電話給我啊！」

「我們十分樂意。我們三天後要到馬約卡，不過這三天時間，找你可是綽綽有餘哪！」

「很高興見到你們。」湯姆說。「晚安！」

再度落單的湯姆又陷入幻想。他想，他應該替湯姆・雷普利在銀行開個戶頭，偶爾存個一百美元左右。狄奇・葛林里有兩個帳戶，分別在那不勒斯與紐約，各存了五千美元。他也許可用個數千美元開雷普利的帳戶，然後再將出售蒙吉貝羅家具所得的十五萬里拉存進去。畢竟，他要同時照顧兩個人。

15

他參觀了加比多林山丘和波各塞公園，逛遍了古羅馬廣場，還跟著附近一名老人學了六堂的義大利文。老人在窗口掛著教授義大利文的招牌，湯姆謊報姓名向他學習。六堂課結束後，湯姆認為他的程度和狄奇已不相上下。他逐字逐句記起狄奇說過的一些句子，如今看來狄奇當時的用法並不正確。例如，有天晚上他們在吉歐吉歐之家等遲到的瑪姬時，狄奇說了一句：「Ho paura che non c'e arrivata, Giorgio,」（「我怕她不來了，吉歐吉歐。」）其實在表達害怕的情緒之後應該用「sia arrivata」（「可能不來」）這種假設語氣。該用義大利文假設語氣時，狄奇幾乎從來不用，湯姆因此刻意不學正確的假設語法。

湯姆買了暗紅色絨布來做客廳的窗簾，因為屋裡原來的窗簾讓他受不了。他問公寓管理員的妻子布菲太太是否認識可以幫他做窗簾的女裁縫師，布菲太太表示願意親自動手。她開價兩千里拉，差不多才值三美元，湯姆強迫她收下五千里拉。他買了些小東西來裝點屋子，雖然他從未邀請任何人來做客——在希臘咖啡館向他詢問「上上酒店」地址那名迷人卻不怎麼聰明的美國青年除外。上上酒店坐落在湯姆回家必經之路，因此湯姆邀請他上樓喝一杯。湯姆只打算讓他留下一小時深刻的印象，然後便和他永別，於是拿出最好的白蘭地招待他，並聊起羅馬生活的種種樂趣。年輕人隔天將啟程前往慕尼黑。

雖然湯姆喜歡在希臘咖啡館及馬古塔街上的學生餐廳與美國人及義大利人閒聊，但他小心翼翼地避免和住在羅馬的美國人接觸，他們會期待他參加他們的派對並回請他們。他只對在馬古塔街一家酒店碰到的一個名叫卡林諾的義大利畫家提起過自己是狄奇，也作畫，並師事一名叫狄馬西默的畫家。萬一在有人發覺狄奇失蹤許久而且自己又再變回湯姆．雷普利之後，倘若警方要調查狄奇在羅馬的活動，那這名畫家屆時便可說他知道狄奇．葛林里一月時曾在羅馬作畫。卡林諾沒聽過狄馬西默這個人，但湯姆將他形容得栩栩如生，卡林諾可能因此永遠忘不了他。

他覺得孤單，卻一點也不寂寞。這種感覺和聖誕夜在巴黎時的感覺十分類似，那是種人人都注視著他，彷彿全世界都成了他的觀眾的感覺，這種感覺讓他益發謹言慎行，因為只要走錯一步，就將惹來大災難。但他倒也絕對相信自己不會犯下錯誤。這讓他的存在有了一份奇特美好的純粹性，湯姆想，一個好演員在舞台上扮演他自認非他莫屬的好角色時，心中大概就是這種感覺。他是他自己卻又不是他自己。他覺得自由自在，儘管事實上他步步為營。現在，連續扮演狄奇數小時，他也不覺疲累，和最初的情況不同。一人獨處時，他再也不需放鬆自己。現在，從他起床刷牙的那一刻起，他就是狄奇，狄奇伸出右手刷牙、狄奇用湯匙在蛋殼內挖下最後一口蛋白、狄奇一成不變地將從衣架上取下來的第一條領帶放回去並選擇第二條，他甚至還以狄奇的手法畫了一幅畫。

湯姆認為法斯多一月底可能會來羅馬一趟，雖然瑪姬最近寫來的信並未提到他。瑪姬大約每隔一週透過美國運通轉來一封信，問他是否需要襪子或圍巾等等的，因為她除了寫書之外還有許多時間可以編織。她總是在信上提起某個熟識村人的趣事，這麼一來狄奇才不會認為她想他想瘋了。不過她顯然是想他想瘋了，而且她要是未能再親眼見到狄奇一次，顯然也不會在二月返回美國；因此即使他沒回信，她也一定會寄長信和織好的襪子及圍巾來。她的來信讓他心生厭惡，他連碰也不想碰，看完之後他便將信撕得粉碎丟進垃圾桶裡。

他終於提筆寫道：

目前我已打消在羅馬租房子的念頭了。狄馬西默要去西西里島待上數月，我也許會和他一起去，然後從那裡再到某個地方。我的計畫雖不明確但優點就是自由，而且適合我現在的心情。

別寄襪子給我，瑪姬，我真的什麼也不缺。祝你在蒙吉貝羅好運連連。

他買了張前往馬約卡島的票——先搭火車至那不勒斯，然後在一月三十一日晚間從那不勒斯搭船，於二月一日抵達帕爾瑪。他在羅馬最好的古馳皮件店買了兩個新的小型旅行箱，一個是羚羊皮製，另一個則是配了皮帶、用細緻的褐色帆布製作的。兩只旅行箱都刻上了狄奇的姓名縮寫。他丟了自己的兩只破旅行箱，留下一只塞滿他的衣物，將它放在家裡的衣櫥裡以防萬一。但湯姆不認為會有任何萬一。在聖雷默沉沒的那艘汽艇尚未被發現，湯姆每天都看報找尋相關新聞。

有天早上湯姆正在整理旅行箱時，門鈴響了起來。他猜想是登門求助的人，要不然便是按錯門鈴。他沒在門上留下姓名，也告訴過管理員他不希望在門上寫明姓名，因為他不喜歡別人登門拜訪。門鈴響了第二聲，湯姆仍然置之不理，繼續懶散地整理行李。他喜愛整理行李，也會花上好長的時間來整理，一整天或兩天，將狄奇的衣物小心翼翼地放進旅行箱內，並在鏡子前試穿好看的襯衫或夾克。敲門聲傳來時，他正站在鏡子前扣上一件狄奇從未穿過的藍白色運動衫。

他突然覺得可能是法斯多——在羅馬鍥而不捨地找到他，並想盡辦法讓他驚喜一番。正像法斯多的作風，真是愚蠢，他暗自說道。但他走到門邊時，掌心卻不斷冒出冷汗。他快暈了，可是昏倒太可笑了，再加上倒地後讓人發現躺在地板上也太危險，於是他用雙手猛扭門把開了門，但他只稍微打開數寸的空隙。

「哈囉！」半黑的走廊傳出美國人的聲音。「狄奇嗎？我是佛雷迪！」

湯姆向後退了一步，門還開著。「他——你何不進來？他現在不在這兒，等一下應該會回來。」

佛雷迪・邁爾斯探頭探腦地踏進門來。他那張醜陋、長滿雀斑的臉孔呆呆地到處看來看去。湯姆不明白他是如何找到這個地方的。湯姆迅速取下戒指並將它放進口袋裡。還有什麼？他瞄了瞄房間各個角落。

「你和他住在一起？」佛雷迪睜著一雙死魚眼問，面孔看來痴呆又嚇人。

「哦，不是，我只是在這裡待個幾小時而已。」湯姆說，同時隨意地脫下藍白運動衫，他裡面還穿了件襯衫。「狄奇出去吃午飯了。他好像說要去奧特羅吧，最晚三點會回來。」一定是布菲夫婦其中一人讓佛雷迪進來的，湯姆想，並告訴他該按哪個門鈴，還說葛林里先生在家。佛雷迪八成說他是狄奇的老朋友。現在他必須將佛雷迪弄出這間屋子，而且不能在樓下撞見布菲太太，因為她每早遇見他總是大喊：「早安，葛林里先生！」

「我在蒙吉貝羅見過你吧？」佛雷迪問。「你是湯姆吧？我以為你會去柯狄納呢！」

「我沒辦法去，謝謝。柯狄納怎麼樣？」

「哦，還好。狄奇怎麼了？」

「他沒寫信給你嗎？他決定在羅馬過冬，他跟我說他寫信給你了。」

「我一個字也沒收到——除非他寄到佛羅倫斯。可是我人在薩爾斯堡，他有我的地址。」佛雷迪斜坐在長桌上，撥弄著綠色絲質桌布。他笑著說：「瑪姬跟我說他搬到羅馬，可是她除了美國運通的地址之外什麼也沒有。我能找到這裡，純粹是走狗屎運。昨晚我碰巧在希臘咖啡館遇見一個知道地址的人。這到底——」

「誰？」湯姆問。「一個美國人嗎？」

「不是，一個義大利人，只是個年輕的小鬼。」佛雷迪看著湯姆的鞋子。「你那雙鞋子和狄奇跟我的一模一樣。很耐穿吧？我那雙是八年前在倫敦買的。」

他說的是狄奇的粗革皮鞋。

「我是在美國買的。」湯姆說。「我可以請你喝一杯嗎？還是你要去奧特羅找狄奇？你知道奧特羅在哪兒嗎？你等他也沒什麼用，因為他通常中飯會吃到三點。我自己等會兒也要出門。」

佛雷迪朝臥室走去並在房門前停下腳步，盯著床上的旅行箱。

「狄奇要去別的地方？還是他剛剛才到這裡？」佛雷迪轉身過來問。

「他準備離開。瑪姬沒告訴你嗎？他要去西西里島一陣子。」

「什麼時候？」

「明天，或者今天晚上晚一點，我不太確定。」

「喂，狄奇最近在搞什麼？」佛雷迪皺眉問。「他這麼與世隔絕是怎麼回事啊？」

「他說他今年冬天非常努力。」湯姆隨口說。「他似乎想保有隱私，但據我了解，他仍然和很多人處得很好，包括瑪姬在內。」

佛雷迪又笑了，並隨手解開他的馬球大外套。

「要是他再放我幾次鴿子，他可就算不上與我處得好囉。你確定他和瑪姬還處得好嗎？我聽她說他們吵了一架，我想那也許就是他們沒去柯狄納的原因。」

佛雷迪一臉期待地看著湯姆。

「我不曉得這件事。」湯姆走到衣櫥前準備取出夾克，這麼一來佛雷迪會曉得他要出門，隨後他及時注意到，假如佛雷迪認得狄奇的外套，那麼他一定會認出和他身上這條法蘭絨長褲搭配成套的夾克是狄奇的衣服。湯姆伸手取下了吊在衣櫥最左邊他自己的夾克與外套。大衣的肩部看來像是在衣架上吊了數星期，確實它也真吊了數星期沒人穿。湯姆轉身瞧見佛雷迪正盯著他左腕上的銀手鐲。這是狄奇的手鐲，湯姆從未見狄奇戴過，是在他的飾物盒裡發現的。佛雷迪正以一種似曾相識的眼神看著它。湯姆不經意地穿上外套。

佛雷迪現在用一種不同的表情看著他，有一點驚訝。湯姆知道佛雷迪在想些什麼，他感到侷促不安，嗅出了危險。你尚未脫離險境，他暗自說道，你還未走出這間屋子。

「要走了嗎？」湯姆問。

「你是住在這裡吧？」

「不是！」湯姆笑著反駁。

佛雷迪紅髮下那張雀斑滿布的醜面孔死盯著他。但願他們出去時別在樓下碰到布菲太太，湯姆想。「走吧。」

「看來狄奇把他所有的飾品都給了你。」

湯姆想不出一句話可說，找不到一個玩笑可開。「哦，他借給我的。」湯姆用他最低沉的嗓音說，「狄奇戴膩了，所以他讓我戴一陣子。」

他指的是那隻銀手鐲，但他注意到他領帶上還別了個刻有G字的銀領夾，領夾是湯姆自己買的。他明確地感覺到佛雷迪・邁爾斯逐漸升起一股敵意，彷彿他那龐大的身軀正聚集著房間內的熱能似的，湯姆感覺得到那股熱度，佛雷迪是那種體壯如牛、而且可能會不由分說便一拳打倒他認為是同性戀男子的人，尤其此刻是天時地利人和。湯姆不敢直視他的眼睛。

「我準備走了。」佛雷迪起身冷冷地說。他走到門口時轉動寬闊的肩膀回過頭來。「是離英吉特拉不遠的那家奧特羅？」

「沒錯。」湯姆說。「他應該一點以前會到那裡。」

佛雷迪點點頭。「很高興再見到你。」他不悅地說，然後關上門。

湯姆輕聲咒罵了一聲。他輕輕開了門，聽著佛雷迪下樓時鞋子發出的急促答答、答答聲。他要確定佛雷迪出門時不會碰到布菲夫婦。但隨即他聽見佛雷迪說「早安，女士。」湯姆將頭探過螺旋梯向下望。往下三層的地方，他瞥見佛雷迪的衣袖。他正用義大利語和布菲太太交談，布菲太太的聲音聽起來比較清楚。

「……只有葛林里先生。」她說。「不是，只有一個人……哪位先生？……不，先生……我想他今天一整天都沒出門，不過可能是我弄錯了！」她笑說。

湯姆像扭著佛雷迪脖子似地扭著樓梯欄杆，然後他聽到佛雷迪上樓的腳步聲。湯姆退回屋裡關上門。他可以繼續堅稱他不住這裡，說狄奇人在奧特羅，或者說他不知道狄奇人在哪兒；但事到如今佛雷迪沒找到狄奇是不會善罷干休的，或者佛雷迪會拖著他下樓問布菲太太他是何許人物。

佛雷迪敲門，轉動門把。門鎖著。湯姆拿起了一個厚重的玻璃菸灰缸，他無法一掌抓起，只能抓著它的邊緣。他努力再思考了兩秒鐘：有沒有其他的解決辦法？他該如何處理屍體？他不能再想了，這是唯一的解決之道。他用左手開門，拿著菸灰缸的右手往後舉起準備順勢向前揮下。

佛雷迪進門來，說著：「聽著，你可不可以告訴——」

菸灰缸波浪形的邊緣打中了他的印堂，佛雷迪一臉茫然。隨後他雙膝一屈，像一頭被鐵槌打中前額的公牛般倒了下來。湯姆將門踢上，再用菸灰缸邊緣重重地朝佛雷迪的頸後打了一下，他一打再打，深怕佛雷迪或許只是裝死，也許他會突然伸出一隻巨手圈住他的雙腿將他扳倒。湯姆對著他的頭又揮了一下，血流了出來。湯姆暗自咒罵了一聲。他跑到浴室拿了條毛巾墊在佛雷迪的頭下，然後查看佛雷迪的脈搏是否還在跳動。是有那麼微弱的一下，但一碰便消失了，彷彿是他自己的指壓讓它靜止了似的，一秒鐘便不見了。湯姆注意聽著門外的動靜。他想也許布菲太太正站在門外，帶著她覺得打擾人時慣有的尷尬笑容。但門外什麼聲音也沒有。剛才那一陣擊打並未發出任何巨大聲響，他想，不論是菸灰缸或是佛雷迪倒地時都沒有。湯姆向下望著地板上佛雷迪如山般龐大的身軀，突然感到一陣噁心及無助。

才不過十二時四十分，離天黑還有數小時。他不知道是否有人正在某處等待佛雷迪？也許在樓下的一部車裡？他摸摸佛雷迪的口袋，有個皮夾，大衣裡層胸袋內有本美國護照，還有義大利及其他國家的硬幣，一個鑰匙夾，裡面有兩把鑰匙吊在刻了飛雅特字樣的鑰匙環上。他翻開皮夾找駕照，找到了：飛雅特一四〇〇敞篷車，一九五五年產。如果這輛車停在附近，他就找得到。他搜遍了他每個口袋，也翻了淺黃色背心的口袋，想找停車券，卻找不著。他走到前面的窗口，差一點笑了起來。想不到事情如此簡單：一輛黑色敞篷跑車正停在對街，幾乎正對屋子。他無法確定車內是否有人，但他認為沒人。

剎那間他明白該採取什麼行動。他開始布置房間，從酒櫃裡拿出琴酒和苦艾酒，隨後想了一下又再拿出茴香酒，因為它的味道聞起來濃烈多了。他將這些酒瓶放在長桌上，再調了一杯加了冰塊、用高腳杯裝著的馬丁尼，他喝了一點好讓酒杯留下汙跡，隨後再在另一個酒杯倒了一些，將杯子拿到佛雷迪身邊，用他那軟趴趴的手指在杯身上壓了一下，再將酒杯拿回桌上。他看了一下佛雷迪的傷口，發現他早已不再流血或者止了血，血並未滲透毛巾流到地板上。他讓佛雷迪靠著牆壁，灌了些琴酒到他喉嚨裡。琴酒並未順利地流進去，泰半滴落在他的襯衫前襟，但湯姆不認為義大利警方真的會做血液化驗以查看佛雷迪酒醉的程度。湯姆茫然地看著佛雷迪那軟弱汙穢的臉孔一會兒，感到胃裡一陣令人作嘔的抽搐，他立即別過視線，他絕對不能再看那張臉。他的頭開始嗡嗡作響，彷彿即將昏厥似的。

湯姆搖搖晃晃穿過房間走向窗口時想，現在能馬上昏過去也好！他皺著眉頭看著樓下那輛黑色跑車，深深吸了一口新鮮空氣。他自忖，他可不會真暈了過去，他明確知道下一步要做什麼——最後一刻，為他們倆準備茴香酒，另外兩杯印有他們指紋的茴香酒。而且菸灰缸必須是滿的。佛雷迪抽柴斯特非牌。然後是阿庇亞大道。找一處墳墓後方黑暗的空地，漫長的阿庇亞大道上沒有任何路燈。佛雷迪的皮夾必須消失，原因：搶劫。

他有數小時的時間，但他一直弄到房間布置妥當才歇手。十幾根點燃的柴斯特非及一堆點燃的強棒出擊，都給捻熄在菸灰缸裡，還有一杯打翻在浴室磁磚地板上、只清了一半汙跡的茴香酒。奇怪的是，他一邊審慎地布置，一邊卻想像著自己仍能多出數小時來清理現場——假設今晚九點左右屍體被人發現，而到了深夜，警方可能判定他值得偵查，因為有人可能正巧知道佛雷迪・邁爾斯打算今天拜訪狄奇・葛林里。然而他知道他要在八點前清理完畢，大概吧，因為根據他即將編造的供詞，佛雷迪是在七點前離開他的住處（事實上佛雷迪將在七點前離開他家），而狄奇是個相當愛乾淨的年輕人，儘管幾杯黃湯下肚也一樣。現在房間之所以必須凌亂，只不過是凌亂有助於他自圓其說，他必須相信自己。

然後他仍然會在明早十時三十分啟程前往那不勒斯及帕爾瑪，除非警方為了某種理由拘留他。假如明早他看報得知屍體已被發現，而警方並未設法與他接觸，那麼他道義上應該主動告訴警方說佛雷迪・邁爾斯在他家裡待到下午才走，他想。但他猛然想到法醫也許能判定佛雷迪早在中午即死亡。現在他不能將佛雷迪弄出去，不能在大白天這麼做。不，他唯一的希望是屍體許久未被人發現，久到連法醫也無法正確斷定其死亡時間。他必須在沒有任何人看見他的情況下，設法將屍體弄出去——無論他能否像帶個醉漢似地輕輕鬆鬆將佛雷迪帶下樓去——這麼一來假如他一定得做任何聲明，他可以說佛雷迪於下午四點或五點離開他家。

他膽顫心驚地等天黑，等了五或六個鐘頭，怕到好幾次覺得再也等不下去了。地板上那座山！他根本就不想殺他。佛雷迪和他那令人生厭的卑鄙猜疑，實在礙不著什麼。湯姆坐在椅子邊上，把指關節弄得咯咯作響，全身顫抖。他想出門散步，卻害怕留下屍體躺在那裡。必須有些吵雜聲，當然，倘若佛雷迪和他一下午都在聊天喝酒的話。湯姆將收音機頻道調至一個播放舞曲的電台。或許他可以喝一杯，這也是行動的一部分。他又倒了雙份馬丁尼，並加了冰塊在杯裡；他根本不想喝，但他還是喝乾了。

琴酒只強化了他原來的想法。他站著俯視佛雷迪裹在皺馬球外套下那具又長又笨重的軀體，他無力也無心處理，雖然它很礙眼，他認為佛雷迪的死實在是悲慘、愚蠢、笨拙、危險及不必要，而且對佛雷迪本人而言也很殘忍、不公平。當然，也可以說佛雷迪活該！誰叫他是個自私又愚蠢的混蛋，竟懷疑自己的好友——狄奇當然是他好友——性偏差而嘲笑他。一想到「性偏差」這個名詞，湯姆笑了起來。哪來的性？哪來的偏差？他看著佛雷迪，刻薄地低聲說了句：「佛雷迪・邁爾斯，你是讓你自己那下流的想法給害了。」

16

他終究還是等到將近八點。因為七點左右是最多人在公寓裡進進出出的時段。七點五十分，他晃到樓下，確定布菲太太未在大廳走來走去且房門沒開，而佛雷迪的車內也真的一個人影都沒有——他下午曾一度下樓來查看這輛跑車是否屬於佛雷迪。他將佛雷迪的馬球外套丟到後座，再回到樓上，跪下來拉起佛雷迪的一隻手臂，圍在他脖子上，咬緊牙關，用力一抬。他顛了一下，猛將軟綿綿的屍體朝肩膀拉高了些，下午稍早他曾試過能否抬得起佛雷迪，當時佛雷迪的重量壓得他在房間內走不上兩步。此刻佛雷迪依然重得不得了，但差別是他知道自己現在無論如何得將他弄出去。他讓佛雷迪的雙腳拖地以減輕重量，並設法用手肘拉上門後開始下樓。走下半層時，他聽見有人從二樓一間屋子走出來，就停下腳步。等到那人下了樓走出大門後，他才開始一顛一簸地繼續往下走。他拿了狄奇的一頂帽子遮住佛雷迪的頭部，以免他沾了血的頭髮露出來。前一小時喝的琴酒與茴香酒，讓湯姆絲毫不差地達到預期的酒醉狀態，他自認可以因此無動於衷且平穩地邁開腳步，同時也能勇敢甚至魯莽地碰碰運氣，毫不退縮。第一個關卡，可能發生的慘狀就是：他還沒將佛雷迪弄到車子那裡，便先讓他壓垮了。他發誓下樓時一步也不休息。他確實沒休息。再也沒有人從屋內走出來，也沒有人走進大門。待在樓上的那幾個鐘頭，湯姆曾左思右想地預測可能發生的每件事——他才走到樓下，布菲太太或她丈夫正巧從屋子裡走出來；他昏倒，他和佛雷迪兩人因此被人發現平躺在樓梯上；他為了休息不得不放下佛雷迪，卻再也抬不起他……他在樓上的屋裡翻來覆去想像這些情景，痛苦不堪——因此平安無事地下樓，讓他覺得像受了魔法保護似地一路自在地滑行下來，儘管他肩上的負擔沉重。

他隔著兩扇玻璃門向外望。街上看來正常，一個男人正走在對面的人行道上，但人行道上總是人來人往。他一隻手打開第一扇門，再用腳踢開，扛著佛雷迪走進去。他在兩扇門之間調頭將佛雷迪移到另一邊肩膀，一瞬間他為自己的體力感到某種程度的驕傲，只是不久他就察覺，他放下來休息的那隻手臂，實在疼得他步履蹣跚，那隻手臂累得連圈住佛雷迪的力氣也沒有。他更用力咬緊牙關，搖搖晃晃地走下大門前的四級階梯，臀部撞上石柱。

人行道上一名朝他走近的男子放慢腳步，彷彿要停下來，但卻繼續上路。

萬一有人走過來，湯姆想，他會用力吹一口茴香酒氣在他臉上，如此一來，不必問，大家也知道怎麼回事。去他們的，去他們的，去他們的！他跌跌撞撞走過人行道邊欄時一連咒罵了好幾聲。路人，不相干的路人，目前有四人，不過只有兩人瞥了他一眼。他停了一會兒等汽車經過。接著他快速地走了幾步，一口氣用力將佛雷迪的頭及一邊肩膀塞進開著的車窗內，塞了大半截，因此他不得不抱著佛雷迪的身體在車內調勻呼吸。他東張西望，一會兒瞧著對街路燈亮光的下方，一會兒看看自家門前那處陰暗的角落。

此時布菲家的么兒正好從大門跑出來，瞧也不瞧湯姆這裡一眼便直奔人行道。接著，對街一名男子走近距車一公尺之內，但只略微驚訝地看了佛雷迪彎著的身體一眼。佛雷迪的姿勢目前看來近乎自然，湯姆想，實際上佛雷迪看來像是探頭進車裡和某人說話，倒是他才真的看起來相當不自然，湯姆知道。但他想，在歐洲就是有這個好處，家家自掃門前雪，人人井水不犯河水。如果這裡是美國——

「需要幫忙嗎？」一個人用義大利語問。

「呃，不用，不用，謝謝。」湯姆一臉醉意地笑著回答。「我知道他住哪兒。」他口齒不清地再補一句英語。

男人點點頭，也笑了笑，隨後繼續上路。那是個穿了薄大衣的高瘦男子，沒戴帽子，蓄著鬍子。湯姆希望他不記得自己，也不記得這輛跑車。

湯姆將佛雷迪移到門邊，從門邊把他拉到座椅上，再繞到車子另一邊將佛雷迪拉到駕駛座旁的座位。接著他戴上放在大衣口袋內的棕色皮手套，將佛雷迪的車鑰匙插進儀表板。車子乖乖發動，他們出發了。開下山丘來到委內特大道，路過美國圖書館，上行至威尼斯廣場，經過墨索里尼曾站著演講過的陽台、宏偉的維克多・艾曼紐紀念碑並通過古羅馬廣場，繞過圓形競技場，這是一場佛雷迪根本無福欣賞的偉大羅馬之夜。佛雷迪在他身旁就像睡著似的，這情景就好比有時候要替別人介紹風景時，那人卻呼呼大睡一樣。

眼前就是阿庇亞古道，它在獨特路燈的柔和照耀下，顯得灰暗古老。道路兩旁佇立著一座座黑色的墳墓，眼前只有一輛車，正往這個方向來。沒有多少人會在一月入夜時分挑選這麼一條崎嶇陰暗的道路來行駛，情侶除外。前方來車駛過了，湯姆開始四下尋找合適的地點。他想，該讓佛雷迪躺在一座美麗墳墓的後面。靠近路邊有處三、四棵樹擋著的地點，他確定樹後有座墳墓或者殘破的墳墓。湯姆將車停在樹旁並熄了車燈。他等了一會兒，瞧了瞧這條筆直空曠道路的兩邊盡頭。

佛雷迪仍像個塑膠娃娃般軟趴趴的。誰說屍體是僵硬的？他粗暴地拖著這具軟骨屍，讓佛雷迪的臉一路磨著泥土，繞過最後一棵樹再來到一小座不過一公尺高的拱型墓碑後方，湯姆想，或許這是一名古羅馬人的墳墓，對這隻豬而言，綽綽有餘。湯姆針對他那令人厭惡的體重咒罵了一聲，並突然踢了他下巴一腳。他累了，累得想哭，不想再瞧佛雷迪·邁爾斯一眼，而要一勞永逸甩脫他的時刻似乎也遙遙無期。還有那件煩死人的外套！湯姆回到車子裡拿出外套。他走回來時發覺地面又乾又硬，應該不會留下任何腳印。他將外套丟在屍體旁邊，立即轉身用麻木的雙腿，蹣跚地走回車上，將車子掉頭再開往羅馬方向。

他一邊開車，一邊戴著手套擦去車門上的指紋，他想，這是他戴上手套前唯一碰過的地方。開到通往美國運通的街上時，他將車子停在佛羅里達夜總會對面後便下車，車鑰匙仍插在儀表板上。佛雷迪的皮夾還在他口袋裡，之前他已將皮夾中的義大利紙鈔收歸己有，並燒毀一張二十元瑞士法郎的小鈔及一些奧地利小鈔。他從口袋裡取出皮夾，來到一處下水道口，彎下身將皮夾丟進去。

他在走回家的路上心想，只有兩處破綻：照理說強盜應該會拿走那件馬球外套，因為它是件高級貨；還有仍留在大衣口袋裡的護照。可是並非每個強盜行事皆合乎常理，他想，或許義大利搶匪尤其不按牌理出牌，而且也不是每個謀殺犯都頭腦清楚，邏輯分明。他想起與佛雷迪的那段對話。「……一個義大利人，只是個年輕的小鬼……」一定有人曾經跟蹤他，湯姆想，因為他並未告訴任何人他的住處。一想到這裡，他無地自容起來。也許有兩、三個跑腿的男孩知道他的住處，但跑腿的男孩不會坐在希臘咖啡館這類地方。他羞愧地瑟縮在大衣裡。他想像一個面孔黝黑的年輕男孩氣喘吁吁地跟蹤他回家，等他走進大門後再抬頭凝視那一扇亮起燈光的窗子。湯姆低著頭加快了腳步，彷彿正躲避一個變態激情的愛慕者。

17

湯姆早上八點前就出門買報紙，什麼相關新聞也沒有。湯姆想，他們可能好幾天也不會發現他。不可能有人會到他丟棄佛雷迪屍體那種不起眼的墳墓附近閒逛。湯姆十足自信自己安全無虞，但身體卻難受極了。他宿醉，是那種一陣一陣可怕的宿醉，讓他什麼事都做一半就停手，甚至刷牙刷到一半便停下去看他的火車是在十點半或十點四十五分出發。結果是十點半出發。

九點前他已完全準備就緒，穿戴整齊，外套和風衣也擺放在床上。他甚至還通知布菲太太說他要出門至少三個禮拜以上。湯姆覺得布菲太太的態度一如往常，她並未提起昨天那位美國訪客。湯姆想要找一些事情來問她，一些有關她和佛雷迪之間的問答內容，如此方可得知布菲太太對這些問題的真正想法，但是他什麼也想不出來，於是決定放手不管。一切還好，湯姆努力要從宿醉中恢復神智，因為他最多只喝了三杯馬丁尼及三杯茴香酒。他知道這不過是心理作用，他之所以宿醉，乃因他打算假裝與佛雷迪喝了許多酒；如今已無假裝的必要，但他仍然不由自主地繼續偽裝。

電話鈴響，湯姆拿起話筒不悅地說了聲「喂」。

「葛林里先生嗎？」說話的是義大利人。

「是的。」

「這裡是八十三警局。您是不是有一個美國朋友叫佛雷迪─德里克・米雷斯的？」

「佛雷迪瑞克・邁爾斯？是的。」湯姆說。

電話那頭焦急的聲音說，今早在阿庇亞古道上發現佛雷迪德里克・米雷斯的屍體，而米雷斯先生曾於昨天某個時段來拜訪過他，是不是這麼回事？

「是的，沒錯。」

「正確的時間是幾點？」

「從中午到──大概下午五點或六點，我不太確定。」

「您能否回答我們一些問題……不，不必麻煩您親自到本局來一趟，調查人員會到貴府去。今天早上十一點方便嗎？」

「如果可以的話，我非常樂意幫忙，」湯姆略微激動地說。「不過調查人員能不能現在過來？我得在十點出門。」

電話那頭咕噥了一聲後說恐怕很難，但他們會盡量趕過來。假如他們十點前趕不過來，那麼他千萬不可以離開屋子一步。

「好吧。」湯姆勉強地說，並掛了電話。

去他們的！這下他可會錯過他的火車與船了，他現在只想出去，離開羅馬也離開他的住處。他開始盤算要對警方說些什麼。答案簡單至極，就是瞎掰事實；他因此覺得無聊透頂：他們喝了些酒，佛雷迪對他提起柯狄納之行，兩人相談甚歡，然後佛雷迪離去，或許有些醉意但心情非常好。不，他不知道佛雷迪後來去了哪裡，他猜佛雷迪當天晚上有約會。

湯姆走進臥室，在畫架上架起了一張他數天前開始畫的油畫。調色盤上的顏料仍是濕潤的，因為他將它放進廚房內一個裝了水的平底鍋中保濕。他加了些藍色及白色顏料，開始繼續畫著灰藍的天空。這幅畫仍是狄奇慣用的淺紅棕與粉白色調，畫的是他窗外的羅馬建築物；只有天空例外，因為冬季的羅馬天空是如此的陰鬱，即使狄奇也會捨藍色而改用灰藍色，湯姆想。湯姆眉頭深鎖，和狄奇作畫時皺眉頭的方式一樣。

電話又響起。「真該死！」湯姆憤怒地說，隨即接起電話。「喂！」

「喂！我是法斯多！」電話那頭說。「你好嗎？」接著傳來一陣熟悉而爽朗、年輕的笑聲。

「哦——哦！法斯多！我很好，謝謝！抱歉，」湯姆繼續用狄奇那種漫不經心的聲音笑著以義大利語說：「我正在努力畫畫——努力。」這是湯姆設想好狄奇在失去佛雷迪這麼一位朋友後可能有的聲調，也是在早上專心工作時的狄奇會發出的聲音。

「你能不能出來吃中飯？」法斯多問。「我的火車四點十五分開往米蘭。」

湯姆學狄奇嘆了口氣，說道：「我正要出發到那不勒斯去。是的，馬上，二十分鐘後！」他想，如果他現在可以擺脫法斯多，他大可不必讓法斯多知道警方打過電話來。佛雷迪的新聞至少要中午或晚一點才會出現在報紙上。

「可是我人在這兒！在羅馬！你家在哪裡？我現在人在火車站！」法斯多開心地笑著說。

「你怎麼知道我的電話號碼？」

「啊！是這樣的，我打去查號台問的。他們說你的電話號碼不能外洩，可是我向那個女孩扯了一長串，說你在蒙吉貝羅中了樂透。我不知道她相不相信，但是我說得一副事關重大的樣子，一棟房屋、一頭母牛、一口井甚至一台冰箱！她掛了我三次電話，不過最後還是給了我你的電話號碼。喂，狄奇，你人在哪兒？」

「現在這個不重要。如果我可以不搭這班火車，我一定和你一塊吃午飯，可是——」

「沒關係，我幫你提行李！告訴我你人在哪裡，我搭計程車過去找你！」

「時間太短。我半小時後到車站和你碰頭好嗎？我搭十點半的火車到那不勒斯。」

「好啊！」

「瑪姬好嗎？」

「呃，她愛死你了，」法斯多笑著說：「你是要到那不勒斯和她見面嗎？」

「不是的。待會兒，法斯多，我得趕快了，再見。」

「再會，狄奇！再見！」他掛了電話。

法斯多今天下午看了報紙便會明白他為何沒到火車站去，要不然法斯多也會認為是兩人錯過了。但法斯多可能中午就會看到報紙，湯姆想，因為義大利報紙會大肆渲染——一名美國人在阿庇亞大道上遭人謀殺。待警方詢查結束後，他要搭另一班火車到那不勒斯——四點以後，屆時法斯多已不在火車站——然後在那不勒斯等下一梯次的船開往馬約卡。

他只希望法斯多沒從查號台那兒將地址也給套出來，還決定四點前過來一趟。他不希望法斯多正好撞見警察在這裡。

湯姆將兩只旅行箱塞到床底下，再把另一只拿進衣櫥裡並關上櫥門。他不想讓警方認為他正準備出城去。但是他何必如此緊張兮兮？他們大概一點線索也沒有；了不起打探到佛雷迪的哪個朋友知道他昨天打算來看他。湯姆拿起刷子，在松節油裡浸了一下。他希望自己看起來並沒有因為佛雷迪的死訊感到太難過，所以趁警方來前的空檔畫一點畫；雖然他一身穿戴整齊準備出門的裝扮，但那也是因為他說過他打算出門。他將以佛雷迪朋友的身分出現，但不是親近的好友。

布菲太太於十點三十分讓警方進門。湯姆倚著螺旋梯向下望見了他們。他們並未停下來問她任何問題。湯姆回屋裡去，房間內有股松節油的刺鼻味兒。

來了兩個人，年長的穿著長官的制服，年輕的身著普通制服。年長的那人彬彬有禮地向他打聲招呼並要求看他的護照。湯姆拿出護照，那名警察目光銳利地對照湯姆本人與狄奇的照片，以前從來沒有人這樣仔細比對，於是湯姆抱著臂膀準備迎戰，但什麼事也沒有。警官微微鞠躬一笑將護照遞還給他。他是個矮小的中年男人，和一般的義大利中年人沒什麼兩樣，兩道灰黑的濃眉，一撇濃密、灰黑的鬍子。他看起來不特別聰明也不笨。

「他怎麼死的？」湯姆問。

「他被某種鈍器打中頭部與頸部，」那名警官回答。「還被搶劫。我們認為他喝醉了。他昨天下午離開府上時已經醉了嗎？」

名家推薦

「她屬於自創一個世界的作家，那個世界幽閉而非理性，
每次我們步入其中，都不由得感到危險⋯⋯。」
——葛蘭姆．葛林（Graham Greene）

「湯姆．雷普利將成為時代的產物，那個詩人奧登稱為『焦慮年代』的時代。」——基亭（H.R.F. Keating）

「對一個殺人犯的描寫已經到了極限，不但令人心神不寧又可悲可嘆。再加上對卑微階級的精彩刻畫，這些書中人讓人不忍掩卷。」——《週日泰晤士報》

「佈局精準，書寫風格突出，還有令人不寒而慄的機敏。（《天才雷普利》）是一部傑出的經典驚悚小說，成就遠遠超過其他同類型小說。」——《標準晚報》

「勾起熟悉環境裡面潛伏的威脅，派翠西亞．海史密斯的功力無人能出其右。」——《時代雜誌》

「海史密斯顛覆的筆調，帶著讀者不知不覺就成了雷普利冷酷思慮的同謀。」——《每日電訊報》

《雷普利全集》2～5集 特惠訂購證

致遠流出版公司：
我要訂購《雷普利全集》，可享特別優惠，暫時無須付款，
待收到掛號寄書，確定品質無誤後，我即付款。

■我欲訂購

E023A1

產品名稱	特惠價	數量	合計
《雷普利全集》2～5集	999元		元
《雷普利全集》1～5集	1098元		元

※本優惠至2010年9月30日止，本公司保留接受訂單與否之權利。
※歡迎使用傳真訂購：(02) 2356-4929，(02) 2356-8490。
※歡迎使用網路直接下單訂購：http://www.ylib.com
※歡迎撥訂購專線：(02) 2392-6899轉888，週一至週五9:00～18:00，由專人為您服務。
※歡迎使用劃撥訂購：請至郵局劃撥，帳號：0189456-1遠流出版事業股份有限公司，並於劃撥單背面通訊欄上註明產品名稱、優惠價格及付款方式。
※ 以上優惠僅限本訂購證有效，恕不適用於書店或零售通路。

■我的基本資料如下：

姓名：________________

性別：□男 □女 生日：______年______月______日

聯絡電話：（公）________________（宅）________________

寄書地址：________________

E-mail：________________

發票開立統一編號：________________

■收到產品後，我欲採信用卡付款：（欲以劃撥付款者免填以下資料）

信用卡持有人簽名：________________（須與信用卡上簽名同式）

信用卡別：□VISA □MASTER □JCB □聯合信用卡

信用卡號：________________ 有效期限至：______年______月

遠流出版公司

地址：台北市100南昌路二段81號6樓
電話：(02)2392-6899（週一至週五9:00～18:00）
傳真：(02)2356-4929．2356-8490（全天候服務）
劃撥帳號：0189456-1遠流出版事業股份有限公司
YLib遠流博識網：http://www.ylib.com

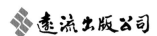

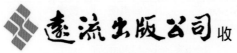

「呃——有一點，我們兩人都喝了些酒，我們喝了馬丁尼及茴香酒。」

警官在他的小本子上記下這些事情以及湯姆說佛雷迪待在他家的時段——大約中午十二點到下午六點左右。

年輕的那名警察英俊、面無表情，雙手擺在身後，在他房裡晃來晃去，時而輕鬆地屈身向前靠近畫架，彷彿此刻獨自一人待在美術館似的。

「您知道他離開之後要去哪裡嗎？」警官問。

「不，我不知道。」

「可是您認為他可以開車？」

「哦，是的。他並沒有醉得無法開車，要不然我就會陪他一起離開。」

警官問了另一個問題，湯姆假裝聽不明白。警官選擇不同的字眼再問了第二次，並和年輕警察彼此會心一笑。湯姆瞥了兩人一眼，有一點憤慨。警官想知道他與佛雷迪的關係。

「一個朋友，」湯姆說。「不怎麼親密的朋友。我有兩個月左右沒見過他或聽到他的消息。聽到今天早上的噩耗，我十分難過。」湯姆讓不安的表情來彌補他那相當簡單的字彙。他認為這招有效。他覺得這番詢查非常草率，他們等會兒就會離去。「他到底是什麼時刻被人殺死的？」湯姆問。

警官仍在做紀錄。他揚起濃眉。「顯然是離開您這兒後立刻被殺，因為法醫斷定他死了至少十二小時，也許更久。」

「什麼時候發現他的？」

「今天清晨，被一個路經的工人發現的。」

「我的天！」湯姆喃喃地說。

「他昨天離開這裡時有沒有提到要到阿庇亞古道逛一逛？」

「沒有。」湯姆說。

「昨天米雷斯先生離開以後您做了些什麼事？」

「我待在這裡。」湯姆擺了個雙手攤開的姿勢——狄奇一定會這麼做，「然後我小睡了一會兒，後來我在八點或八點半左右出門散步。」

住在這棟大樓的一名男子，湯姆不知道他姓什麼，昨晚九點十五分左右曾看見他進來，兩人並互道晚安。

「您一個人去散步嗎？」

「是的。」

「米雷斯先生也是獨自離開這裡的？他不是要和您認識的某個人碰面嗎？」

「不，他沒這麼說。」湯姆不知道佛雷迪在旅館是否有朋友，或是和朋友住在其他地方。湯姆希望警方不會要他和可能同時認識狄奇、佛雷迪的朋友對質。事到如今，他的姓名——理察・葛林里——將會出現在義大利報紙上，湯姆想，還有他的地址。他得搬家，這兒簡直是地獄。他暗自咒罵了一聲，那名警官看見他這個動作，但這看來像是對佛雷迪悲慘的命運發出不平之鳴，湯姆想。

「那麼——」警官笑著說，並闔上他的記事本。

「您認為是——」湯姆想說「流氓」這個字眼，「不良少年幹的吧，是不是？有任何線索嗎？」

「我們目前正在車上蒐取指紋。謀殺犯可能是搭他便車的人，車子今天早上在西班牙廣場附近被人發現。我們今天晚上以前應該可以找到一些線索。非常謝謝您，葛林里先生。」

「不客氣！要是我能再幫上什麼忙的話——」

警官在門口回頭說：「萬一還有任何問題的話，我們這幾天可不可以來這裡找您？」

湯姆遲疑了一會。「我計畫明天動身前往馬約卡。」

「可是問題是，我們可能需要知道嫌犯的為人如何。」警官解釋說。「您或許能告訴我們那人和死者的關係。」

「好的。不過我不認為我和邁爾斯先生有那麼熟，他在這裡大概有更熟的朋友。」

「誰？」警官闔上門並拿出記事本。

「我不知道。」湯姆說。「我只知道他在這裡應該有一些朋友，那些人和他比較熟。」

「很抱歉，但我們仍希望這幾天內聯絡得上您。」他鎮靜地重複，彷彿湯姆根本毫無轉寰的餘地，即使他是一名美國人也不例外。「確定您可以離開時，我們會盡快通知您，如果您訂了旅遊計畫，那我很抱歉，也許還來得及取消。日安，葛林里先生。」

「日安。」他們關上門後湯姆仍站在原地不動。他可以住到旅館去，只要告訴警方是哪家旅館即可。他可不希望佛雷迪或狄奇的朋友在報上看見他的地址後來找他。他試著從警方的觀點來評估他的舉止：他們並未刁難他什麼，他未對佛雷迪的死訊露出驚駭狀，但這也正好印證他和佛雷迪並不特別熟；不，他的表現還不錯，美中不足的是他必須隨傳隨到。

電話響起，湯姆並未接聽，因為他覺得那是法斯多從火車站打來的。現在十一點五分，開往那不勒斯的火車已出發了。電話鈴聲停止時，湯姆拿起話筒聯絡英吉特拉飯店。他訂了一間房，並說他半小時後會到；然後再打到警局去——他記得是八十三警局——由於找不到任何知道或關心理察・葛林里是何許人物的人，因此他費了近十分鐘的工夫才終於留言說，萬一警方要找理察・葛林里先生談話，可在英吉特拉飯店找到他。

不到一小時後，他來到了英吉特拉。看著他的三只旅行箱，二只狄奇的，一只他的，著實讓他沮喪；他本來是為了其他目的才整理這些行李的，如今卻成了這局面！

他中午出門去買報紙。每一家報紙都刊登了這則新聞：「美國人在阿庇亞古道遭人謀殺」、「美國富豪佛雷迪瑞克・邁爾斯昨夜在阿庇亞古道慘遭謀殺」、「阿庇亞古道兇手成謎」……湯姆一字不漏地讀得清清楚楚。真的沒有任何線索，至少目前尚未發現，沒有痕跡，沒有指紋，沒有嫌犯。但每家報紙皆刊登了赫伯特・理察・葛林里的姓名，並公布他的地址，說那是人們最後看見佛雷迪出現的地點。然而沒有一家報紙暗示赫伯特・理察・葛林里有嫌疑。報上說邁爾斯顯然曾喝了些酒，至於喝了什麼酒，按照典型的義大利新聞處理模式，從美國蘇格蘭威士忌、白蘭地、香檳，甚至義大利白蘭地，各家說法五花八門，就是沒提到琴酒及茴香酒。

過了中餐時刻，湯姆仍待在飯店房間內不停地走來走去，他覺得自己像頭沮喪的困獸。他用電話聯絡了羅馬那家賣他船票的旅行社，想要取消行程，旅行社說他可以拿到百分之二十的退款。大約五天之內都沒有再開往帕爾瑪的船班。

兩點左右，他的電話響得很急。

「喂。」湯姆用狄奇那焦躁不安的口氣說。

「喂，狄奇，我是凡・休斯頓。」

「哦——哦，」湯姆說話的口氣像是他認得他，但這個字眼卻未傳達過分的驚訝或熱情。

「你這一陣子好嗎？好久沒聯絡了，是吧？」那沙啞緊張的聲音問。

「確實是。你人在哪裡？」

「在哈斯勒飯店。我和警方一塊在查看佛雷迪的旅行箱。聽著，我想和你見一面。佛雷迪昨天怎麼了？我昨晚一整個晚上都在設法找你，因為佛雷迪應該在六點前回到飯店來，可是我沒你的住址。昨天發生了什麼事？」

「我知道就好了！佛雷迪在六點左右離開我那兒。我們兩人都喝了相當多的馬丁尼，不過他看起來還能開車，否則我鐵定不會讓他上路。他說他的車停在樓下。我無法想像發生了什麼事，可能是他讓某些人搭便車，而那些人開槍射殺他之類的。」

「可是他不是遭人射殺身亡的。我同意你說一定有人強迫他開車到那裡去，或者殺了他，因為他得穿越整座城才能到阿庇亞大道，而哈斯勒離你家不過幾條街而已。」

「他以前曾經昏倒過嗎？在開車途中？」

「嗯，狄奇，我可不可以見你一面？我現在有空，只是今天不能離開飯店。」

「我也不能離開。」

「哦，少來了，留個話說你人在哪兒，過來一趟吧！」

「我沒辦法，凡。警方半小時後會來，到時候我人應該在場。你晚一點打電話給我好嗎？也許我今天晚上可以和你碰面。」

「好啊，幾點？」

「六點左右打給我。」

「好。節哀順變呀，狄奇。」

「你也是。」

「再見。」那聲音虛弱地說。

湯姆掛上電話。凡最後的口氣聽起來像是快哭出來似的。「喂，」湯姆撥了電話給飯店總機。他留言說除了警方之外不接見任何訪客，而且他們絕不能讓任何人上來找他，一個也不准。後來整個下午電話再也沒響過。大約八點左右，天色已暗，湯姆下樓去買晚報。他望了望小休息室及門口正對大廳的飯店酒吧，尋找可能是凡的任何人。他已有任何事皆可能發生的心理準備，就算看見瑪姬坐在那裡等，他也不會驚訝；而他也看不出有誰長得像個警探。他買了晚報坐在幾條街外的一家小餐廳讀報。仍然找不到線索。他從報上得知凡・休斯頓是佛雷迪的密友，二十八歲，和他一路從奧地利到羅馬來度假，假期原本預定在兩人都置有居所的佛羅倫斯結束。警方盤問了三名涉嫌犯下這起「恐怖行為」的義大利少年，兩名十八歲，一名十六歲，但後來他們一一獲釋。湯姆得知邁爾斯那輛「拉風的飛雅特一四〇〇敞篷車」上找不到任何可派上用場的指紋時，鬆了一口氣。

湯姆緩緩地吃著牛小排，啜著葡萄酒，瀏覽報上的大小新聞以查看是否有任何印報前才趕添上去的最新消息。他沒看見與邁爾斯案相關的更新消息。但在最後一份報紙的最後一版，他看見一個標題：

聖雷默附近深海發現一艘帶有血跡的沉船。

他快速地讀這則新聞，內心惶恐的程度，要比他抬佛雷迪的屍體下樓或警方來問話時大得多。這像是報應，像是惡夢成真，甚至標題也字字令人心驚。報上詳細描述了這艘汽艇，讓他回想到當時的情景：狄奇坐在船首引擎節流閥旁邊，狄奇對他微笑，狄奇的軀體沉入水底弄出水泡……新聞中說船上的斑點應該是血跡，但已非原貌。報上未提及警方或其他人打算如何處理這些血跡。但警方會採取行動的，湯姆想，船艇管理員也許會告訴警方汽艇遺失的正確日期。警方隨後便會去調查各旅館當天的住宿名單。或許那名義大利船艇管理員仍記得有兩名美國人連人帶船不知去向。倘若警方費心調查那段時間住進旅館的人員，那麼理察・葛林里這個姓名就是個警訊。那麼一來，當然，失蹤的應該是湯姆・雷普利了，他可能當天就遭謀害了。湯姆想了數個可能性：萬一他們尋獲狄奇的屍體，會如何？如今，他們一定會假定那是湯姆・雷普利的屍體。狄奇將被套上謀殺罪嫌。以此類推，狄奇也將涉嫌謀殺佛雷迪，狄奇將在一夜之間成了「殺人狂」。然而，那名船艇管理員也許不記得是哪天掉了一艘汽艇；萬一他真的記得日期，警方或許也不會查閱旅館的住宿名單。義大利警方可能正巧不感興趣。可能，可能，不可能。

湯姆摺起報紙，付了帳後離開。

他問飯店櫃台是否有他的留言。

「有的，先生，這個、這個和這個。」櫃台人員像玩梭哈時放下穩贏的同花大順似的，將留言一一攤在他眼前的櫃台上。

兩張是凡留的，一張是羅伯特・吉伯森留的（狄奇的通訊錄上好像沒有羅伯特・吉伯森這個人名吧？查查看。），一張是瑪姬留的。湯姆拿起來仔細閱讀上面的義大利文：「薛伍德小姐下午三時三十五分來過電話，而且會再打來，是從蒙吉貝羅打來的長途電話。」

湯姆點頭致意，並將留言全拿走。「非常謝謝。」他不喜歡櫃台人員的眼光。義大利人真是好奇死了！

回到樓上，他低頭坐進搖椅，吸菸沉思。他推測著他不採取任何行動的後果，以及他可以主動製造的局面。瑪姬很可能到羅馬來，她顯然打電話給羅馬警方要了他的地址。假如她來了，他就得以湯姆的身分見她，並設法像說服佛雷迪似地告訴她狄奇暫時出門去了，萬一他失敗……湯姆不安地搓著雙手。他不應該和瑪姬碰面，就這麼決定！不能在沉船事件正逐漸擴大的此時見她，如果見了她，一切都將大亂，一切都將結束！但是如果他能靜觀其變，什麼事也不會發生。只是因為在此刻，他想，只是因為沉船事件及懸而未決的佛雷迪・邁爾斯謀殺案引來的小危機，才讓事情變得如此棘手。但只要他能對每個人保持適當言行，那麼絕對不會有任何事發生，接下來可能又是一帆風順。乾脆到希臘或者印度、錫蘭，到某個遙遠、遙遠的地方，在那裡不可能有舊識登門拜訪。為什麼自己一定要待在羅馬？他可真笨哪！他可以到中央大車站，或者去羅浮宮看展覽啊！

他打電話至火車總站，詢問明天開往那不勒斯的火車班次。他記下了所有的時刻。五天後才有船從那不勒斯開往馬約卡，而他要在那不勒斯打發這幾天的時間，他想。他只需要警方那邊鬆手，而且假如明天沒發生任何事，他應該走得了。他們不能無憑無據、只為了例行的盤問而永遠扣留一個人！他開始覺得他明天將獲得自由，他獲釋是絕對合乎邏輯的。

他又拿起電話告訴櫃台，假如瑪喬莉・薛伍德小姐再來電話，他要接聽。如果瑪姬再打電話來，他想，他兩分鐘內就可讓她相信一切順利，佛雷迪謀殺案和他根本無關，他已經搬至一家飯店，只為了躲避陌生人打來的惱人電話；但萬一警方要他指證他們抓來的嫌犯身分，還是找得到他。他會告訴她說，他明天或後天要搭機飛往希臘，因此她不必來羅馬了。事實上，他想，他可以從羅馬搭飛機到帕爾瑪。他以前根本沒想到這點。

他躺在床上，累了，但不準備寬衣，因為他覺得今晚還會發生其他的事情。他試著專心想著瑪姬的事。他想像她此刻坐在吉歐吉歐之家，或者待在米拉馬雷飯店的酒吧內，慢慢地啜著調酒湯姆克林，內心掙扎著是否該再次打電話給他。他可以看見她眉頭深鎖、頭髮蓬亂地坐在那裡苦思羅馬之行，她一定是一人獨坐，未和任何人交談；他看見她起身回家，拿著提箱搭明天中午的巴士；他想著他站在郵局前的路上，對著她大喊不要離開，試著阻擋巴士，但它還是開走了……

場景逐漸溶入黃灰色，那是蒙吉貝羅沙灘的顏色。湯姆看見狄奇穿著他在聖雷默穿的那件棉夾克，正對著他微笑，外套濕答答的，領帶也濕成了一條線。狄奇彎下身子，搖動他。「我去游泳了！」他說。「湯姆，醒醒，我沒事！我游回來了！我還活著！」湯姆扭動身體不讓他碰觸。他聽見狄奇嘲笑他，狄奇那愉快、低沉的笑聲。「湯姆！」

那聲音的音色要比湯姆能夠模仿出的音色還來得低沉、渾厚、優美。湯姆猛然起身。他覺得身體沉重而遲鈍，彷彿他正設法將自己從深海中拉上來。

「我游回來了！」狄奇的聲音大叫著，在湯姆耳中響個不停，像是從幽長的隧道中傳出來的。

湯姆環視整個房間，在檯燈下的暈黃燈光裡、在高大衣櫥旁的角落中找尋狄奇的身影。湯姆感覺得出自己的雙眼睜得老大，一臉驚恐，雖然他知道他的恐懼毫無道理，但他仍四處搜尋狄奇的人影，盯著窗口拉上一半的窗簾下方，看著另一邊床側的地板。他拖著身子下床，搖搖晃晃走過房間打開一扇窗戶，然後再開另一扇。他覺得被人下了藥。有人在我的葡萄酒裡下了藥！他突然這麼想。他在窗口底跪下來，呼吸冷冷的空氣，以對抗這股軟弱的無力感，彷彿他若不盡全力，就會讓這種感覺征服了。最後他走進浴室將臉在盆裡浸濕。軟弱無力的感覺消失了，他知道他並未被下藥，他只是讓他的想像給牽著鼻子走，他只是一時失控。

他站直了身體，冷靜地解下領帶。他按照狄奇的方式行動，寬衣、沐浴、穿上睡衣、躺在床上。他試著思考狄奇此時在想些什麼——他的母親。她最後一封信附上了她自己和葛林里先生坐在客廳喝咖啡的幾張照片，這讓他想起那天他在晚餐後和他們一起喝咖啡的夜晚。葛林里夫人說這些照片都是赫伯特自己拍的。湯姆開始構思寫給他們的下一封信的內容。他們很高興他寫信寫得較以往勤。他必須讓他們對佛雷迪案感到安心，因為他們認識佛雷迪，葛林里夫人曾在某封信上問起佛雷迪·邁爾斯。但湯姆一邊構思信的內容，一邊留意電話鈴聲，他不太能夠集中精神。

18

他醒來後想到的第一件事是瑪姬。他拿起電話問櫃台，問她晚間是否撥電話來過？不曾。他有個可怕的預感，覺得她正往羅馬來，他因此迅速跳下床。然而在他做著例行的梳洗動作時，他的情緒轉變了。他何必如此擔心瑪姬？他一向應付得了她。反正她不可能在五、六點之前到這裡，因為蒙吉貝羅首班巴士中午才出發，何況她也不可能搭計程車到那不勒斯。

也許他今早可以離開羅馬。十點時他要撥電話至警察局問個究竟。

他請飯店送拿鐵咖啡與麵包捲到他房間來，還有早報。頂奇怪的，每家報紙都隻字未提邁爾斯案或聖雷默沉船事件，這點讓他感到怪異及恐懼，一如昨夜他想像狄奇站在房間時的感覺。他將報紙丟到一旁的椅子上。

電話響起，他順勢跳起來接。不是瑪姬也非警方。

「喂，樓下有兩位警員要見您，先生。」

「好，請他們上來好嗎？」

一分鐘後他聽見他們踩在走廊地毯上的腳步聲。仍是昨天那位年長的警官，帶了位不同的年輕警員。

「早安。」警官微微鞠躬客氣地說。

「早安。」湯姆說。「您有什麼新發現嗎？」

「沒有——」警官以疑問的口氣說。他在湯姆遞給他的椅子上坐下，打開他的棕色皮製公事包。「又來了另一件事。您也是美國人湯瑪斯・黎普利*的朋友？」

「是的。」湯姆說。

「您知道他現在人在哪裡嗎？」

「我想他一個月前回美國去了。」

警官查閱他的文件。「我知道了。那還得向美國交流處證實。您知道，我們正在努力找尋湯瑪斯・黎普利，我們認為他可能已經死亡了。」

「死了？為什麼？」

警官的雙唇在他鐵灰的鬍髭下輕柔地迸出一字一句，看起來像在微笑似的，那個微笑昨天也讓湯姆微微失了神。「您十一月時曾和他一起到聖雷默旅行是吧？」

他們查閱了旅館的住宿名單。「是的。」

「您最後在哪裡見到他？在聖雷默嗎？」

「不是，我在羅馬又見過他一次。」湯姆記得他對瑪姬說過他回蒙吉貝羅後會再回到羅馬，

＊指湯姆・雷普利，義大利警官發音不準所致。

因為他說要幫忙狄奇在羅馬安頓下來。

「您最後一次見到他是什麼時候?」

「我不知道能不能說出正確日期……大概是兩個月前的事了。我想我有一張他從——從熱那亞寄來的明信片,上面說他即將回美國去。」

「您想?」

「我知道我有,」湯姆說。「你為什麼認為他死了?」

警官滿腹狐疑地看著他的文件。湯姆瞥了年輕警員一眼,他正抱著雙臂、背靠著桌子,面無表情地盯著他。

「您有沒有和湯瑪斯・黎普利在聖雷默一塊駕船出遊?」

「駕船出遊?在哪裡?」

「在一艘小船裡?在港灣附近?」警官看著他鎮定地問。

「我想有吧。是的,我記起來了。怎麼了?」

「因為發現了一艘沉沒的小船,上面有一些疑似血跡的汙點。那艘船是在十一月二十五日遺失的。也就是說,有人在碼頭租了這艘船之後並未歸還。您和黎普利先生待在聖雷默的那天是十一月二十五日嗎?」警官一雙眼睛直視著他。

那眼神中的柔和觸怒了湯姆。那是種不誠實,他覺得。湯姆費了好大的勁讓自己不要舉止失常,他像個旁觀者似地看著他自己及這個場面,他甚至改變了站姿,將一手放在床尾,好讓自己看來輕鬆一點。「可是我們那次搭船出遊，什麼事也沒發生，沒有任何意外。」

「您還了船嗎？」

「當然。」

警官繼續盯著他。「我們找不到黎普利先生十一月二十五日以後，在任何一家旅館住宿的紀錄。」

「真的嗎？——你們找了多久？」

「雖然尚未搜遍義大利每一個小村莊，但各大城市的飯店我們都查過了。我們查到您十一月二十八日到三十日下榻在哈斯勒飯店，然後——」

「湯姆沒和我一塊待在羅馬——我是說雷普利先生。那段時間他到蒙吉貝羅去了，並且在那裡待了幾天。」

「他來羅馬時住在哪裡？」

「在某家小旅館，我記不得是哪家，我沒去找他。」

「那您人在哪裡？」

「什麼時候？」

「十一月二十六到二十七日，也就是聖雷默之行以後。」

「在馬密堡。」湯姆回答。「我順道在那裡停了一陣。我住在一家客店。」

「哪一家？」

湯姆搖頭。「我記不起名字，非常小的地方。」畢竟，他想，可以透過瑪姫證實湯姆離開聖雷默後曾活生生地出現在蒙吉貝羅，所以警方又何必調查二十六及二十七日狄奇・葛林里住的是哪家客店？湯姆在床沿坐下來。「我還是不明白你為什麼認為湯姆・雷普利死了。」

「我們認為『某人』死了。」警官回答。「死在聖雷默。有人在那艘船上被人殺了，那也是船沉的原因——為了湮滅血跡。」

湯姆皺著眉頭問：「確實是血跡嗎？」

警官聳聳肩膀。

「那天在聖雷默一定有好幾百人租船。」湯姆說，也聳了聳肩。

「沒那麼多，三十人左右。說真的，可能就是這三十人中的其中一個——或者十五組人中的其中一組。」他說後笑了笑。「我們連一個人名也不知道。可是我們開始認為湯瑪斯・黎普利失蹤了。」他目光移向房間一隅，從他的表情看來，湯姆想，他或許在想其他的事。或者正在享受椅旁電暖器帶來的溫暖？

湯姆不耐煩地再蹺起二郎腿。這個義大利佬腦中在想什麼他可是一清二楚：狄奇・葛林里兩次都涉及，或者相當接近謀殺現場。失蹤的湯瑪斯・黎普利於十一月二十五日和狄奇・葛林里一起駕船出遊，以此類推——

湯姆皺著眉頭坐正了身子。「你的意思是說，你不相信我說我十二月一日在羅馬見到湯姆・雷普利？」

「哦，不是，我沒那麼說，真的沒有！」警官打圓場地表示。「我想聽聽看您會怎麼說——您離開聖雷默之後與黎普利先生的遊蹤，因為我們找不到他。」他又笑了，是個張嘴露出黃牙以示修好的笑容。

湯姆不置可否地聳肩緩和了態度。顯然這名義大利警察不想公然指控一名美國公民犯了謀殺罪行。「很抱歉我無法正確地告訴你他目前人在哪裡。你怎麼不到巴黎找找看？或熱那亞？他一向都住小旅館，因為他比較喜歡小旅館。」

「您現在手邊還有那張他從熱那亞寄給您的明信片嗎？」

「不，我沒有。」湯姆說。他用手指撩了撩頭髮，狄奇偶爾惱怒時也是這個動作。專心扮演了狄奇・葛林里幾秒鐘，讓他舒服多了，不由得在地板上踏了一兩下。

「您認不認識湯瑪斯・黎普利的朋友？」

湯姆搖頭。「不認識，我連他也不太熟，我才認識他不久。我不曉得他在歐洲是否有許多朋友。我想他說過他在斐恩札有個認識的人，佛羅倫斯也有。不過我不記得他們的姓名。」假如這個義大利佬認為他不說出這些人名，是為了保護湯姆的朋友免受警方盤問，就隨他去想吧，湯姆想。

「好吧，我們會查查看。」警官說，他將文件擺在一邊。他在上面做了十幾項記錄。

「趁你還沒離開，」湯姆仍用不安、率直的語氣說。「我想請問，我什麼時候可以離開這個城市？我正計畫到西西里島去。如果可能，我非常希望今天出發。我打算住在巴勒摩的帕爾瑪飯店。如果有事找我，你很容易就可以聯絡上我。」

「巴勒摩。」警官重述。「可以，可能行得通。我可以借用電話嗎？」

湯姆點燃一根義大利菸，聽著警官請安里契諾局長聽電話，然後相當鎮靜地陳述葛林里先生不知道黎普利先生的行蹤，他可能回美國去了，或者根據葛林里先生的看法，他可能人在佛羅倫斯或斐恩札。「斐恩札，」他仔細地重述一遍，「離波隆納不遠。」當電話那端的人終於明白之後，警官接著表示葛林里先生希望今天能啟程前往巴勒摩。「好的，很好。」警官轉過身來對著湯姆微笑。「好了，您今天可以去巴勒摩。」

「太好了。謝謝。」他送兩位警員到門口。「如果你們發現湯姆·雷普利的行蹤，希望你們也能讓我知道。」他誠懇地說。

「一定的！我們一定會通知您，先生。日安！」

剩下湯姆一人後，他開始一邊吹著口哨，一邊將他從旅行箱拿出來的一些物品再放回去，他佩服自己提了西西里島而未提馬約卡，因為西西里島仍在義大利境內，而馬約卡則否；如果他留在義大利境內，義大利警方自然比較願意讓他離開。他是突然想起湯姆·雷普利的護照上並沒有繼聖雷默—坎城之旅後再入境法國的紀錄，才想到這種說法的。他記得他曾對瑪姬說過湯姆·雷普利說要到巴黎去，然後順道回美國。假若他們查問瑪姬，湯姆·雷普利是否在去了聖雷默之後曾回過蒙吉貝羅，她也許會附帶一提說他後來去了巴黎，而且萬一他必須變回湯姆·雷普利，並且向警方出示護照，他們便會發現他在坎城之旅以後並未再次入境法國。但他只要說他在告訴狄奇後又改變了主意，並且決定留在義大利即可。那不甚重要。

湯姆整理到一半時，突然站直了身子。這一切會不會是個圈套？他們讓他毫無牽掛地到西西里島去，是否只是放長線釣大魚？狡猾的混蛋！那名警官！他再也不想提起他的名字。他叫什麼來著？拉維尼？羅維里尼？唉，在他身上放長線有什麼好處？他已經明確地告訴他們他的動向了。他並不打算逃避什麼，他只是想離開羅馬，想得快瘋了！他將最後幾件物品丟進旅行箱裡，拉上蓋子鎖了起來。

電話又響了。湯姆抓起話筒。「喂？」

「哦，狄奇——！」電話那頭的人上氣不接下氣。

他聽這聲音知道是瑪姬，而且她人在樓下。他慌忙地用湯姆的聲音說：「哪位？」

「湯姆嗎？」

「瑪姬！嘿，哈囉！你在哪裡？」

「我在樓下。狄奇在嗎？我可以上去嗎？」

「你五分鐘後可以上來。」湯姆笑著說。「我還沒穿好衣服哩。」他想，櫃台人員一向都會將訪客帶到樓下的小隔間去，他們應該聽不見他和瑪姬的談話內容。

「狄奇在嗎？」

「現在不在。他半個小時前出去了，不過他隨時會回來，我知道他在哪兒，如果你想找他的話。」

「在八十三警局。不對，對不起，是八十七才對。」
「他惹了什麼麻煩嗎？」
「不是，只是去應訊。他應該是十點到那裡。你要我給你地址嗎？」他懊悔一開始就用湯姆的聲音說話；他可以輕而易舉地假裝成佣人、狄奇的某位朋友或隨便一個人，告訴她說狄奇已經出門數小時。
瑪姬嘆了口氣。「不……不要，我等他。」
「找到了！」湯姆像是真的找到了似地說。「貝魯吉亞街二十一號。你知道在哪裡嗎？」湯姆不知道，但他準備將她帶往美國運通的反方向走，他想在離開羅馬前到那兒去取郵件。
「我不想去。」瑪姬說。「如果方便的話，我想上去陪你一起等他。」
「那，這──」他笑著，這笑聲的的確確是瑪姬熟悉的湯姆笑聲。「是這樣的，我正在等一個隨時會到的人，是工作上的面試，我有個工作機會。信不信由你，老頑童雷普利準備要工作囉！」
「哦，」瑪姬說，一點也不感興趣的樣子。「那，狄奇好嗎？為什麼他得上警局談話？」
「哦，只是因為他那天和佛雷迪喝了點酒。你看了報紙吧？報紙將這件案子的重要性渲染了十倍，只因為條子們一點線索也沒有。」
「狄奇在這裡住多久了？」
「在哪裡？」

「這裡？哦，才剛住一晚。我之前都在北方。我聽到佛雷迪的消息後才下來羅馬看他。多虧了警方，要不然我永遠也找不到他！」

「你還說哩！我拚命在警察局找人！我擔心死了，湯姆，他至少也可以打個電話給我——打到吉歐吉歐之家或者其他地方……」

「我好高興你進城來，瑪姬。狄奇見到你鐵定格外開心，他非常擔心你看了報上的消息後會怎麼想。」

「哦，是嗎？」瑪姬不相信地說，但語氣聽起來很開心。

「你到『安傑洛的店』等我好嗎？它就在飯店前面通往西班牙廣場階梯的那條街上。我看看能不能在五分鐘後溜出去和你喝杯酒或咖啡，好嗎？」

「好，可是飯店這裡就有酒吧呀！」

「我可不想讓我未來的主管撞見我在酒吧裡。」

「哦，好吧。安傑洛的店嗎？」

「你絕對找得到，在飯店正前方那條街。再見。」

他回頭完成整理行李的工作。除了衣櫥內的外套，他都整理好了。他拿起電話，請飯店準備帳單並派人來幫他提行李。然後他將一堆行李整齊地交給小廝，並下樓去。他想看看瑪姬是否仍在大廳等他，或者可能還在那裡撥另一通電話。她不可能在樓下等的時候正好撞見警方吧？警方離開五分鐘左右瑪姬才撥電話上來的。他戴了頂帽子遮掩他髮色淡了些的頭髮，穿上新的風衣，並帶著湯姆・雷普利那副靦腆、略顯驚恐的表情。

她不在大廳。湯姆付了帳，櫃台人員交給他另一張留言：凡・休斯頓來過這裡。留言是他親筆所寫，約十分鐘前留的：

等了你半小時。你難道都不出門走動的嗎？他們不讓我上去。打電話到哈斯勒給我。

或許凡和瑪姬碰了面，如果他們彼此認識，此刻正一起坐在安傑洛的店裡也說不定。

「如果有其他人問起我，麻煩你說我出城去了好嗎？」湯姆對櫃台人員說。

「好的，先生。」

湯姆走出飯店，朝向正等著他的計程車。「麻煩到美國運通。」他告訴司機。

司機並未走安傑洛的店那條街。湯姆鬆了口氣並替自己感到慶幸。他最慶幸的是自己昨天緊張得在家裡待不住而改住飯店。若是在那裡，便永遠無法擺脫瑪姬，她可以從報上得知他的地址；假如他要同一個花招，她一定會堅持要上來等狄奇。他可真走運！

美國運通有他的郵件——三封信，一封是葛林里先生寄來的。

「您今天好嗎？」遞郵件給他的義大利少女問。

湯姆想，她也看了報紙。他對著她那天真好奇的臉龐回了個微笑，她名叫瑪莉亞。「很好，謝謝，你呢？」

他轉身準備離開時，突然想到他絕不能利用美國運通羅馬辦事處做為湯姆・雷普利的通訊處了，有兩、三個辦事員認得出他。目前他利用美國運通那不勒斯辦事處來收取湯姆・雷普利的郵件，雖然他從未到那裡取過任何郵件，或者留下該處的地址請別人轉遞任何物品，因為他不認為湯姆・雷普利會有什麼重要的東西，連葛林里先生也不可能再寫信來削他一頓。等事情稍微平息後，有一天，他會大大方方地走進美國運通那不勒斯辦事處，持湯姆・雷普利的護照取走郵件。

雖然他無法以湯姆・雷普利的身分用美國運通羅馬辦事處做聯絡處，但他必須保有湯姆・雷普利的身分，還有他的護照及衣物，以因應類似瑪姬今早撥電話來的這種緊急狀況。瑪姬差一點就來到他房裡了。只要警方認為狄奇・葛林里仍不無嫌疑，那麼想以狄奇的身分離開這個國家可是自尋死路。而萬一他必須突然換回湯姆・雷普利的身分，雷普利的護照不會顯示他曾離開義大利。假如他要離開義大利——讓狄奇・葛林里完全脫離警方掌控——他得以湯姆・雷普利的身分離開，然後再以湯姆・雷普利的身分入境，等警方調查結束後再變成狄奇。那是個可行之計。

似乎簡單又安全，他只要熬過這幾天就好。

19

船緩緩地駛進巴勒摩港，白色的船首輕輕滑過滿布橘子皮、雜草及一片片水果箱碎片的水面。湯姆也覺得自己正緩緩接近巴勒摩。他在那不勒斯待了兩天，報紙上全然漠視邁爾斯案，也完全不提聖雷默沉船的事，而且就他所知，警方也未試圖聯絡他。但或許他們只是懶得到那不勒斯找他，他想，而且此刻可能正在巴勒摩的飯店等著他。

無論如何，碼頭上沒有警察在等他，他瞄過了。他買了幾份報紙，然後帶著行李搭計程車到帕爾瑪飯店。飯店大廳內也沒有警察。那是個古色古香、富麗堂皇的大廳，一根根精美的大理石柱聳立，四周都是棕櫚樹大盆栽。櫃台一名人員告訴他房間號碼，並將鑰匙交給了小廝。湯姆覺得格外放心，於是走到郵件收發台大膽詢問是否有理察・葛林里先生的留言。服務人員說沒有。

他開始鬆了口氣。那表示連瑪姬的留言也沒有。瑪姬此時準是上警局探查狄奇的蹤影了。湯姆在船上曾想像一種恐怖的情況：瑪姬搭飛機比他先到巴勒摩；瑪姬在帕爾瑪飯店留言說她會搭下一班船來。他在那不勒斯上船時甚至還在船上搜尋瑪姬的身影。

如今他開始認為，或許經過這次之後，瑪姬已經放棄狄奇。也許她認定狄奇在躲她，而且想和湯姆在一起，單獨一起。或許那個想法早已深深植入她的笨腦袋瓜。當天晚上，湯姆一邊奢侈地猛用肥皂水潑濕身體，一邊掙扎著該不該寫封信給她，助長她這種想法。湯姆‧雷普利應該寫這封信，他想，時機到了。他會說他這一向都想隱藏事實，而在羅馬時他也不想在電話上明講，但事到如今他覺得她其實也該了解了：他和狄奇在一起，彼此都非常快樂，事情就是這麼回事。湯姆忍不住開始開心地咯咯笑，並「噗」一聲地整個人滑進水裡，屏住呼吸。

親愛的瑪姬，他會這麼說，我寫這封信的原因是，我不認為狄奇會提筆寫信給你，雖然我要求他許多次。長久以來，你都是這麼一個值得信賴的大好人……

他又咯咯笑了，然後專心地思考他尚未解決的小問題來讓自己冷靜：瑪姬大概也告訴義大利警方說，她曾在英吉特拉和湯姆‧雷普利說過話。警方會懷疑他究竟跑到哪兒去了，現在警方可能在羅馬找尋他。警方鐵定會從狄奇‧葛林里這裡來搜尋湯姆‧雷普利。這是個危險狀況——例如，倘若他們現在只憑瑪姬的描述便認為他是湯姆‧雷普利，並因此剝光他的衣服，在他身上搜索他和狄奇的護照。但是什麼叫做冒險呢？有冒險事情才好玩啊。他高聲唱起：

爸爸不願意，媽媽不讓步，

怎麼親熱呀親熱？

他在浴室擦乾身體，一邊低沉地唱著。他用狄奇式響亮的中音唱著，他從未聽過狄奇這麼唱歌，但他篤定狄奇一定會對他那繚繞不已的聲音感到滿意。

他穿好衣服，套上那件全新、平整的旅行用便裝，出門至黃昏的巴勒摩街頭散步。穿越廣場，是一座他曾在書上讀過的諾曼式大教堂，他記得一本旅遊指南上說這是英國大主教華爾特・米爾建造的。南邊是汐拉古沙港，拉丁人與希臘人曾在這裡打過一場浩大的海上戰爭。狄奧尼修斯一世的耳朵；桃米拿，還有埃特納火山！這對他來說是個大島，一切都很新奇。西西里！凱撒的大本營！古希臘人統治過，諾曼人與阿拉伯人入侵過！他駐足凝視眼前的鐘樓大教堂時，心裡想著，明天開始他要進去好好觀賞一番，但此刻他已感受到它的光彩壯麗。看著它塵灰的拱門，想像著明日即將走進它的內部，想像著由數不清的蠟燭及千百年來綿延不絕的香火融合而成的甜甜霉味，是多麼棒啊。期待！他突然想到，對他而言，期待較親身遊歷還來得愉快。事情總是會演變成如此嗎？每當他夜晚孤單一人處理狄奇的物品，看著他手上的戒指、他的羊毛領帶，或者他的黑色鱷魚皮夾時，那是親身體驗或是期待？

西西里島之後是希臘。他絕對要看一看希臘。他要以狄奇・葛林里的身分參觀希臘，花狄奇的錢，穿狄奇的衣服，以狄奇的姿態與陌生人打交道。但會不會湊巧他無法以狄奇・葛林里的身分在希臘觀光？事情是否會一波又一波地阻撓他——謀殺、涉嫌、人？他並不想謀害別人，他是迫不得已的。以湯姆・雷普利的身分去翻越雅典的衛城，著實對他一點吸引力也沒有。他當下寧願不去。他往上凝視大教堂的鐘樓，忽感淚水盈眶，他隨即轉身走向另一條街道。

隔天有他的一封信，瑪姬寫來的一封笨重的信。湯姆緊握著信笑了笑。他確信這封信的內容就如他所料，否則不會這麼厚厚一疊。他邊吃早餐邊讀信，他一口一口吃著新鮮的熱麵包捲，一邊喝著肉桂咖啡，一行一行地讀著：

如果你真的不知道我去過你住的飯店，那只表示湯姆並未轉告你，剩下的就不言而喻了。很顯然你如今抱頭鼠竄不敢面對我。為什麼不承認你失去你那位小老弟就活不下去？我只是遺憾，老兄，遺憾你以前沒有勇氣一五一十告訴我這件事。你以為我是什麼，一個不懂這種事的鄉下土包子嗎？你才是沒見過世面呢！總而言之，我希望，我點破你沒有勇氣告訴我的事實，會讓你良心上好過些，並從此光明正大地愛人。以你愛的人為傲並沒什麼見不得人的，不是嗎？我們有一次不是討論過這個問題嗎？

我的羅馬假期第二號任務是告知警方湯姆・雷普利和你在一起。他們似乎找他找得快抓狂了。（我不懂為什麼？他做了什麼？）我還盡全力用義大利語告知警方，你和湯姆是焦孟兩不相離。他們怎麼可能找得到你卻怎麼也找不著湯姆呢？我想不透。

我改了船期，我將於三月底左右返回美國，之前會先去慕尼黑拜訪凱特一陣子。我想我們屆時將各奔西東。我並非無情無義，狄奇小乖乖，我只是錯認你挺有勇氣的。

謝謝你給我所有美好的回憶。它們已像博物館的典藏，或保存在琥珀裡的東西，有一點不真實，正如你一向對我的態度。祝你前途順遂。

嗯！結尾多麼濫情！哼，乳臭未乾的丫頭！湯姆將信摺好塞進口袋裡。他瞄了一下飯店餐廳的兩扇門，不自覺地找尋警方的人影。他想，假如警方認為狄奇・葛林里和湯姆・雷普利一起旅行，他們一定已經查了巴勒摩的各家飯店來尋找湯姆・雷普利。但他沒注意到有任何警察盯著他，或跟蹤他。或許他們已經布下天羅地網，因為他們確定湯姆・雷普利還活著。他們為什麼還要苦苦追究？也許對狄奇涉及聖雷默案以及邁爾斯案的不利懷疑已消失了，也許。

他上樓回房間去，開始用狄奇的赫姆斯牌手提打字機寫信給葛林里先生。他一開頭先十分冷靜、合理地解釋邁爾斯疑雲，因為葛林里先生如今八成非常驚慌。他說警方已結束對他的盤查，接下來可能只是要他指認他們找到的嫌犯，因為嫌犯可能是他和佛雷迪兩人都認識的人。

他正在打字時電話響起。一個男人的聲音說他是巴勒摩警局的某某隊長。

「我們正在尋找湯瑪斯・菲浦斯・雷普利。他現在和您一起待在飯店嗎？」他客氣地問。

「不，他不在。」湯姆回答。

「您知道他在哪裡嗎？」

「我想他在羅馬。我三、四天前才在羅馬見過他。」

「我們在羅馬找不著他。您不知道他可能離開羅馬之後又到哪裡去嗎？」

「很抱歉，我一點也不清楚。」湯姆說。

「真可惜，」男子失望地嘆息說。「非常謝謝您，先生。」

「不客氣。」湯姆掛上電話繼續寫信。

此時模仿狄奇那枯躁無趣的筆調比以往湯姆自己行文還要順暢。他在信上大部分都是和狄奇的母親說話，告訴她他的生活起居正常，健康狀況良好，並詢問她是否收到他數週前從羅馬一家古董店買來寄給她的小屏風形狀釉彩飾品。他一邊寫信，一邊盤算該如何處理湯瑪斯‧雷普利。方才警員的探查顯然非常客氣冷淡，但也不能因此而貿然行事。他不應該將湯姆的護照擺在旅行箱內的袋子裡，雖然它外面包著一些狄奇的舊所得稅單以防海關人員看見。他應該藏在新的羚羊皮箱內襯裡之類的地方，那麼即使皮箱空了也看不見護照，而萬一他需要的話，幾分鐘便可取到手。因為有一天他可能必須這麼做。或許有一天狄奇‧葛林里的身分會比湯姆‧雷普利的危險。

湯姆花了半個早上的時間寫信給葛氏夫婦。他感覺葛林里先生對狄奇愈來愈不放心及不耐煩，和湯姆在紐約見到他時那種不耐煩的方式不同，這次他嚴肅多了。葛林里先生認為他從蒙吉貝羅搬至羅馬只不過是突發奇想罷了，湯姆明白。湯姆以為說狄奇在羅馬作畫及做研究，聽來會建設性十足，但如今看來，這個計策真是失敗透頂。葛林里先生不屑地寫了一番讓人無地自容的內容，說什麼他很遺憾他依然拿畫畫來折磨自己，因為他如今應該知道不是光有美麗的風景或轉換環境就能成為畫家的。而湯姆表現出對葛林里先生寄給他的柏克─葛林里公司的檔案感興趣一事，葛林里先生也不甚在意。湯姆這次是馬失前蹄。他以為可以將葛林里先生唬得服服貼貼，以為他可以彌補狄奇過去對他父母的疏忽與漠視，以為他可以再向葛林里先生要到一筆錢。如今他根本不可能開口向葛林里先生要錢了。

您要保重，媽，小心別著涼了。（她說過她今年冬天患了四次感冒，聖誕節也是披著他送給她當作聖誕禮物的粉紅色羊毛披肩，在床上度過的。）假如您穿上您寄來給我那種棒透了的羊毛襪，就不會著涼了。我今年冬天都沒感冒，這在歐洲可是值得大吹大擂的一件事哩……媽，需要我從這裡寄什麼東西給您嗎？我很喜歡買東西給您……

20

五天過去，一段平靜、孤獨卻十分愉快的日子。這幾天他在巴勒摩閒逛，偶爾停下腳來找家咖啡館或餐廳坐上一小時，看看旅遊指南與報紙。一個陰天，他搭馬車一路奔向裴里格里諾山去參觀聖羅莎莉亞的陵墓。湯姆曾在羅馬看過這位巴勒摩大聖人的塑像照，照片上呈現的是一種凝結的恍惚狀態，精神病學家有一套專有名詞來解釋這些狀態。湯姆發現這個陵墓有趣極了，他看見塑像時不禁咯咯笑了起來。那豐滿、躺臥著的女性胴體，摸索的雙手，迷濛的眼神，微張的嘴唇，一應俱全，唯獨缺少真實的喘息聲。他想到了瑪姬。他參觀了一座拜占庭皇宮，瀏覽了巴勒摩圖書館的圖畫及裝在玻璃箱中古老殘缺的手稿，並研究旅遊指南上詳細描繪的巴勒摩港地形結構。他臨摹速寫了一張吉多・雷尼*的畫，沒什麼特別用意，並熟記了一座公共建築上由文藝復興後期詩聖塔索題誌的長篇文字。他寫信給紐約的鮑伯・狄蘭西與克蕾歐，在給克蕾歐的長信中，他描述了他的旅程、他的玩樂與五花八門的見聞，熱情有勁地活像馬可波羅描繪中國一樣讓人信服。

＊ 吉多・雷尼（Guido Reni, 1575-1642），義大利畫家，以古典的理想主義著稱。

但是他寂寞。這回不是在巴黎時那種雖孤單卻又不太孤單的感覺。他曾經想像自己打進一個全新的朋友圈中，以新的態度、標準與習慣來展開一種遠較以往美好、清晰的新生活。如今他明白一切終將事與願違。他必須和他人保持距離，永遠的保持距離；他或許會養成不同的標準與習慣，但他永遠無法交上一堆朋友——除非他到伊斯坦堡或錫蘭，可是在那種地方交上那些人又有何用？他習慣形單影隻，而且他玩的是寂寞的遊戲。他可能交上的朋友泰半都會給他惹來危險，這是一定的。假如他必須單打獨鬥地浪跡天涯，那這樣再好也不過了，而且他被發現的機會更小。無論如何，這是讓人開心的一點，想到這點他便覺得開心。

他稍微地改變了行為舉止，以符合旁觀者的角色。他仍然笑臉迎人，客氣地對待在餐廳裡向他借報紙的人，有禮地與飯店的櫃台人員應對，但他顯得較有自信，話也少了。現在他帶有一絲憂鬱的氣息。他喜歡這種改變。他猜想自己看起來像個情場失意或情感上遭受某種重大打擊的年輕人，正以參觀地球上的美景美物這種文明的方式，來設法恢復元氣。

那讓他想到了卡布里島。那裡的天氣依然惡劣，但卡布里仍在義大利境內。那次和狄奇一起匆匆地一瞥卡布里，只不過是開胃而已，根本不過癮。天啊，狄奇那天可真討人厭！也許他應該延至夏天再去，他想，先擺脫警方再說。但比起希臘及雅典衛城，他更想在卡布里度過一個愉快的假期，暫時遠離文明。他曾在書上讀過卡布里的冬天：多風，多雨，荒涼。但那仍是卡布里！那兒有古羅馬皇帝提貝留斯的離宮、有藍洞，廣場已空無一人卻仍是廣場，而且一塊圓石也沒變動。說不定他今天能成行，他加快腳步趕回飯店。少了遊客並未讓蔚藍海岸黯然失色；或許他可以搭機飛往卡布里。他聽說那不勒斯和卡布里之間有水上飛機往來。假若水上飛機二月份不開航，他可以包下一台。錢不用放著做什麼？

「早安！您好嗎？」他笑著和櫃台後的人員打招呼。

「有您的一封信，先生，急件。」櫃台人員說，嘴角也帶著微笑。

是那不勒斯的銀行寫來的，信封內附了另一封狄奇在紐約的信託公司的來信。湯姆先讀那不勒斯銀行寫來的。

敬愛的客戶：

紐約溫德爾信託公司通知本行，說您一月份兌領五百美元匯款的收據上的簽名，可能不是您的親筆簽名。本行火速通知您，以便採取必要的行動。

本行已經認為有必要通知警方，但仍盼您出面證實本行的簽名鑑定員及紐約溫德爾信託公司的簽名鑑定員的看法是否正確。您若能提供任何訊息，本行將十分感謝，同時本行力請您盡早與我們聯絡。

那不勒斯銀行總裁
艾米里歐・布拉甘茲　敬上
二月十日　一九——

附註：萬一您的簽名事實上有效，我們力請您盡早親臨本行那不勒斯辦事處，再重新簽名做為本行永久的紀錄。本行隨信附上一封溫德爾信託公司的信。

湯姆拆閱信託公司的信件。

親愛的葛林里先生：

本公司簽名部向我們報告，說他們認為您一月份簽收的每月定期匯款收據第八七四七號上的簽名無效。由於相信或許是您疏忽所致，所以本公司盡速通知您，以便您能證實支票簽名無誤，或者證實本公司的說法，即支票簽名乃是偽造的。我們也通知了那不勒斯銀行此事。

隨信附上一張本公司永久簽名檔案所需之卡片，請您簽名並寄還給我們。

請您盡早與我們聯絡。

祕書　愛德華・蓋凡納克　上

二月五日　一九——

湯姆舔了舔嘴唇。他要寫信給兩家銀行說他一毛錢也沒花。但他們會就此善罷干休嗎？他從十二月開始一共簽領了三筆匯款，現在他們會回頭一一檢查他的簽名嗎？專家看得出來這三個簽名都是偽造的嗎？

湯姆上樓去，立即坐在打字機前。他放了一張飯店專用信紙到滾筒上，坐在那裡盯了它一會兒。他想，他們不會就此善罷干休，假如他們找了一群專家拿出放大鏡來看，那麼他們大概看得出來三個簽名都是偽造的。但是這些簽名偽造得幾可亂真呢，湯姆知道。他想起自己簽一月份的匯款時是簽快了些，但簽得還不賴，否則他不會送出去，一定會告訴銀行說匯款遺失，請他們再另外寄一封來。他想，大多數的偽件數個月才會被發現，為什麼他們四週即發現這份？難道不是因為發生了佛雷迪案與聖雷默事件，他們才調查他的各方面生活情形嗎？他們希望他本人親臨那不勒斯銀行，也許那裡有些人認得狄奇。他全身上下感到一股恐怖緊張的刺痛感。好一會他覺得虛弱無助，弱得連走動的力氣也沒有。他看見自己面對一群警察，義大利與美國的警察，逼問他狄奇・葛林里的下落，而他卻交不出狄奇・葛林里，也說不出他的下落或證實他仍存活。他想像自己在一堆筆跡鑑定專家的面前試圖簽下理察・葛林里這個名字，卻突然崩潰，一個字也寫不出來。他將手放在打字機鍵盤上，強迫自己開始寫信。他寫給紐約溫德爾信託公司。

親愛的祕書先生：

關於貴公司來信提及本人一月份匯款事宜，本人在此答覆：

是我自己簽名有誤，但我已取得全數款項。倘若我未收到支票，當然我應該早就立刻通知貴公司。

隨信附上我的簽名卡片，以做為貴公司永久紀錄。

理察・葛林里　上

二月十二日　一九——

他在信託公司的信封背面簽了狄奇的簽名數次，才在信上及卡片上簽名。然後他又寫了封內容相似的信給那不勒斯銀行，並承諾這幾天內會以電話與該行聯絡並再次簽名做為永久紀錄。他在兩封信上都標上了「急件」的記號，下樓向服務生買郵票寄了出去。

然後他出門散步。他想去卡布里的欲望已經消失了。此刻是下午四點十五分，他漫無目標地隨意亂走，最後，他在一家古董店的櫥窗前停下來，凝視一幅晦暗的油畫數分鐘，畫上是兩名蓄著鬍子的聖人頂著月光走下黑暗的山丘。他走進店裡二話不說地照定價給買了下來。這幅畫連個框也沒有，他隨手一捲夾在腋下走回飯店。

21

敬愛的葛林里先生：

本局力請您盡速前來羅馬答覆一些攸關湯瑪斯・雷普利的重要問題。您的出面將大大加速本局的調查，屆時本局將十分感激。

倘若您未於一週內現身，本局將採取因應措施，屆時將對閣下及本局造成不便。

羅馬八十三警局局長

安里克・法拉拉　敬上

二月十四日　一九——

看來他們仍在找尋湯姆的下落，但這可能也表示邁爾斯案有了發展，湯姆想。義大利人通常不會用這種口氣傳喚一名美國人，最後一段擺明了就是威脅，顯然事到如今他們也知道了假支票事件。

他手拿著信站著，茫然地環視房間。他瞥見鏡中的自己，嘴角下垂，眼神惶恐不安。他看起來像是企圖用姿勢與表情來傳達害怕及震驚的情感，而且由於他的樣子看起來那麼自然真實，突然他變得加倍恐懼。他摺了信放進口袋，隨即又拿了出來撕得粉碎。

他開始匆忙地整理行李，抓起浴室門板上的浴袍與睡衣，將盥洗用具丟進印有狄奇姓名縮寫的小皮包裡，那是瑪姬送給狄奇的聖誕禮物。他必須丟掉狄奇的東西，所有的東西。丟在這兒嗎？現在丟嗎？他應該在回那不勒斯途中將這些東西丟入水中嗎？

沒有解答，但他突然明白回義大利後該採取什麼行動，他必須如此。他絕不靠近羅馬一步。他可以一路直達米蘭或杜林或者威尼斯附近，買部車，二手的，里程紀錄不少的。他可以說過去兩、三個月來他都在義大利四處閒逛。他並未聽到任何搜尋湯瑪斯・雷普利還是湯瑪斯・黎普利的消息。

他繼續整理行李。他知道，這是狄奇・葛林里該退場的時刻了。他痛恨變回湯瑪斯・雷普利，痛恨當個無名小卒，痛恨再套用他那些老習慣，再度啃噬人們看扁他、嫌他無趣的感覺；在他人面前，除了扮成小丑，除了提供娛樂之外，他似乎一無是處。他討厭回復原來的自己，也討厭穿上襤褸的衣衫，或沾了油漬、沒有整燙過的衣服，或連全新時質感也不怎麼好的衣服。他的淚珠掉在狄奇的藍白條紋襯衫上，襯衫乾淨畢挺的擺在皮箱的最上層，依然像他當初在蒙吉貝羅從狄奇的抽屜裡剛拿出來時一樣新，它的口袋上有一行紅色、狄奇的姓名縮寫。他一邊整理一邊大膽認定狄奇的物品中他仍可保留的部分，有些是因為上面沒有姓名縮寫，或者因為沒人會記得那是狄奇的東西。或許瑪姬會記得其中一些，例如那本狄奇只寫了幾個地址的藍皮通訊錄，那很可能就是瑪姬送他的。不過他不打算和瑪姬再見面。

湯姆結了帕爾瑪飯店的帳單，但隔天才有船開往大陸。他用葛林里這個名字訂了船票，心想這是他最後一次使用葛林里的名字訂票，但也可能不是最後一次。他無法打消「這一切可能煙消雲散」的念頭，也許就只是可能。正因如此，實在不必要消沉。無論如何，就算是湯姆・雷普利也不必意志消沉。湯姆・雷普利從未真的消沉，雖然他經常看來一臉消沉。這幾個月來他不是學會了一點嗎？假如你想擁有開心或憂鬱或渴望或深思或彬彬有禮的情緒，你只要用表情表演出來就可以了呀！

在巴勒摩的最後那天，他一早醒來便蹦出一個令人十分愉快的想法：他可以用不同的姓名將狄奇所有的衣物寄放在美國運通威尼斯辦事處，假如他想或者必須取回來的話，就再去取回來，否則就永遠不出面領取。確定狄奇的高級襯衫與他那裝滿了袖釦、家傳手鐲及手錶的首飾盒將安全地放在某處，而非沉落在第勒尼安海底或西西里島上的某個垃圾桶內，他覺得舒服多了。

因此，將狄奇的兩只旅行箱上的姓名刮掉之後，他把上了鎖的箱子連同他在巴勒摩畫的兩幅油畫，以羅伯特・范蕭的名字從那不勒斯寄至美國運通威尼斯辦事處存放，不取也不退。他唯一留在身邊的物品，唯一洩漏狄奇身分的物品，是狄奇的戒指，他將戒指放進湯瑪斯・雷普利所屬一個難看的棕色小皮盒裡，這個小皮盒是他多年來不論旅行或搬家時皆隨身攜帶之物，盒裡裝滿他搜集的袖釦、領針、奇怪的鈕釦、鋼筆墨水管及一個插了一根針的白色線團等有趣的東西。

湯姆搭了火車從那不勒斯經過羅馬、佛羅倫斯、波隆納，最後在維洛納下車並搭巴士到六十五公里外的特倫特。他不想在維洛納這樣的大鎮買車，因為他申請駕照時警方可能會注意他的姓名。他以約等於八百美元的價格在特倫特買了部奶油色的蘭吉雅二手車。他用護照上登記的湯瑪斯・雷普利這個名字買車，並用此名在旅館訂了一個房間，以等待駕照二十四小時後核發。六小時內什麼事也沒發生。湯姆一直擔心連這家小旅館也可能認得他的名字，而且負責駕照申請事宜的單位也可能注意他的姓名，但是隔天中午駕照安全到手，什麼事也沒有。關於尋找湯瑪斯・雷普利，或者邁爾斯案，或者聖雷默沉船事件，報上隻字未提。這讓他感到相當怪異，卻又格外開懷放心，彷彿一切可能是虛幻。儘管已回復湯瑪斯・雷普利這個抑鬱寡歡的角色，但他開始感到快樂。他變本加厲地表現湯姆・雷普利那套對陌生人三緘其口、滿腦子自卑感與煞有其事斜眼看人的態度，並從中獲得樂趣。畢竟，有人會，真有人會相信這樣的一個人物會犯下謀殺案嗎？而且他唯一可能涉嫌的謀殺案是聖雷默那樁，而他們似乎並未苦苦追查這件案子。成為湯姆・雷普利至少有個心理補償：減輕了他對佛雷迪謀殺案的罪惡感。那樁案子實在極其愚蠢、不必要。

他想直奔威尼斯，但他認為應該花一個晚上做他打算告訴警方說他數月來一成不變的習慣：把車停在鄉間小路上，睡在車裡。在布雷西亞附近，他縮在蘭吉雅的後座極不舒適地睡了一夜。黎明時他爬進前座，脖子痙攣疼痛得讓他幾乎無法轉過頭去駕駛，但這正好使他的說詞可信，方便他捏造事實。他買了本義大利北部旅遊指南，正確地標上日期，摺起頁角，用腳踩封面並撕毀裝訂，結果它正好在比薩斜塔那一頁分開。

隔天他在威尼斯度過。湯姆孩子氣地一直對威尼斯有股抗拒，只因他預期威尼斯會令他失望。他曾以為只有多愁善感的人或美國遊客才會對威尼斯讚不絕口，以為它頂多是個適合度蜜月的市鎮，不搭時速三公里的貢多拉*便哪裡也去不成的老城，只有新婚愛侶才會樂在其中。如今他發現威尼斯比他想像中來得大，到處充斥著各方面都長得像義大利人的義大利人。他發現他可以不搭貢多拉而經由窄巷、小橋穿越整座城市，而且主要的運河都有一套和地下鐵一樣快速便利的汽艇運輸系統，運河也沒臭味。旅館的選擇很多，從他聽過的葛里提與丹尼里飯店，到坐落於旅館街外、遠離警方與美國遊客的骯髒小旅舍及客店，應有盡有，想當然，在其中一家住上數月也不會有人注意。他選了一家叫柯斯坦薩的旅館，非常靠近里亞多橋，介於著名的豪華大飯店和後巷那些怪異的小旅舍之間。就現實利益考量，它乾淨、不貴，而且便利，正是適合湯姆．雷普利的旅館。

湯姆在房間裡來來回回走了數小時，緩緩取出他的舊衣物，並對著窗外大運河上的暮色發呆。他想像著不久後要與警方展開的對話內容——怎麼了？我一點也不清楚，我在羅馬見過他。如果您懷疑，您可以向瑪喬莉．薛伍德小姐求證……我當然是湯姆．雷普利！（他這時會大笑）我不明白這到底是怎麼一回事……聖雷默？是的，我記得。我們一個小時後還了船……是的，去了蒙吉貝羅之後我回到羅馬，不過我只住了幾晚。我一直在義大利北部閒晃……我實在一點也不清楚他的下落，可是我三個禮拜前見過他……湯姆笑著從窗台上下來，換上另一套襯衫與領帶，出門找一家舒服的餐廳吃晚餐。一家好的餐廳，他想。湯姆．雷普利可以宴請自己一次昂貴的大

* 貢多拉（gondola），威尼斯特有的傳統平底划船。

餐。他的皮夾裡塞滿了一萬及兩萬里拉的鈔票，塞得皮夾闔不起來。在離開巴勒摩之前，他以狄奇的名字兌現了一千美元的旅行支票。

他買了兩份晚報夾在腋下走著，走過一座小拱橋，穿越一條不到兩公尺寬皮飾店與男裝店林立的長長窄巷，經過擺滿珠寶盒而閃閃發光的櫥窗，那裝滿項鍊戒指的珠寶盒正像湯姆想像中童話的珠寶盒一般。威尼斯沒有汽車，正合他意，這點讓這個城市人性化；街道像靜脈，他想，人是血液，四處循環。他往回走另一條街並二度穿越方形的聖馬可廣場。到處都是鴿子，空中、商店燈光下——即使在夜晚，鴿子也像觀光客似地在人的腳下漫步，即便是在牠們自己的家鄉！咖啡館的桌椅從拱廊排至廣場，使得人、鴿皆必須躡手躡腳穿梭其間找尋小通道以便行走。廣場兩邊盡是嘈雜的留聲機喧囂不止。湯姆試著想像陽光燦爛的夏日裡，一群人對著空中拋撒穀物，餵食振翅飛撲覓食的鴿子。餐廳琳瑯滿目，他挑了家鋪有白色餐巾、立著棕色木牆、外觀高尚實在的餐廳，截至目前的經驗告訴他，這是家將重點擺在食物而非熙來攘往遊客身上的餐廳。他找了張桌子坐下，翻開他買來的其中一份報紙。

終於出現了，第二版上一個小標題：

警方搜尋失蹤的美國人狄奇・葛林里

遭謀殺身亡的佛雷迪・邁爾斯之友

西西里假期後行蹤不明

湯姆趨身湊近了報紙，全心地讀著這則新聞，然而也油然升起一股厭惡感，因為警方竟然如此莫名其妙的笨拙及缺乏效率，愚不可及，連報紙也蠢得浪費空間來刊登這則新聞。新聞內容表示理察（狄奇）・葛林里，是三週前在羅馬遭謀殺的美國人佛雷迪・邁爾斯的密友，據信從巴勒摩搭船至那不勒斯後即下落不明。西西里與羅馬警方已加強警戒留意他的行蹤。最後一段提到羅馬警方不久前才要求葛林里答覆攸關湯姆・雷普利失蹤的一些問題。報上說，雷普利也是葛林里的密友，已失蹤了近三個月。

湯姆放下報紙，不知不覺地佯裝起任何人在報上讀到自己「失蹤」的新聞時可能出現的驚訝，因此他未注意到侍者想遞給他菜單，直到菜單碰到他的手，他才回過神。這次該是時候了，他想，他應該上警局表明自己的真實身分。假如他們未握有對他不利的把柄，又如何能對湯姆・雷普利不利？他們也不可能調查他什麼時候買了車。報上的消息讓他放下了心中的一塊大石頭，因為這表示警方真的並未在特倫特汽車登記局注意到他的姓名。

他緩緩享受美食，後來又點了杯義式濃縮咖啡，一邊瀏覽義大利北部旅遊指南，一邊抽了幾根菸。這時他已有一些不同的想法。舉例而言，為什麼他會那麼恰巧讀到報紙上這麼一則小消息？何況只有一份報紙刊登而已。不，他不該上警局表明身分，得等到他看了兩、三則相關報導，或者一則理應會吸引他目光的大新聞之後才去。不久後，這件事可能會以大新聞的姿態出現——幾天之後，狄奇・葛林里仍未現身，他們將開始懷疑他是因為殺害佛雷迪・邁爾斯，也可能殺害了湯姆・雷普利而畏罪潛逃。瑪姬可能會告訴警方說，她兩週前在羅馬與湯姆・雷普利說過話，但是警方仍未見到他。他快速地翻閱旅遊指南，眼睛瀏覽著彩色的圖表、文字，腦中同時思考著一些事情。

他想到瑪姬，此刻她可能正在蒙吉貝羅的屋子裡打包準備回美國。她會在報上看到狄奇失蹤的消息。瑪姬一定會責怪他，湯姆知道。她會寫信給狄奇的父親，百般挑剔地說湯姆是個壞榜樣。葛林里先生或許會因此過來一趟。

可惜他無法以湯姆・雷普利的身分現身，讓他們對此事三緘其口，然後再以強壯熱情的狄奇・葛林里的姿態出現，解開那一小團疑雲！

他想，他或許得稍微強化湯姆的角色。他可以再卑微些，可以較過去靦腆，他甚至可以戴上方型眼鏡，並讓嘴角呈現出哀愁、消沉的味道，以對比於狄奇的焦躁不安。因為他即將面對的警員或許是見過他以狄奇・葛林里的身分出現的那一批人。羅馬那名警官叫什麼來著？羅瓦西尼？

湯姆決定再用紅褐色強力染髮劑染一次頭髮，這麼一來，他的髮色甚至比他原來的髮色深。

他第三度瀏覽報紙以看清是否有邁爾斯案相關的消息。什麼也沒有。

22

隔天早上，全國最大報出現了一則有關本案的長篇報導，其中只有一小段提及湯瑪斯‧雷普利下落不明，但卻非常大膽地表示理察‧葛林里「涉嫌參與」邁爾斯謀殺案，而且除非他出面澄清，否則將被視為逃避「問題」。報上也提到了假支票事件。它說理察‧葛林里最後一次與外界聯絡，是寄信給那不勒斯銀行證實沒有假簽名這回事。但那不勒斯三位專家中有兩位表示，他們相信葛林里先生一月與二月的支票都是假的，美國銀行方面也持相同看法，並曾將他的簽名影本寄給那不勒斯銀行。這份報紙的結尾以略微戲謔的口吻指出：「有誰會偽造自己的簽名嗎？或是這位美國富家子弟在掩護他的一位朋友？」

去他們的！湯姆想，狄奇自己的筆跡也經常變來變去。他曾看過狄奇某一張保險單上的簽名便不同，他更親眼在蒙吉貝羅見過狄奇當場改變簽字方式。讓他們好好去研究他前三個月的簽字吧，看他們能查到何種地步！他們顯然沒察覺從巴勒摩發出的那封信上，他的簽名也是偽造的。

目前為止，警方是否發現任何證據顯示狄奇涉及佛雷迪‧邁爾斯謀殺案，才是他真正關心的事情。不過他倒也不那麼肯定他個人真的關心這件事。他在聖馬可廣場轉角一家書報攤買了《今日週刊》與《時代週刊》。這兩家以圖片為主的小報型週刊，專事報導各地發生的奇聞，而題材從謀殺案到國際會議，應有盡有。但這週都沒提到狄奇・葛林里失蹤的消息。他想，或許下週吧，不過他們可弄不到他的照片。瑪姬在蒙吉貝羅拍過狄奇的照片，可從來沒替他拍過。

當天早上他在城裡閒逛，在一家以玩家為銷售對象的玩具機械製品店買了幾副加框的眼鏡，鏡片全是平光的。他參觀了聖馬可大教堂，在教堂內逛了一圈，什麼也沒看見，但不是眼鏡的關係，因為他在考慮著是否必須立刻出面表明身分。拖延得愈久，無論發生任何事，看來都將更不利於他。離開大教堂之後，他問了一名警察最近的警局在哪兒。他的語氣悲傷，他感到悲哀。他並不害怕，但他感覺出面表明自己是湯瑪斯・菲浦斯・雷普利，將是他這一生做過最令人傷感的事情之一。

「您是湯瑪斯・黎普利？」局長不甚感興趣地問，彷彿湯姆是隻失而復返的迷途犬似的。「讓我看一下您的護照好嗎？」

湯姆將護照遞給他。「我不知道出了什麼問題，可是我在報上看到我被認定失蹤的消息時——」他的語氣正如他預期般害怕，害怕不已。四周站著的警員全都面無表情地盯著他。「到底發生了什麼事？」湯姆問警官。

「我撥個電話到羅馬看看。」警官冷靜地回答，順手拿起了桌上的電話。

數分鐘以後，接通了羅馬，警官隨即用機械般的聲音向羅馬的某人宣布美國人湯瑪斯・黎普利正在威尼斯。接下來，兩人談了一些無關緊要的事，然後，警官對湯姆說：「他們希望與您在羅馬見面。您今天能到羅馬去嗎？」

湯姆皺著眉頭說：「我不打算去羅馬。」

「我會轉告他們。」警官溫和地說，隨後又講起了電話。

現在他正在安排羅馬警方來這裡見他吧，湯姆猜想，身為美國公民仍享有某些特權。

「您住在哪家飯店？」警官問。

「柯斯坦薩飯店。」

警官將這項訊息傳回羅馬。接著他掛上電話並客氣地告知湯姆，當晚八點鐘以後，羅馬有一位警方代表會來到威尼斯與他談話。

「謝謝您。」湯姆說完後立即轉身離去，留下警官一人沉悶地寫著表格。實在是十分無聊的小場面。

接下來的時間，湯姆一直待在房間裡，安靜地思考、閱讀，並進一步稍微改變他的外貌。他認為他們很可能派遣曾在羅馬和他談過話的同一個人——羅瓦西尼隊長什麼的——來和他談。他用鉛筆將眉毛的顏色塗深了些。整個下午，他都穿著那件棕色格子呢西裝，甚至將西裝外套上的一顆鈕釦拔掉。狄奇相當愛整潔，所以湯姆・雷普利相反地得非常邋遢。他沒吃午餐，並非不想吃，而是想繼續減輕因扮演狄奇・葛林里而增加的體重，他要讓自己變得比原來的湯姆・雷普利瘦。他護照上登記的體重是七十公斤，狄奇七十六公斤，但兩人身高卻一樣是一百八十七公分。

當天晚上八點三十分，電話響起，總機說羅維里尼隊長人在樓下。

「麻煩您請他上來好嗎？」湯姆說。

湯姆走到他準備坐的椅子旁，將它再拉遠些，以稍離立燈的照射範圍。房間布置得像是他前幾個小時一直在房間內看書打發時間似的——立燈和一小盞檯燈開著，床罩皺皺的，擺著幾本封面朝上、開著的書本，書桌上甚至擺了一封他正要開始寫給朵蒂姑媽的信。

隊長敲門。

湯姆無精打采地開門。「晚安。」

「晚安，我是羅馬警局的羅維里尼隊長。」隊長樸實、微笑的臉龐一絲驚訝或懷疑的表情也沒有。他身後來了另一名高大、沉默的年輕警官——湯姆突然發覺，此人不是別人，正是湯姆首次與羅維里尼在羅馬寓所見面時他身旁隨行的警官。羅維里尼接了湯姆遞來的椅子坐下，正好坐在燈光下。

「您是理察・葛林里先生的朋友？」他問。

「是的。」湯姆坐進另一張椅子，一張可以讓他偶爾彎腰低頭的扶手椅。

「您上次見到他是什麼時候？在哪裡見到的？」

「我在羅馬見了他一面，正好是他要去西西里之前。」

「他到西西里之後，您還有他的消息嗎？」隊長從棕色的公事包中拿出記事本把他的話一字一句記下。

「沒有，我沒有他的消息。」

「啊—哈，」隊長說，他一直低頭看著卷宗，甚少看向湯姆。終於，他抬起頭來以友善、關懷的表情看著湯姆。「您在羅馬的時候不知道警方想見您？」

「不，我不知道，我不明白為什麼會有我失蹤了的傳聞。」他扶了一下眼鏡，並凝視羅維里尼。

「我待會兒再解釋。葛林里先生在羅馬的時候沒告訴您說，警方想和您談話嗎？」

「沒有。」

「奇怪了。」他悄聲地說，順手再做了一項筆記。「葛林里先生知道我們想和您談談。葛林里先生不太合作喲。」他對湯姆笑笑。

湯姆的表情依然嚴肅專注。

「黎普利先生，十一月底以後，您人在哪裡？」

「我在旅行，大部分都待在義大利北部。」湯姆故意將義大利語說得拗口，錯誤百出，而且和狄奇的義大利語腔調極不相同。

「哪裡？」隊長又握著筆準備記錄。

「米蘭，杜林，斐恩札……比薩……」

「我們查過米蘭和斐恩札的飯店。您一直都借住朋友家嗎？」

「不是，我——通常睡在我的車子裡。」湯姆想，他明顯地看起來不怎麼富有，而且他也像是寧願抱著旅遊指南及席隆或但丁的詩集勉強湊合，也不住豪華飯店的年輕人。「很抱歉我沒有重新申請居留巨可。」湯姆懺悔地說。「我不知道這件事這麼嚴重。」其實他知道來義大利的遊客幾乎從來不曾費心去重新申請居留許可，而且當初入境時只說要待數星期，卻往往一待待了數月。

「居留『許』可。」隊長以近乎父親糾正兒子的輕柔口氣說。

「謝謝。」

「您的護照讓我看看好嗎？」

湯姆從外套內袋拿出護照。隊長仔細研究護照上的照片，湯姆趁勢裝出照片上那種略顯不安的表情及嘴唇微張的模樣。照片上的他沒有戴眼鏡，但髮型梳法相同，而且領帶一樣打著鬆鬆的三角結。隊長看了一眼護照前兩頁的一些入境許可鋼印，頁面都還未蓋滿。

「您十月二日以後就待在義大利，這期間曾和葛林里先生到法國去一陣子？」

「是的。」

隊長露出了愉快的義大利式笑容，同時雙手按著膝頭傾身向前。「好了，這樣解決了一件重大的事情——聖雷默沉船之謎。」

湯姆皺了眉頭。「那是什麼？」

「我們在那裡發現了一艘沉船，船上有一些據判斷是血跡的汙痕。您因為離開聖雷默之後立刻失去蹤——」他攤開雙手笑著。「我們認為也許應該向葛林里先生詢問您的下落，我們也確實問過他了，船正好是你們在聖雷默的同一天失蹤的。」他又笑了。

湯姆假裝聽不懂這個笑話。「難道葛林里先生沒告訴你，我離開聖雷默之後去了蒙吉貝羅嗎？我做了一些——」他在找尋適當的字眼，「為他做了一點小零工。」

「很好！」羅維里尼隊長笑著說。他舒服地解開大衣的銅釦，並用一隻手指來回摸著一撮翹鬍子。「您也認識佛雷迪—德里克・米雷斯嗎？」他問。

湯姆不經意地嘆了口氣，因為沉船事件顯然已結束。「不認識。我只見過他一次，當時他正好從蒙吉貝羅的巴士下車。後來我再也沒見過他。」

「啊—哈，」隊長說，也順便記了一筆。他沉默了一會，彷彿問題問完了似的，接著，開口笑了。「哦，蒙吉貝羅！很美的一個村莊吧？內人是蒙吉貝羅人。」

「哦，真的啊！」湯姆愉快地說。

「真的，內人和我在那裡度蜜月。」

「挺美的一個村莊，」湯姆說。「……謝謝。」他伸手接了隊長遞給他的國際牌香菸。湯姆覺得這也許是義大利人表示暫時歇手的示禮方式。他們肯定會繼續調查狄奇的私生活、假支票，而且免不了問一陣休息一陣。湯姆吃力地用義大利語認真地說：「我在一份報紙上看到報導說，如果葛林里先生不露面的話，警方便認為他可能涉及佛雷迪・邁爾斯謀殺案。警方真的認為他有罪嗎？」

「哦，不，不，不！」隊長辯解道。「可是他有必要露面！他為什麼要躲我們呢？」

「我不知道。正如您所說——他不太合作，」湯姆鄭重地批評道。「他不夠合作，所以在羅馬的時候才沒告訴我警方想找我談。不過同時——我無法相信佛雷迪・邁爾斯是他殺的。」

「可是……您知道，羅馬有個男人說，他在葛林里先生家的對街上看到兩個男人站在米雷斯先生的車旁，他說他們兩人都醉了或者——」他得意洋洋地停頓一會兒，看著湯姆，「或許其中一人死了，因為另外一人在車旁撐著他！當然，我們不能說那個人所指陳的人就是米雷斯先生或者葛林里先生，」他繼續說，「但是假如我們能找到葛林里先生，我們至少可以問他，他當時是否醉得必須由米雷斯先生撐著才行！」他哈哈大笑。「這是件非常嚴肅的事情。」

「是的，我看得出來。」

「您一點也不知道葛林里先生目前可能待在哪裡？」

「不知道，完全不知道。」

隊長沉思了一下。「據您所知，葛林里先生和米雷斯先生吵過架嗎？」

「沒有，可是——」

「可是？」

湯姆繼續慢吞吞的，慢得恰到好處。「我知道佛雷迪・邁爾斯曾邀請狄奇參加一場滑雪派對，狄奇沒去。我記得我當時很訝異他竟然沒去，他沒告訴我為什麼。」

「我知道這個滑雪派對，在柯狄納安培卓。您確定和女人無關嗎？」

湯姆很想乘機發揮一下幽默感，但他假裝審慎地思考這個問題。「我不這麼認為。」

「瑪喬莉・薛伍德這個女孩子呢？」

「我猜有可能，」湯姆說，「可是我不是很肯定。我也許不適合答覆有關葛林里先生私人的問題。」

「葛林里先生從來沒對您說過他的心事嗎？」隊長以一副拉丁民族特有的驚訝口吻問。

湯姆想，他可以繼續瞎掰一番。瑪姬會支持這番說法，光憑她對狄奇的情緒反應即可知曉，這麼一來義大利警方永遠無法探知葛林里先生的感情世界。他自己又何嘗知道！「沒有。」湯姆說。「我不確定狄奇曾對我說過他個人最隱私的內心話。我知道他很喜歡瑪喬莉。」他順口提了一句：「她也認識佛雷迪・邁爾斯。」

「她和他認識到什麼程度？」

「嗯——」湯姆裝得一副知道答案卻不願明講的樣子。

隊長傾身向前。「由於您在蒙吉貝羅和葛林里先生住了一段時間，或許您有立場告訴我們葛林里先生大致的感情世界。這些非常重要。」

「您為什麼不和薛伍德小姐談談呢？」湯姆提議道。

「我們在羅馬與她談過——在葛林里先生失蹤以前。我已經準備等她從熱那亞轉往美國之前，再與她一談。她現在人在慕尼黑。」

湯姆沉默了半晌。隊長等著他再提供一些訊息。如今湯姆感到相當放心，事情正和他最樂觀時所希冀的一樣：警方根本沒有不利於他的證據，而且他們一點也不懷疑他。湯姆突然覺得自己真的是清白無辜的，而氣勢也旺了起來，他覺得他就像他的舊旅行箱一樣清白，那個被他小心翼翼洗去「巴勒摩行李室寄放證明」貼紙的舊旅行箱。他以雷普利一貫誠摯、謹慎的口吻說：「我記得瑪喬莉有一陣子在蒙吉貝羅說她不去柯狄納，後來她又改變主意。可是我不知道原因。如果那件事能表示——」

「可是她沒去柯狄納。」

「沒有，可是我想只是因為葛林里先生不去的關係。因為，薛伍德小姐非常喜歡他，而且她本來也預期會和他一起去，所以她不可能丟下他一人而去的。」

「您認為米雷斯先生與葛林里先生，曾為了薛伍德小姐吵過架嗎？」

「我不敢這麼說，但是有可能，我知道邁爾斯先生也非常喜歡她。」

「啊─哈。」隊長皺著眉頭，努力想弄清楚這一切。他望著那個年輕的警員，從他不動的表情看來，顯然他正專心傾聽，但一句話也插不上。

湯姆想，根據他剛才的說詞，狄奇會被認為是個醋罈子，不願讓瑪姬到柯狄納去開心開心，因為她太喜歡佛雷迪・邁爾斯。一想到有人——尤其是瑪姬——喜歡那個有雙死魚眼的大牛更勝過喜歡狄奇，湯姆不由得笑了。他趁勢露出不解的表情。「你真的認為狄奇在逃避，或者只是湊巧找不到他？」

「哦，不是，這件事太複雜了。首先，是支票的問題。您或許已從報紙得知這件事。」

「我不太了解這起支票事件。」

警官解釋了一番。他知道支票的日期，也知道有幾個人認為這些支票是假的，他解釋說葛林里先生否認那些是假支票。「可是就在銀行想針對假支票事件和他見面一談，同時羅馬警方也希望當面再與他談談他朋友的謀殺案問題時，他卻突然消失——」隊長攤開雙手。「那只能表示他在躲我們。」

「您不認為也許有人殺了他嗎？」湯姆輕柔地說。

警官聳了一下肩膀，約十五秒之久才回復原來的姿勢。「我不這麼認為，不是這麼回事，不太像這麼回事。我們曾用無線電查過離開義大利的每一艘大小客輪，他要不是搭小船——而且得是漁船這種小船——離開，就是此刻仍藏匿在義大利，或者，當然，歐洲的任何地方，因為我們通常不會一一登記出境者的名字，而且葛林里先生也有數天的時間可安排離開之事。總之，他正藏在某個地方，總之，他一副有罪的樣子，其中必有蹊蹺。」

湯姆面色凝重地盯著他。

「您曾看過葛林里先生簽那些匯票嗎？尤其是一月及二月份的？」警官問。

「我看過他簽過一張。」湯姆說。「不過那恐怕是十二月份的事了。我一月和二月的時候都沒和他在一起——您真的懷疑他殺了邁爾斯先生嗎？」湯姆不可置信地再問了一次。

「他沒有不在場證明。」警官答說。「他說米雷斯先生離開後，他去散了步，可是沒人看到他去散步。」他突然伸出一隻手指指著湯姆。「而且——我們從米雷斯先生的朋友凡・休斯頓先生那兒得知，米雷斯先生在羅馬一直找不到葛林里先生——好像是葛林里刻意在躲他似的。葛林里先生可能在生米雷斯先生的氣，可是根據凡・休斯頓先生的說法，米雷斯先生和葛林里先生根本沒吵架！」

「這樣啊。」湯姆說。

「正是。」隊長斬釘截鐵地說，他正盯著湯姆的雙手。

或者只是湯姆想像他正盯著他的雙手。湯姆已重新戴上了自己的戒指，但是隊長可能察覺出這雙手有些眼熟嗎？湯姆大膽地伸手向前，將香菸在菸灰缸裡捻熄。

「好吧。」隊長起身說。「非常謝謝您的協助，黎普利先生。您是少數幾個願意透露葛林里先生私生活的人。他在蒙吉貝羅認識的那些人，口風都緊得很。義大利人的特性哪！您知道，怕警察嘛。」他咯咯地笑。「希望我們下次有問題要問您的時候，能更方便聯絡上您。多待在城市，少往鄉下跑。當然啦，您要是迷上了我們的鄉村風光，那又另當別論。」

「我是呀！」湯姆熱忱地說。「在我看來，義大利是歐洲最美的國家。不過如果你需要的話，我會與你保持聯絡，你就可以一直知道我的行蹤。我和你一樣非常關心我朋友的下落。」他說得好像他那純真的心已忘記狄奇可能是個謀殺犯似的。

隊長遞給他一張名片，上面印有他的名字與羅馬警局總部的地址。他鞠躬說：「非常謝謝，黎普利先生。晚安！」

「晚安。」湯姆說。

年輕的警員出門時向他敬禮，湯姆朝他點頭致意後關了房門。

他簡直要飛起來了──簡直想張開手臂，像隻鳥似地飛出窗外！這些白痴！事實擺在眼前卻永遠猜不著！永遠猜不著狄奇逃避假簽名的問題乃是因為他一開始就不是狄奇・葛林里本人！只有推測出狄奇・葛林里可能殺了佛雷迪・邁爾斯這點，還算聰明。但狄奇・葛林里死了，掛了，屍體也僵硬了；而他，湯姆・雷普利安全了！他拿起了電話。

「請幫我接豪華飯店。」他以湯姆・雷普利的腔調說著義大利語。「請幫我接餐廳……麻煩您在九點半預留一張一人的桌子好嗎？謝謝，我姓雷普利。雷－普－利。」

今晚他要好好享受一頓晚餐，欣賞月夜下大運河的美景，看著貢多拉載著度蜜月的人兒慵懶地漂來漂去，看船夫與木槳在泛著月光的水面上浮出黑影。他突然胃口大開，他要吃一些高級美味的餐點——不論豪華飯店的招牌菜是什麼，雉胸肉也罷，雞胸肉也好，也許先來一道奶油焗通心粉，再喝一杯上等的義大利紅酒，一邊夢想自己的未來，並計畫今後的方向。

他換衣服時突然靈機一動：他應該有一個指名給他的信封，信封上應該註明數月後再拆閱。信封內應該是狄奇簽了字的遺囑，聲明財產與收入全數遺留給他。現在這個念頭的確可行。

23

親愛的葛林里先生：

我想如果我寫信告訴您有關理察的消息，您應該不會見怪，看來，我似乎是最後見到他的其中一人。

我二月二日左右在羅馬的英吉特拉飯店見過他。您知道，當時佛雷迪・邁爾斯不過才死亡兩、三天而已。我發現狄奇懊惱不安，他說等警方不再針對佛雷迪死亡案對他進行查問時，他要盡快趕往巴勒摩，他似乎急著擺脱這件事。這點我能了解，但是我想告訴您，除了他明顯的不安之外，我更擔心的是這一切造成他某種程度的沮喪。我總覺得他會做出一些激烈的事情——也許是傷害他自己。我也知道他不想再見到他的朋友瑪喬莉・薛伍德，而且他説假如她因為邁爾斯案而從蒙吉貝羅來看他，他會盡量避不見面。我曾試圖説服他和她見一面。我不知道他後來是否見了她。瑪姬很會安慰別人，或許您知道這點。

我想説的是，我覺得理察也許會自殺。我提筆寫這封信時，他依然下落不明。我當然希望您收到這封信之前他已有了消息。無疑的，我確定理察和佛雷迪的死沒有任何直接或間接關係，但我認為這件駭人的消息及後來警方的查問，的確造成他情緒失常。寄給您這麼一封令人沮喪的信，我深感遺憾。或許根本不必寫這封信，狄奇也許（根據他的性情來看，這點我也能理解）只是暫時躲起來等這些不愉快的事情過去。但時間一久，我自己也開始日益感到不安。我認為我有義務寫這封信給您，只是想讓您知道……

湯姆

於威尼斯　二月二十八日　一九——

親愛的湯姆：

謝謝你的來信，你人真好。我已經給了警方書面答覆，其中有個人親自來見我。我不會順道經過威尼斯，但還是謝謝你的邀請。我後天要到羅馬和狄奇的父親碰面，他正搭飛機前來。是的，我同意你寫信給他是個好主意。

這一切擾得我如此心神不寧，而且我患了類似波狀熱或者德國人稱之為「燥熱風病」的病症，總之是病毒感染，四天無法下床，否則我現在早已到羅馬去了。所以請你原諒我這封信雜亂無章甚或是不知所云，和你親切的來信相較之下，我這封回信奇糟無比。但我還是要說，我根本不同意你提出狄奇也許已經自殺的看法。他不是那種人，雖然我知道你會說有些人表裡不一等等的。不，狄奇絕不可能自殺。他可能在那不勒斯的某條暗巷遭人謀殺，甚或在羅馬慘遭毒手，因為誰也不知道他離開西西里之後是否去了羅馬。我也可以想像他為了逃避這些責任而躲藏起來，我認為他現在正是如此。

我很高興你認為假簽名是項錯誤，我是指銀行的錯誤，我也這麼認為。自去年十一月以來，狄奇改變了許多，也很可能因此改變筆跡。希望你收到這封信之前，事情已有些眉目。我收到葛林里先生的電報説他要來羅馬，所以我必須保存我所有的體力來見他。

最後，很高興能得知你的地址，也再次謝謝你的來信、忠告與邀請。

祝　好

瑪姬

於慕尼黑　三月三日　一九──

附註：我還沒告訴你我的好消息。有位出版商對我的《蒙吉貝羅》有興趣！他説他要先看完整部手稿才能與我簽約，但聽起來真的蠻有希望！但願我能完成這可惡的東西！

湯姆猜想，她決定與他和平相處了。她大概在警方面前談起他時也改變了語氣。

狄奇的失蹤引起了義大利媒體極大興趣。瑪姬，或者某個人，提供了記者一些照片。《時代週刊》登了狄奇在蒙吉貝羅駕船的照片，《今日週刊》則登了狄奇坐在蒙吉貝羅海灘及在吉歐吉歐之家露台上的照片，還有一張狄奇與瑪姬（報導中說她是失蹤的狄奇與遭謀殺的佛雷迪二人的女友）面露微笑、勾肩搭背的照片，甚至還出現了一張赫伯特．葛林里一世的正式照片。湯姆從報紙上得知瑪姬在慕尼黑的地址。《今日週刊》兩週以來連載了狄奇的故事，形容他在學生時代

「很叛逆」，並誇大他在美國的社交生活，以及他來到歐洲追求藝術的過程，幾乎將他描述成埃羅爾・弗林*與保羅・高更的化身。這些以照片為主的週刊總是報導說那是警方最新的調查報告（其實警方根本毫無所獲），再湊上記者該星期隨興虛構的推論。最熱門的一項推論是，他和另一名女孩私奔——這個女孩可能簽了他的匯款收據——目前正隱姓埋名在大溪地、南美洲或墨西哥過快活日子。羅馬、那不勒斯與巴黎警方仍繼續進行聯合搜尋行動，僅止於此。殺佛雷迪・邁爾斯的凶手依然線索全無，至於有人看見狄奇・葛林里在狄奇家門前扛著佛雷迪・邁爾斯，或者後者扛前者之事，報導中隻字未提。湯姆不明白報章雜誌為何不報導這些事。或許因為他們寫這種報導便難逃狄奇控告他們誹謗。湯姆很滿意媒體形容他是失蹤的狄奇・葛林里「一位忠誠的朋友」，說他自願就其所知說出狄奇的個性與習慣，而且也與其他人一樣對狄奇的失蹤感到茫然。「雷普利先生，旅居義大利的小康美國青年，」《今日週刊》表示，「目前正住在威尼斯一座俯瞰聖馬可廣場的皇宮。」最讓湯姆開心的就是這一段文字，他將這一段報導剪下來。

湯姆以前從未想過他的住處是「皇宮」，但它當然是義大利人所謂的皇宮——一棟屋齡超過兩百年的兩層樓房，設計傳統古老，大門正對大運河，只能搭乘貢多拉才到得了，寬廣的石階直下水面，鐵門需要一把二十公分長的鑰匙才能開啟，此外，鐵門之後的房間也配了把大鑰匙。湯姆通常使用位於聖史畢迪安小徑上的「後門」，除非他想以貢多拉載賓客到他家讓賓客讚嘆時，

* 埃羅爾・弗林（Errol Flynn, 1909-1959），澳洲電影演員、編劇、導演。

才走正門。後門——本身有四公尺，像是阻隔房子與大街的一道石牆——通往一座荒廢卻仍綠意盎然的花園，花園裡有兩株交相糾結的橄欖樹，與一個由古老的男童裸身塑像捧著一個寬淺的盆子而做成的鳥浴池。這正是威尼斯皇宮的花園，有些破舊，需要整修卻無人整修，但美麗依舊，因為它兩百多年來一直如此美麗。房子內部是湯姆理想中的單身貴族之家，至少在威尼斯應該是如此：樓下黑白交錯、棋盤式的大理石地板由通道延伸至每個房間，樓上鋪的則是粉白的大理石地板，家具根本不像家具，而是黑管、簫與中提琴合奏出來的音樂化身。他有僕人，安娜與伍戈，一對以前曾為一名旅居威尼斯的美國人工作過的年輕義大利夫婦，所以他們知道血腥瑪麗和冰奶油薄荷酒之間的差別。他們會將雕花的壁櫥、櫃子與椅子擦拭得晶晶亮亮，讓這些家具在昏黃的燈光照射下栩栩如生，彷彿隨著經過的人移動。屋內唯一有點現代感的是臥室，湯姆的臥室有一張大床，寬度超過長度。湯姆在臥室掛了一連串他從古董店找來的一五四〇至一八八〇年左右的那不勒斯風景畫。他花了一個多星期心無旁騖地裝飾屋子。現在他對自己的品味充滿自信，他在羅馬從來沒有這種感覺，羅馬那間屋子也未曾激發他，現在他各方面都自信多了。

他的自信甚至促使他以一種冷靜、親暱且低聲下氣的口氣寫信給朵蒂姑媽，他以前從來不想用或根本用不來這種語調。他詢問她的健康狀況（她一向健康得很），問候她在波士頓那一小撮尖酸刻薄的朋友，並向她解說他喜歡歐洲的原因，而且打算在歐洲住一陣子。他解說得如此動人，於是情不自禁地抄下這段文字放進書桌裡。這封信是某天早上他吃過早餐，穿著在威尼斯訂做的新絲質睡袍坐在臥室，一邊盯著窗外的大運河及對岸聖馬可廣場的鐘樓一邊寫成的。寫完信後他喝了些咖啡，接著用狄奇的赫姆斯牌打字機打狄奇的遺囑，將狄奇的收入與他在各家銀行的存款遺贈給他，並在遺囑上簽了赫伯特・理察・葛林里二世的簽名。湯姆認為不加上見證人比較妥當，以免銀行或葛林里先生屆時堅持要知道見證人的真面目，雖然湯姆曾考慮捏造一個義大利人名，假裝是狄奇在羅馬時找來見證遺囑的人。他想，他不得不以一份未經見證的遺囑做賭注，而狄奇的打字機急需修理，打出來的字體看起來像是一眼便能認出的特殊筆跡，他聽說親筆寫的遺囑不需見證人。不過簽名倒是完美，和狄奇護照上細長、龍飛鳳舞的簽名一模一樣。簽遺囑之前，湯姆練習了半個鐘頭，稍微歇手，隨即簽在一張小紙片上，再簽遺囑，迅速一舉成功。他歡迎任何人來挑戰證明遺囑上的簽名非狄奇的親筆簽名。湯姆放了一只信封在打字機上，打上「敬啟者」幾個字，並備註今年六月方能拆閱。他將信封塞進旅行箱的邊袋內，彷彿他將它擱在那裡已有一段時間，而且搬進這棟房子時也懶得把它拿出來。然後他提著這台赫姆斯打字機走下樓，連盒子帶機身將它丟進一條窄得容不下船的運河小支流，這條小支流從他的正面屋角流向花園圍牆。他很高興能丟掉這台打字機，雖然截至目前為止，他一直不想與它分開。他想，他一定是潛意識裡知道他會寫這封遺囑或其他十分重要的文件，所以才一直保留著這台打字機。

湯姆以身為狄奇與佛雷迪二人的朋友該有的關心程度，來看義大利報紙與巴黎版《前鋒論壇報》上葛林里與邁爾斯案的相關報導。報紙三月底表示狄奇可能已經死亡，可能遭模仿他簽名而獲利的同一人或一群人謀殺。羅馬一家報紙表示，那不勒斯一名專家認為，從巴勒摩發出那封陳述沒有假簽名事實的信件上的簽名，也是假的。然而，其他報紙並未持相同論調。某位警界人士——不是羅維里尼——認為犯人或犯人們和葛林里很「親密」，所以才能將銀行的信件弄到手，並進一步大膽回信。「疑點是，」報紙引述這位警官的話說，「不單是模仿簽名的人是誰，而是他到底如何弄到信件，因為飯店的小廝分明記得他將銀行的掛號信交到葛林里的手中。飯店小廝也記得葛林里在巴勒摩時總是孤單一人……」

不停地繞著答案打轉，卻從來找不出答案。但湯姆讀了這段報導之後，依然震驚了數分鐘。他們只差一步便能查明真相，難道今天、明天或者後天都沒人會跨出這一步嗎？或者其實他們已經知道答案，只是暫時設法任他逍遙——羅維里尼隊長每隔數天傳一次消息給他，讓他獲悉搜尋狄奇的工作進展——等到證據確鑿之後立即找一天逮捕他歸案？

湯姆因此覺得遭人跟蹤，尤其是他行經通往他家門前那條長長的窄巷時，感覺更為強烈。聖史畢迪安小徑不過是兩道高牆之間的窄巷，巷內一家商店也沒有，燈光少得讓人看不清方向，有的只是成排的高牆與深鎖的大門。萬一他遭人攻擊，簡直無處可逃，無門可躲。湯姆不知道誰會攻擊他，他不認為警方會下手，他怕的是如復仇女神般盤旋他腦海那無名無形的東西。他只有在幾杯酒下肚壯膽後，才能自在地行經聖史畢迪安小徑，並且一路吹著口哨昂首闊步向前行。

他選擇性地參加雞尾酒會，雖然他搬進新居的前兩週只參加了兩次，對於來往的人也有所篩選，因為他開始找房子的頭一天發生了一件小意外。一名房屋仲介商拿了三把大鑰匙帶他到聖史蒂芬諾教區看房子，心想應該是空屋，結果屋裡不僅有人，而且還正在舉行雞尾酒會，女主人堅持要湯姆與房屋仲介商喝一杯酒，以彌補她的疏失造成他們不便。她一個月前打算出租這棟房子，後來改變主意，也忘了通知房屋仲介公司。湯姆當時留下來喝了一杯，露出他緘默、彬彬有禮的本性，會見了在場所有賓客，他猜想這些人泰半是來威尼斯過冬，而且從他們歡迎他的方式及熱心協助他找房子的態度看來，他們相當渴望新血加入。當然，他們認出了他的大名，而他認識狄奇．葛林里，也讓他的社會地位提高至自己也感到受寵若驚的程度。顯然他們準備邀請他四處參加派對，然後打破沙鍋問到底地探聽消息，以為他們枯躁的生活添加情趣。湯姆表現出緘默卻友善的態度，一切恰如其分——一個不習慣大場面的敏感青年，對狄奇的遭遇焦慮不安。

他離開派對時帶走了三棟房子的地址（後來他租了其中一棟）和另外兩個派對的邀請。他參加的第二個派對的女主人有個頭銜，蘿貝塔（蒂蒂）．拉塔．卡西亞格拉女伯爵。他根本沒有心情參加派對，在那種場合彷彿霧裡看人，溝通艱澀。他時常要求別人重複一遍同樣的話語。他感到非常無趣。不過他倒是可以利用他們，他想，利用他們來練習一番。他們問他的那些幼稚問題（「狄奇喝很多酒嗎？」或者「可是他愛瑪姬吧？」及「你認為他到底去了哪裡？」），倒不失為演練與葛林里先生對答的好方式，如果他有機會見到他。收到瑪姬的來信十天後，湯姆開始不安，因為葛林里先生並未從羅馬寫信或撥電話給他。某些時刻，湯姆會驚恐地假想警方告訴葛林里先生說他們正在和湯姆．雷普利玩遊戲，並要求葛林里先生別告訴他這回事。

每天他都急切地查看信箱中是否有瑪姬或者葛林里先生的來信。他的屋子隨時準備歡迎他們到來，他腦中也備好了一套回答他們問題的答案。此刻像是表演開始、布幕升起前的漫長等待。或許葛林里先生恨透了他（更別提他其實可能已懷疑他），所以打算對他不理不睬；也許是瑪姬在一旁煽風點火。總之，某件事發生之前，他無法出門旅行。湯姆想去旅行，去鼎鼎有名的希臘。他買了一本希臘旅遊指南，也已計畫了行程。

接著，四月四日早晨，他接到瑪姬打來的電話。她人在威尼斯火車站。

「我去接你！」湯姆開心地說。「葛林里先生和你在一起嗎？」

「沒有，他人在羅馬，只有我一個。你不必來接我，我只有一件隨身的袋子。」

「別客氣！」湯姆說，拚命想做點什麼。「你一個人絕對找不到這裡。」

「會，我找得到，就在沙盧特教堂旁邊，對嗎？我會先搭開往聖馬可廣場的馬達船，然後再搭貢多拉。」

她的確知道方向，好吧。「那，好吧，如果你堅持的話。」他突然想到在她來之前最好再好好巡視一下房子。「你吃過午餐了沒？」

「還沒。」

「太好了！我們找個地方一起吃。走上馬達船時小心別摔倒喔！」

兩人掛了電話。他沉著地在屋內慢慢走來走去，走上二樓兩間大房間，再走下樓到客廳。沒有一點屬於狄奇的物品。他希望這棟房子看起來不會太豪華。他拿起客廳桌上一個他兩天前才買來並刻上姓名縮寫的銀製菸盒，將它放進餐廳一個櫃子的最下層抽屜。

安娜正在廚房準備午餐。

「安娜，午餐會多出一個人吃飯，」湯姆說。「是個年輕的小姐。」

一聽見有客人要來，安娜露出微笑。「一位美國小姐嗎？」

「是的，是個老朋友。午餐準備好之後，你和伍戈下午就休息去吧，我們可以自行用餐。」

「好的。」安娜說。

平常，安娜與伍戈從十點待到下午兩點。湯姆不希望他和瑪姬談話時有他們在場，他們略懂一點英文，雖然不至於完全聽得懂會話，但他知道萬一他和瑪姬談起狄奇，他們一定會豎起耳朵偷聽，這點讓湯姆不舒服。

湯姆調了些馬丁尼，並在客廳擺了一些酒杯和一盤下酒的小點心。聽見敲門聲，他走到門口開門。

「瑪姬！見到你真好！請進！」他從她手中接過袋子。

「你好嗎？湯姆。天啊！這全都是你的嗎？」她看看四周，再抬頭看看又高又華麗的天花板。

「我租的，租金很便宜。」湯姆客氣地說。「來這兒喝一杯，告訴我新消息。你在羅馬和警方談過了嗎？」他將她的外套和風衣放到一把椅子上。

「是的，也和葛林里先生談過了，他非常苦惱——這是人之常情。」她在沙發上坐下。

湯姆坐進她對面的一把椅子。「他們發現了什麼新線索嗎？羅馬一名警官一直不斷與我聯繫，可是他沒告訴我什麼大事。」

「嗯，他們發現狄奇離開巴勒摩之前，兌現了價值一千美元的旅行支票，就在他離開前不久！所以他一定是帶著這筆錢到某個地方去了，希臘或非洲吧。反正，他不可能在剛兌了錢之後就自殺。」

「不可能，」湯姆同意道。「嗯，這點聽起來很有希望。我在報上沒看到這種論調。」

「我想報紙沒寫。」

「是沒有，只寫一堆狄奇在蒙吉貝羅吃早餐等等無聊的東西。」湯姆邊倒馬丁尼邊說。

「簡直是糟糕透了！不過目前好了些，葛林里先生來的時候，報紙報導得真是糟到極點。哦，謝謝！」她感激地接下馬丁尼。

「他好嗎？」湯姆問。

瑪姬搖頭。「我真同情他。他一直說美國警方一定比較高明，又說他一句義大利文也不通，所以情況加倍的糟。」

「他在羅馬幹嘛？」

「等啊！我們能怎麼辦？我又延了船期——葛林里先生和我到蒙吉貝羅走了一趟，我向那裡的每一個人打聽消息，當然，大部分是幫葛林里先生問的，可是沒有人可以告訴我們任何事。狄奇十一月之後就沒回去過。」

「沒有。」湯姆若有所思地啜著馬丁尼。瑪姬很樂觀，他看得出來。事到如今她還有女童軍般的青春活力，而且一副占住空間且動作粗野而隨時可能撞倒某件物品的樣子，身體健壯又不太愛乾淨。她突然讓湯姆渾身不舒服，但他卻站起來拍拍她肩膀，並親切地在她臉頰上吻了一下。

「也許此刻他正在坦吉爾或其他地方過著黎里*般的生活，同時等待這一切結束。」

「嗯，如果他這麼做的話也實在太不體貼了！」瑪姬笑著說。

「我針對他的沮喪程度所下的推論，當然不是故意要嚇唬任何人。我只是覺得有義務告訴你和葛林里先生。」

「我了解。我認為你告訴我們是對的，我只是不認為它是真的。」她咧嘴而笑，眼睛閃爍著樂觀，令湯姆覺得十分荒唐。

他開始問她有關羅馬警方的看法、他們有何進展（他們一點進展也稱不上）及她聽到的邁爾斯案相關消息等等敏感又實際的問題。邁爾斯案也沒什麼新發展，但瑪姬的確知道有人當天晚上八點在狄奇門前看見佛雷迪與狄奇二人。她認為報導太誇張了。

「也許佛雷迪醉了，或者說不定狄奇只是搭著他肩膀。黑暗中誰能看清楚？別跟我說狄奇謀殺了他！」

「他們握有確切的線索顯示狄奇殺了他嗎？」

「當然沒有！」

「那麼這些人為什麼不著手找出真正的凶手？同時也查出狄奇的下落？」

「就是啊！」瑪姬強調。「反正，警方目前確定狄奇至少從巴勒摩到過那不勒斯。一名船服

*黎里（James Whitcomb Riley），美國詩人，人生閱歷豐富，素有「平民詩人」之稱。

員記得幫他從艙房提行李到那不勒斯碼頭。」
「真的啊？」湯姆說。他也記得那個船服員，是個笨手笨腳的小笨蛋，想一手夾著他的帆布旅行箱，結果卻讓旅行箱掉在地上。
「佛雷迪不是在離開狄奇家數小時之後被殺的嗎？」湯姆突然問道。
「不是，法醫也無法確定。看來狄奇似乎沒有不在場證明，當然啦，因為他鐵定是一個人。這只能算狄奇倒楣。」
「他們不是真的相信狄奇殺了他吧？」
「他們沒這麼說，沒有。只是謠傳。一般說來，他們不能隨隨便便發表一個與美國公民有關的聲明，不過只要他們找不到任何嫌犯，而且狄奇消失無蹤——接著又是他在羅馬的女房東說，佛雷迪下樓來問她誰住在狄奇房子之類的問題。她說佛雷迪看起來很生氣，好像他們吵了一架似的。她還說佛雷迪問她狄奇是不是一個人住。」
湯姆皺著眉頭。「為什麼呢？」
「我無法想像。佛雷迪的義大利文可不是那麼好，說不定女房東誤會他的意思。總之，單是佛雷迪看起來很生氣這件事，似乎就對狄奇不利。」
湯姆揚了揚眉毛。「我認為是對佛雷迪不利，也許狄奇根本沒生氣。」他覺得十分鎮靜，因為他看得出來瑪姬並未嗅出疑點。「除非出現某項確切的事實，否則我不擔心。聽起來沒什麼大不了的。」他替她再斟滿酒。「說到非洲，他們到過坦吉爾附近調查嗎？狄奇以前常說要去坦吉爾。」

「我想他們通知了各地的警方加強警戒。我想他們應該請法國警方下來，法國人處理這類事情的功力可是一流的。可是他們當然無法請法國人來，這裡可是義大利。」她首次語音顫抖地說道。

「我們在這裡吃中飯好嗎？」湯姆問。「我請佣人就是來做中飯的，我們最好利用一下。」他說這句話時，安娜正好進門宣布午餐準備好了。

「太棒了！」瑪姬說。「反正，外面正下著毛毛雨。」

「午飯準備好了，先生。」安娜盯著瑪姬笑著說。

湯姆看得出來安娜在報上見過她的照片。「安娜，你和伍戈想走的話可以走了，謝謝。」

安娜走回廚房——廚房有一扇通往屋子旁邊一條小巷子的門，佣人專用——但湯姆聽見她在煮咖啡，顯然是在拖延時間以便再看他們一眼。

「伍戈呢？」瑪姬說。「兩個佣人，不少嘛！」

「哦，他們兩個一起來應徵的。你可能不相信，不過我這裡租金一個月五十美元，暖氣費不算。」

「我不相信！簡直和蒙吉貝羅的租金差不多！」

「是真的。當然，暖氣很棒，可是我只打算在臥室開暖氣，其他房間不開。」

「這裡真的很舒服。」

「哦，我是為了你把暖爐全打開的。」湯姆笑著說。

「發生什麼事了嗎？你的一位姑媽死了而且留下一筆可觀的遺產給你嗎？」瑪姬仍然假裝不解地問道。

「不是，只是我自己的一項決定。我要享受手邊擁有的東西。我在羅馬對你提過的那份工作沒有下文，而此刻我人在歐洲，名下只有兩千美元，於是我決定花完然後回家——破產——東山再起。」湯姆曾在信上向她解釋，他應徵的那份工作，是替美國一家公司在歐洲銷售助聽器，他應付不來，而且面試他的那個人也不認為他是合適的人選。湯姆也告訴她說，他和她說完話後一分鐘那人就出現了，所以他那天在羅馬才無法去安傑洛的店赴她的約。

「以你這種開銷，兩千美元撐不久。」

湯姆知道，她是在試探狄奇是否給了他任何東西。「可以撐到夏天。」湯姆煞有其事地說。

「總之，我覺得這是我應得的。我整個冬天大都窮得像個吉普賽人似的在義大利四處晃蕩，我已經受夠了。」

「這個冬天你在哪裡？」

「嗯，沒和湯姆在一起——我是說，沒和狄奇在一起。」他笑著說，對自己說溜了嘴也感到緊張。「我知道你大概以為我和他在一起。其實我和狄奇相見的次數與你差不多。」

「哦，少來了。」瑪姬慢吞吞地說，聽起來像是酒精起了作用。

湯姆再調了兩、三杯馬丁尼倒進水罐裡。「除了那次去坎城，以及二月在羅馬的那兩天之外，我根本沒和狄奇碰面。」其實這項說法不太對，因為他曾寫信告訴她說，坎城之旅過後，「湯姆留下來」陪狄奇在羅馬待了數天；可是現在當著瑪姬的面，他發現自己羞於讓她知道或認為他和狄奇在一起這麼久，他和狄奇的關係可能正應了她在信中對狄奇的指控。他替二人倒酒時咬了一下舌頭，恨自己懦弱。

午餐期間——湯姆非常懊悔主菜是冷掉的烤牛肉，牛肉在義大利市場可是貴得嚇人——瑪姬比任何一位警官都來得精確地詢問狄奇在羅馬時的心理狀態。瑪姬一口咬定他從坎城回來後，與狄奇在羅馬待了十天，還問了一堆大大小小的事情，從與狄奇一起畫畫的狄馬西默問到狄奇的食慾及早晨起床的時間。

「你認為他對我的感覺如何？老實告訴我，我承受得了。」

「我想他很擔心你。」湯姆誠摯地說。「我想——嗯，這種情況常見，一個男人害怕婚姻開始——」

「可是我從來沒要求他娶我啊！」瑪姬抗議道。

「我知道，可是——」湯姆強迫自己繼續說下去，雖然這個話題酸溜溜的。「也許他承受不了你這麼關心他。我想他希望和你維持一種比較輕鬆自在的關係。」他告訴了她一切，卻也答非所問。

瑪姬若有所失地盯了他一會兒，隨即勇敢地強振精神說：「唉，那些都是過去式了，我現在只關心狄奇的動向。」

湯姆想，她氣他整個冬天都和狄奇在一起這件事，也成為過去式，因為她一開始就不願相信，如今她更不必相信。湯姆戰戰兢兢地問：「他在巴勒摩的時候沒寫信給你嗎？」

瑪姬搖頭。「沒有。為什麼這樣問？」

「我想知道你認為他當時的心情怎麼樣。你有寫信給他嗎？」

她遲疑了一會。「有——事實上，我有寫。」

「是怎麼樣的一封信呢？我這麼問，只是因為一封不友善的信在當時極可能對他有很糟的影響。」

「哦，很難說是哪一種信！應該是封很友善的信。我告訴他我準備回美國。」她睜大眼睛看著他。

湯姆愉快地看著她的臉，看著她說謊時那副侷促不安的樣子。她說的正是那一封卑鄙的信，她當時在信上說，她告訴警方他和狄奇總是黏在一塊。「那我想應該沒什麼大礙了。」湯姆和顏悅色溫柔地說，一邊坐回椅子。

兩人沉默了一陣，隨後湯姆問起她書的進展狀況，出版商是誰，她還剩多少工作。瑪姬熱心地回答每個問題。湯姆覺得如果狄奇回到她身邊，而且她明年冬天也出了書，她八成因此樂歪了，而且會順口發出一聲響亮又不雅的「吧嚕！」，那麼她就徹底完了。

「你認為我也應該與葛林里先生談談嗎？」湯姆問。「我很樂意到羅馬去——」他想起屆時他可能不大樂意，因為羅馬有太多的人認為他是狄奇・葛林里。「或者你想他願意來這裡嗎？他可以睡我這裡。他在羅馬住哪裡？」

「他住在一些美國朋友的家，那是一間很大的房子。十一月四號街上，一個叫諾薩普的人。我會把地址寫給你。」

「這個主意不錯。他不喜歡我吧？」

瑪姬微微笑了笑。「嗯，坦白說，不喜歡。平心而論，我認為他對你有些嚴苛，他大概認為你在狄奇身上揩油。」

「唉，我沒有。我很遺憾沒能說服狄奇回家，可是我已經解釋了一切。當我聽到他失蹤時，我還竭盡所能地針對狄奇的事情寫了一封和善無比的信給他。難道那封信一點幫助也沒有嗎？」

「我想是有幫助，可是——哦，非常抱歉，湯姆！灑在這麼漂亮的桌巾上！」瑪姬打翻了她的馬丁尼，她用餐巾笨手笨腳地擦拭針織桌巾。

湯姆從廚房拿了一條濕布跑回來。「沒什麼關係。」他說著，同時瞪著儘管自己盡力擦拭，還是漸漸轉為白色的桌面。他在乎的不是桌巾，而是漂亮的木桌。

「對不起。」瑪姬繼續鄭重道歉。

湯姆恨透她了。他突然記起他曾看見她的胸罩吊在蒙吉貝羅的窗台上。假如他請她住下來，今晚她的內衣一定會掛在他的椅子上。一想到這點，他就不舒服。他刻意隔著桌子對她投以微笑。「我希望你肯賞光，今晚住我這裡。不是跟我睡。」他笑著加上一句。「我樓上有兩個房間，歡迎你睡其中一間。」

「非常謝謝。好吧，我就住下來。」她面露喜色地對他說。

湯姆將她安頓在自己的房間。另一間房裡的床只是一張特大號的沙發，不若他的雙人床舒服。吃過中餐後，瑪姬關上房門睡午覺。湯姆不安地在屋內走來走去，心想他的房間內是否有任何該移走的東西。狄奇的護照放在衣櫥內一只旅行箱的襯裡中，他回想著，不過護照和狄奇的其他東西現在是放在威尼斯才對。他什麼都想不出來了。

後來，他帶領瑪姬在屋內四處參觀，帶她到他臥室隔壁的房間內參觀一堆精裝書本，他說這些書原來就擺在屋內，其實是他自己在羅馬、巴勒摩和威尼斯買的。他發覺他在羅馬時約有十本書，當時和羅維里尼一起出現的那名年輕警員還彎下身來看，顯然在查看書名。但他想，即使同一位警員再來，也沒什麼好擔心。他帶瑪姬走到正門入口，參觀寬廣的石階。河水退了些，露出四級石階，底下兩級布滿一層厚濕的青苔。青苔滑溜溜的長長一撮，像一叢暗綠色的亂髮垂在石階邊緣。石階不討湯姆喜歡，但瑪姬卻認為石階非常浪漫。她彎下身來，凝視深深的運河。湯姆有股推她下水的衝動。

「我們今天晚上搭貢多拉回來這裡好嗎？」她開口問。

「好啊。」當然，他們今晚會出去吃晚餐。湯姆害怕即將來臨的漫長義大利夜晚，因為他們可能十點才吃晚餐，接著她大概想在聖馬可廣場喝咖啡喝到凌晨兩點。

湯姆抬頭看著朦朧陰霾的威尼斯天空，一隻海鷗飛下來停在運河對岸某戶人家門前的石階上。他正考慮該撥電話給哪一位威尼斯新知，問他是否能在五點左右帶瑪姬過去喝一杯。當然，他們一定全都很高興見到她。他最後決定聯絡英國人彼德・史密斯－金斯利。彼德家裡有一隻阿富汗犬、一架鋼琴和一個設備齊全的吧台。湯姆認為彼德是最佳人選，因為彼德從來不攆客人。他們可以在那裡一直待到晚餐時間。

24

湯姆在七點左右從彼德・史密斯—金斯利家撥電話給葛林里先生。葛林里先生的口氣聽起來比湯姆預期的友善多了，他迫切想從湯姆那兒得知每一丁點有關狄奇的消息。彼德、瑪姬與法蘭契提兄弟——湯姆最近遇見的一對來自的港的迷人兄弟檔——都待在隔壁的房間，幾乎能聽見他說的一字一句，因此湯姆覺得自己的表現一定比在四下無人時來得好。

「我知道的全都告訴瑪姬了，」他說。「所以我忘記的任何事，她都可以說給您聽。我只是很遺憾自己無法提供一些真正重要的線索讓警方追查。」

「這些警察！」葛林里先生粗聲地說。「我開始認為理察已經死了，義大利警方因為某種緣故不願意承認他或許已經死了。他們做起事來可真像業餘的——或者是一群假扮偵探的老太太。」

葛林里先生直言不諱狄奇或許已經身亡，讓湯姆十分震驚。「您認為狄奇可能自殺了，葛林里先生？」湯姆平靜地問。

葛林里先生嘆了口氣。「我不曉得，我認為有此可能，是的。我向來認為我兒子的情緒不很穩定，湯姆。」

「恐怕我的看法與您一致，」湯姆說。「您要和瑪姬說話嗎？她在隔壁的房間。」
「不，不用，謝謝。她什麼時候會回來？」
「她說過明天要回羅馬。如果您想來威尼斯稍事休息的話，葛林里先生，我非常歡迎您來寒舍留宿。」
但是葛林里先生婉拒了這項邀請。不必再力勸了，湯姆明白。這就像是在給自己找麻煩，而且會欲罷不能。葛林里先生謝謝他撥電話來，並非常有禮貌地道了聲晚安。
湯姆回到另一間房間。「羅馬沒傳來什麼新消息。」他失望地對大伙兒說。
「哦。」彼德一臉失望。
「這是電話費，彼德，」湯姆說，同時在鋼琴上放了一千兩百里拉。「多謝啦。」
「我有個想法，」彼特洛・法蘭契提用他的英國腔英語說道。「狄奇・葛林里與一名那不勒斯漁民或者一名羅馬菸販交換護照，如此他才能過他一直想過的平靜生活。碰巧持有狄奇・葛林里護照的人並不如其自認的是個假簽名高手，於是他必須突然消失。警方應該找出一個拿不出正確身分證明的人，並查出他的真實姓名，然後再尋找使用此姓名的人，那個人就是狄奇・葛林里！」
每個人都笑了，而湯姆的笑聲最大。
「這個邏輯的問題是，」湯姆說，「許多認識狄奇的人都曾在一月及二月見過他。」
「誰見過？」彼特洛突然用義大利式的挑釁口吻插嘴說，但換成了英語卻讓人加倍厭惡。

「嗯，我，我是其中一個。反正，我接下來要說的是，根據銀行的說法，假簽名從十二月開始。」

「這仍是個不錯的邏輯，」躺在彼德的長沙發上、十分愉快地喝著第三杯酒的瑪姬吱喳說道。「一個非常狄奇式的邏輯。他可能在離開巴勒摩之後就是這麼做，就在發生了銀行假簽名事件之後。我一點也不相信那些是假簽名，我認為狄奇變了很多，連筆跡也變了。」

「我也這麼認為。」湯姆說。「無論如何，銀行並未一致認為所有的簽名都是假的。美國方面發現疑點，而那不勒斯順勢贊成美國方面的說法。如果美國沒告訴他們簽名是偽造的，那不勒斯永遠也不會留意。」

「不曉得今天晚上的報紙報導些什麼？」彼德輕快地問，並穿上他原來可能穿著不舒服而脫了一半的鞋子，那鞋子看來跟拖鞋沒兩樣。「要我出去買嗎？」

但是法蘭契提兄弟中的一個自願跑腿，隨即衝出房間。羅倫佐．法蘭契提穿著一件有刺繡圖案的粉紅色背心（正宗英國製）及一件英國製的外套、一雙英國製的厚底皮鞋，他弟弟的穿著也大同小異。彼德，相反的，從頭到腳穿的都是義大利貨。湯姆在派對或戲院中發現一點：假如一個男人穿著英國品牌，他一定是義大利人；反之，穿著義大利品牌的人準是英國人。

羅倫佐買了報紙回來時，又來了一些人——兩名義大利人與兩名美國人。大家相互傳閱報紙，針對今日的消息討論不已，彼此交換更多愚蠢的推測，津津樂道某件傳聞：狄奇在蒙吉貝羅的房子被人以原來定價的兩倍賣給了一名美國人，錢暫時由那不勒斯一家銀行保管，直到葛林里親自去領取。

同一份報紙刊登了一格漫畫，漫畫中的男子跪下來探頭往桌底下望。他的妻子問他：「在找領釦嗎？」而他的回答是：「不是，我在找狄奇．葛林里。」

湯姆聽說羅馬音樂廳也開始以短曲的表現方式找尋狄奇。

剛進門的一名美國人，叫魯迪什麼的，邀請湯姆與瑪姬隔天到他的飯店參加雞尾酒會。湯姆正準備婉拒，瑪姬卻說她很樂意參加。湯姆沒料到她明天還會在這裡，因為中餐時她曾提過要離開。湯姆想，參加那個派對必死無疑。魯迪是個穿得一身金光閃閃的大嗓門老粗，自稱是名古董商。湯姆用計讓他和瑪姬離開這間屋子，以免她再繼續接受更多的邀請。

在漫長的五道菜式的晚餐過程中，瑪姬始終處於輕飄飄的微醺狀態，讓湯姆非常火大，但他卻盡最大努力保持和顏悅色——像一隻在電針下掙扎的無助青蛙，他想，她丟球，他便拾起球來拍一陣子。他說了一些「也許狄奇突然在繪畫中找到自我，而且像高更一樣跑到南太平洋的小島去了。」之類的話，這讓他渾身不舒服。接下來瑪姬一定會擺出懶洋洋的手勢編織一幅狄奇與南太平洋群島的美麗幻想；更糟的還在後頭，湯姆想，因為運河之旅都提出來了。如果她將手伸進水裡撥弄，他希望鯊魚咬掉她的雙手。他點了道甜點卻吃不下，可是瑪姬替他吃了。

瑪姬想坐貢多拉，而不想搭乘從聖馬可到聖瑪麗亞教堂一次載十人以上的渡輪式觀光船，所以他們租了一艘貢多拉。此刻是凌晨一點三十分。喝了太多濃縮咖啡，湯姆的口中滿是苦味，心臟像鳥揮著翅膀般陣陣鼓動，他預期自己得到天亮才能睡著。他感到疲憊，幾乎和瑪姬一樣軟弱無力地靠在貢多拉的座椅上，並小心翼翼地避免他的大腿碰到她。瑪姬的精神仍很亢奮，此刻正愉快地自說自話描述威尼斯的日出，顯然她曾在別次的旅行中看過威尼斯的日出。船微微晃動，船夫手中的木槳也規律地滑動，讓湯姆有點想吐。聖馬可船泊站和他家石階之間的一片水域似乎茫茫無際。

石階最上兩級以下全淹入水裡，而水面正好與第三級階梯表面平齊，正以一種令人作嘔的方式沖刷著石階上的青苔。湯姆面無表情地付錢給船夫，來到大門前才發現他沒帶鑰匙。他東張西望，看看是否能找個地方爬進去，但是站在石階上他連窗台也搆不著。他還來不及開口，瑪姬就開始哈哈大笑。

「你沒帶鑰匙！想想看，在急流中被困在門口，還沒有鑰匙！」

湯姆勉強擠出一絲笑容。他為什麼應該想到要帶兩把二十公分長且和左輪槍幾乎一樣重的鑰匙？他轉身喊船夫回來。

「哦！」船夫在水上咯咯笑著。「抱歉，先生，我要回聖馬可！我有約會！」他繼續划著船。

「我們沒有鑰匙！」湯姆用義大利語喊著。

「抱歉，先生！」船夫回答。「叫另一個船夫來吧！」

瑪姬又笑了。「哦，另外一位船夫會來接我們。挺美妙的吧？」

這天的夜色一點也不美。寒冷，並開始下起毛毛細雨。他也許可以招來一架渡輪式貢多拉，但是他沒看見。他只看見一艘汽艇駛向聖馬可碼頭。汽艇幾乎不太可能會繞過來載他們，但湯姆無論如何還是開口對它大喊。燈火通明、乘客滿座的汽艇視若無睹地繼續駛過了橫跨運河的木碼頭。瑪姬雙手抱膝坐在石階最上級，什麼事也沒做。終於，一艘像是漁船之類的汽艇緩緩駛來，船上的人用義大利語說：「被鎖在門外了？」

「我們忘了帶鑰匙！」瑪姬開心地解釋。

但是她不想上那艘船。她說她要坐在石階上等湯姆四處轉一轉，看是否能打開對街的那扇門；但湯姆說或許得花個十五分鐘以上，而且她可能因此著涼，所以她終究上了船。義大利人載他們到最近的聖瑪麗亞教堂的石階上。他拒收任何費用，但卻接受了湯姆未抽完的一包美國菸。不知怎地，那天晚上和瑪姬一起走過聖史畢迪安小徑時，湯姆卻比平常獨自一人走時加倍害怕。當然，瑪姬一點也不受街道的影響，一路上仍說個不停。

25

湯姆隔天早上很早便被敲門聲吵醒，他抓起晨袍下樓。是一則電報，於是他不得不再跑上樓去拿小費給送電報的人。他站在寒冷的客廳中讀電報。

我改變主意，想見汝。
早上十一時四十五到。
赫・葛林里

湯姆顫抖著。嗯，正如他所料，但他實在沒想到他真的會來，他感到害怕。或者只是這個時辰讓他恐懼？此刻天尚未明，客廳看起來灰冷恐怖。「汝」字使這則電報增添如此令人毛骨悚然的古意。通常義大利電報上會出現更滑稽的筆誤，萬一他們打上的署名是「理」或「狄」，而非「赫」時怎麼辦？屆時他會有什麼感覺？

他跑上樓鑽回溫暖的被窩試圖睡回籠覺，但腦中不斷盤想著，瑪姬是否會因為聽到響亮的敲門聲而進來他房裡，或敲他的房門？但他最後認定，她睡得很沉，根本沒聽見。他想像在門口迎接葛林里先生，堅定地與他握手，同時他也設法想像他會提出什麼問題，但他疲憊得思路不清，這讓他感到恐懼難受。他睏得想不出具體的問題與答案，又緊張得睡不著。他想煮咖啡，然後叫醒瑪姬，如此便有談話對象了，但他無法承受走進房間看見她內衣與吊襪帶四處散放的景況，他絕對承受不了。

結果是瑪姬來叫他起床，她說她已經在樓下煮好了咖啡。

「你有什麼看法？」湯姆咧嘴笑著說。「我今天早上收到了葛林里先生的電報，說他中午會來。」

「他要來？你什麼時候收到電報的？」

「今天早上很早的時候。假如我當時不是在做夢的話。」湯姆伸手找出電報。「在這兒。」

瑪姬看了電報。「『想見汝』，」她笑笑地說。「嗯，很好哇。我希望這會對他有點幫助。你要下樓去或者我把咖啡端上來？」

「我下去。」湯姆穿上他的晨袍說。

瑪姬已換上農夫褲與毛衣，黑色棉質農夫褲，剪裁不錯，湯姆猜想是訂做的，因為幾乎和一般的長褲一樣適合她的葫蘆形身材。他們緩緩地喝著咖啡，直到十點安娜與伍戈帶著牛奶、麵包捲與早報來。然後他們又添了咖啡與熱牛奶並坐在客廳。這天早上，報紙也未報導狄奇或邁爾斯案的消息。有時早報是這種情形，然後晚報會再出現一些消息，不過沒有任何值得報導的新聞，只不過是提醒人們狄奇仍然下落不明，而且邁爾斯案也依舊懸而未決。

瑪姬與湯姆十一時四十五分到火車站與葛林里先生碰頭。又下起雨了，而且天冷風大，雨水像冰雹似地打在他們臉上。他們站在火車站前避雨，注視著人們從大門走出來，終於葛林里先生出來了，神情嚴肅，臉色鐵灰。瑪姬衝上前吻了他的臉頰，而他對著她微笑。

「哈囉，湯姆！」他伸出手來熱情地說。「你好嗎？」

「很好，先生，您呢？」

葛林里先生只帶了一只小型旅行箱，湯姆說他來提便綽綽有餘，但葛林里先生仍僱了一名腳夫提著它，而且腳夫還和他們一起搭汽艇。湯姆提議他們直接到他家去，但葛林里先生想先在飯店安頓下來，他堅持這麼做。

「我登記好了以後會盡快趕過來。我想我會去住葛里提，葛里提靠近你住的地方嗎？」葛林里先生問。

「不怎麼近，但是您可以走到聖馬可再搭貢多拉過來。」湯姆說。「如果您只是要登記住宿而已，那我們陪您一起去。我想我們大家可以一塊兒吃中餐——除非您想與瑪姬單獨談一陣子。」他又成了原來那個毫無自我的雷普利。

「來這裡主要是找你談！」葛林里先生說。

「有任何消息嗎？」瑪姬問。

葛林里先生搖頭。他焦慮不安、心不在焉地望向汽艇窗外，彷彿這城市的陌生迫使他不得不好好看看窗外景致，不過顯然沒什麼令他印象深刻的。他未回答湯姆提起的中餐之事。湯姆雙臂交叉，帶著一臉愉悅的表情，不再多說話。汽艇的引擎聲隆隆地響。葛林里先生和瑪姬閒話家常地談起他們在羅馬認識的一些人。湯姆斷定瑪姬與葛林里先生相處融洽，雖然瑪姬說她是在羅馬和他見面後才認識他的。

他們到一家介於葛里提與黎亞多之間的中級餐廳用餐，這家餐廳的招牌菜是海鮮料理，裡面一個長檯上總是擺了各式各樣的生鮮食品。其中一個盤子裡放了一堆狄奇最愛吃的小章魚。他們經過時，湯姆對著那些盤子點著頭對瑪姬說：「可惜狄奇沒來這裡吃一些。」

瑪姬愉快地笑著。只要有吃的，她總是心情很好。

葛林里先生在中餐期間稍微多說了些話，但他仍然表情嚴肅，而且說話時不時左顧右盼，彷彿希望狄奇隨時會走過來似的。不，警方找不出一件可稱得上線索的事情，他說，而他才剛安排了一位美國私家偵探過來弄清這團疑雲。

這點讓湯姆陷入沉思，他也潛藏著懷疑或者幻覺，認為或許美國私家偵探比義大利警方高竿；但他隨即覺得請來偵探也無濟於事，而顯然瑪姬也正在深思這個問題，因為她突然一臉茫然。

「那也許是個很好的辦法。」湯姆說。

「你認為義大利警方行嗎？」葛林里先生問他。

「嗯——說真的，我是這麼認為，」湯姆回答。「而且還有項好處是，他們說義大利語，可以四處追查各種嫌犯。我猜您派來的人會說義大利語吧？」

「我真的不知道，我不知道。」葛林里先生慌亂地說，彷彿他突然明白他應該要求這項條件卻未要求似的。「那個人叫麥凱隆，聽說他很厲害。」

湯姆想，他八成不會說義大利語。「他什麼時候會來？」

「明天或後天。如果他明天來了，我要去羅馬和他碰頭。」葛林里先生吃飽了，盤中的乾奶酪小牛肉還剩很多。

「湯姆家好漂亮啊！」瑪姬說，並開始吃起她那七層夾心甜酒蛋糕。

湯姆瞪著她苦笑。

葛林里先生會在他家拷問他，湯姆想，或許就在他們二人獨處時。他知道葛林里先生想私下與他談，因此他提議就在這家餐廳喝咖啡，以免瑪姬建議在家裡喝，瑪姬喜歡他的咖啡機煮出來的咖啡。即使如此，他們回到家後，瑪姬仍陪他們在客廳坐了半小時。瑪姬真是少了根筋，湯姆想。終於湯姆打趣地對她皺眉頭並瞥向樓梯，她明白這項暗示，當下住口並隨即宣布說她要上樓睡午覺。她仍維持一貫的愉快心情，而且她剛才用餐時一直對著葛林里先生說個不停，說得好像狄奇一定不會死，請他千萬、千萬不要如此擔憂，因為這會影響他的消化。彷彿她未來依然有希望成為他的兒媳婦似的，湯姆想。

葛林里先生站起來，雙手放在夾克口袋裡，開始踱步，好似正準備對速記員口述信件的主管。湯姆發覺他未談起這棟房子的豪華，甚至也沒多看它幾眼。

「唉，湯姆。」他一開口便嘆氣。「這是個奇怪的結局，不是嗎？」

「結局？」

「嗯，現在你住在歐洲，而理察——」

「說不準他可能回美國了呢。」湯姆愉快地說。

「不，不可能，美國移民局查得很嚴。」葛林里先生繼續走個不停，沒看他。「你到底認為他人可能在哪裡？」

「嗯，先生，他可能藏匿在義大利——假如他不去住那些需要登記身分的飯店的話，這是輕而易舉之事。」

「義大利有不需要登記的飯店嗎？」

「沒有，明文規定的沒有。但是像狄奇這麼了解義大利的人，或許會鑽漏洞。事實上，假如他在義大利南部賄賂某家小旅舍老闆，叫他不要走漏風聲，那麼就算那個人知道他叫狄奇・葛林里，狄奇也能待在那裡。」

「你認為他現在的情況就是如此嗎？」葛林里先生突然看著他，湯姆發現他一臉可憐兮兮，湯姆與他初見面的那個晚上，他也曾露出這種表情。

「不，我——有這個可能，我只能這麼說。」他停頓一會兒。「說來難過，葛林里先生，可是我認為有可能狄奇已經死了。」

葛林里先生的表情依舊。「原因是你在羅馬時提過的那種沮喪情緒？他到底對你說了些什麼？」

「問題出在他的心情。」湯姆皺著眉頭。「邁爾斯的事情顯然震撼了他。他是那種人——他真的痛恨出任何鋒頭，痛恨任何暴力。」湯姆舔了舔嘴角，他真的很辛苦地在表達他的意見。「他確實說過要是再發生一件事，他會發瘋——或者他不知道該怎麼辦。這也是我第一次覺得他對畫畫失去了興趣。或許只是暫時如此，但之前我一直認為無論發生什麼事，狄奇始終不會放棄繪畫。」

「他真的這麼認真地看重他的繪畫嗎？」

「是的，他是。」湯姆堅決地說。

葛林里先生再度望著天花板，雙手擺在身後。「可惜我們找不到這個狄馬西默，他或許知道一些事情。我知道他和狄奇要一起到西西里島去。」

「我不知道這件事。」湯姆說。葛林里先生從瑪姬那兒聽來的，他知道。

「狄馬西默也失蹤了，如果真有這個人的話。我認為這可能是狄奇為了讓我相信他在畫畫而捏造出來的人物。警方在他們的——他們的識別名單或什麼東西上，也找不到一個名叫狄馬西默的畫家。」

「我從來沒碰過他，」湯姆說。「狄奇提過他好幾次。我從來沒懷疑他的身分——或他的真實性。」他微微笑了笑。

「你剛才說他『要是再發生一件事』的意思是什麼？他還發生了什麼事？」

「呃，當時在羅馬時我不懂，不過我想我現在明白他那時的意思了。警方追問他有關聖雷默沉船的事。他們有告訴您這件事嗎？」

「沒有。」

「他們在聖雷默發現一艘船，被人鑿沉。船好像是狄奇和我在聖雷默出現那天或者前後幾天失蹤的。我們也租了同樣的船去玩，是那種供人租用的小型汽艇。總而言之，船沉了，而且上面有些斑痕，他們認為是血跡。他們剛好在邁爾斯案發生不久後發現這艘沉船，而且他們那段期間也找不到我，因為我在全國四處旅行，所以他們問狄奇我的下落。我想有一陣子狄奇一定認為他們懷疑他謀害了我！」湯姆笑著說。

「天啊！」

「我只知道這點，因為一名巡官幾個禮拜前才在威尼斯向我追問這件事。他說他以前查問過狄奇這件事。奇怪的是我並不知道人家在找我——雖然不是很認真，但一直在找尋我的下落——直到我在威尼斯看了報紙才知道。於是我上這裡的警局去表明身分。」湯姆仍在微笑。他數天前便下定決心要是碰見葛林里先生，他最好向他陳述這所有的一切，無論他聽過聖雷默沉船事件與否。與其讓葛林里先生從警方那裡得知這件事，並獲知他曾有一段時間與狄奇一起待在羅馬、而且這段時間他應該知道警方正在尋找他等等這類消息，倒不如從他這裡得知得好。再說，這和他說過狄奇當時心情沮喪，正好前後呼應。

「我不太明白這到底是怎麼一回事。」葛林里先生說，他一直坐在沙發上仔細聆聽著湯姆說的話。

「如今這一切煙消雲散了，因為狄奇和我都還活著。我為什麼還提起這件事，是因為狄奇知道警方在找我，因為他們向他查問過我的下落。他第一次與警方會談的時候也許不知道我到底在哪裡，但他至少知道我還在義大利。可是我到羅馬與他見了面之後，他也沒告訴警方說他見過我。他不打算合作，他沒那種心情。由於瑪姬在羅馬的飯店及時告訴我說狄奇出門與警方談話，我才知道這件事。他的態度是，讓警方自己找到我，他不打算告訴他們我的下落。」

葛林里先生搖頭，那是種慈祥、帶點微微不耐的搖頭方式，彷彿他很明白這就是狄奇的作風似的。

「我想這就是那個晚上他說『要是再發生一件事』的意思——我到威尼斯警局時，這事讓我有些尷尬。警方大概認為我有些低能，竟然之前都不知道警方在找我，但事實上我是真的一無所悉。」

「嗯—嗯。」葛林里先生冷淡地說。

湯姆起身去拿白蘭地。

「我想我不贊成你說理察自殺的說法。」葛林里先生說。

「嗯，瑪姬也不同意我的看法，我只是說有此可能性！我根本不認為這是最有可能的事。」

「你不認為？那你認為什麼最可能？」

「他藏在某個地方，」湯姆說。「我替您倒一些白蘭地好嗎，先生？我猜這棟房子比美國的寒冷多了。」

「確實是。」葛林里先生接下了酒杯。

「您知道，他也可能待在義大利以外的國家，」湯姆說。「他可以在回那不勒斯之後到希臘或者法國等等地方，因為人們是後來才開始追查他的下落。」

「我知道，我知道。」葛林里先生疲倦地說。

26

湯姆希望瑪姬忘記古董商在丹尼里飯店舉行雞尾酒會的事，但是她沒忘。葛林里先生在四點左右回飯店休息，他一離開，瑪姬隨即提醒湯姆，酒會五點開始。

「你真的要去？」湯姆問。「我連那個人姓什麼也記不得。」

「馬路夫，馬—路—夫。」瑪姬說。「我想去，我們不必待太久。」

這就是了。湯姆最討厭丟人現眼，他們這兩個葛林里案的主角，不過像是馬戲團裡一對惹人注目的特技藝人罷了。他覺得，他也知道，他們不過是馬路夫先生捕獲的一對人名，如今卻突然成了貴賓，顯然馬路夫先生早已告訴今天在場的每一個人，說瑪姬・薛伍德與湯姆・雷普利要來參加他的派對。湯姆覺得，他實在來錯了地方。而且單憑瑪姬說她一點也不擔心狄奇失蹤這件事，便讓人無法原諒她。湯姆甚至認為瑪姬因為貪酒免費，而大口大口喝著馬丁尼，彷彿她在他家喝不夠，或者怕他在他們與葛林里先生共進晚餐時不會多買幾瓶給她似的。

湯姆慢條斯理地喝著手中這杯酒，並盡量與瑪姬隔得老遠。有誰開口問他是否是狄奇・葛林里的朋友時，他一律回答「是」，但提及他和瑪姬的關係時，他只說稍微認識瑪姬。

「薛伍德小姐正在我家做客。」他苦笑道。

「葛林里先生到哪裡去了?您沒帶他來真是可惜。」像隻大象般側身而來的馬路夫先生說，他手裡端了一只裝滿了曼哈頓調酒的香檳酒杯，穿著一件刺眼的英國格子呢套裝。湯姆猜想，這種款式，一定是英國人在心不甘情不願的情況下特意為魯迪・馬路夫這種美國人製造的。

「我想葛林里先生正在休息，」湯姆說。「待會兒我們要和他一塊兒吃晚餐。」

「哦，」馬路夫先生說。「您看了今天的晚報嗎?」他一臉客氣、戒慎。

「看了。」湯姆回答。

馬路夫先生點點頭，不再多言。湯姆不禁懷疑萬一他說他沒看報紙，馬路夫可就要報告一些無關緊要的事了。晚報說葛林里先生抵達威尼斯，目前正下榻在葛里提飯店。裡面沒提到有一名美國私家偵探將於今天抵達羅馬，也沒說這名偵探要來，湯姆因此懷疑葛林里提起的私家偵探之事是否屬實。這件事就像以往別人隨口一提的事情，或者是他自己憑空想像的恐懼，完全沒有事實根據，若他就此信以為真，說不定數週之後，他會因為自己事前竟然深信不疑而感到羞愧。例如他曾以為瑪姬和狄奇在蒙吉貝羅發生關係，或者差一點發生關係;他也曾害怕如果繼續扮演狄奇・葛林里的角色，那麼二月份爆發的假簽名事件將拆穿他的身分並毀了他。到頭來其實是他白擔心了一場。事實上，假簽名事件引起的恐慌已經消失。最新消息是:美國十位專家中有七位表示支票簽名不是假的。假如他不讓他憑空想像的恐懼戰勝自己，他就可以再簽一張美國銀行寄來的匯款，並且永遠維持狄奇・葛林里的身分。湯姆用手托著下巴。他仍然漫不經心地聽馬路夫先生說話，馬路夫正自以為了不起地敘述他當天早上到慕蘭諾與布蘭諾群島探險之事。湯姆托著下巴，皺著眉頭，一邊聽他說，一邊思考自己的命運。關於私家偵探要來的事，在未經證實為不實之前，他應該相信葛林里先生的說詞，但他絕不讓自己為此事瞬間大亂陣腳或現出恐懼。

湯姆心不在焉地隨便答了馬路夫先生一句，馬路夫先生傻笑著轉身就走。湯姆不屑地盯著他寬大的背影，意識到他剛才一直很無禮，相當失禮，而且他應該集中精神才對，因為即使對這一票二流的古董商與收購小玩意兒及菸灰缸的買家——湯姆曾在置衣間看見他們的樣品散放在床上——彬彬有禮，也算是紳士的條件之一。但是他們簡直和他在紐約告別的那些人太像了，他想，這也正是他們讓他煩得想逃跑的原因。

畢竟，瑪姬是他待在這裡的理由，唯一的理由，一切都怪她。湯姆喝了口馬丁尼，望著天花板，心想不出數個月，假如他有機會再和這類人士扯在一起，屆時他的精力、耐力都將足以忍受這種人。自從離開紐約之後，至少他的脾氣改善了些，今後他還要再變得更好。他盯著天花板，想到了希臘之行，從威尼斯出發，沿亞得里亞海進入愛奧尼亞海，再到達克里特島。這是他今年夏天的計畫，在六月。六月，多麼甜美輕柔的文字啊，晴空萬里，慵慵懶懶，陽光普照！然而，他的幻想只持續了幾秒鐘。那群美國佬吵雜、刺耳的聲音再次強行傳入他耳中，隨後如利爪般緊抓著他的肩膀與背部神經。他不自覺地移動身軀，走向瑪姬。房間內只有另外兩個女人，是一對可怕商人的恐怖妻子，而瑪姬，他不得不承認，長得比她們好看，但是她的聲音可糟透了，簡直和她們一樣糟。

他本來想開口說他們要告退，但是，由男人提議離開，實在是不可思議，所以他一言未發，只是微笑著加入瑪姬一群人。有人替他又斟滿了酒。瑪姬正談到蒙吉貝羅，並提起她寫的書，聽得三個灰髮黑臉的禿子一副拜倒在她石榴裙下的模樣。

幾分鐘後瑪姬自己提議告退，兩人千辛萬苦地擺脫馬路夫及其子弟兵，這群醉意更濃的傢伙堅持大伙兒一起共進晚餐，順便也邀請葛林里先生。

「那正是來威尼斯的目的——好好享受一番哪！」馬路夫先生滿口胡言亂語，並趁機伸出手臂搭在瑪姬的肩上，一邊設法要她留下來，一邊捏了她一把。湯姆心想還好他還沒吃飯，否則他一定當場吐出來。「葛林里先生的電話幾號啊？我們撥電話給他吧！」馬路夫先生東倒西歪地走向電話機。

「我想我們最好離開這裡！」湯姆冷冷地在瑪姬的耳邊說，隨後用力抓著她的手肘，拉著她朝門口一路點頭微笑向眾人道別。

「什麼事啊？」兩人走到走廊時瑪姬開口問。

「沒事，我只是認為派對場面失控了。」湯姆笑著說，努力想淡化這件事。瑪姬有幾分醉意，但仍可看出他有些異樣。他正在冒汗。前額沁出了汗珠，他隨手抹去。「我真受不了那些人，」他說，「談狄奇談個不停，我們根本不認識他們，而且我也不想認識，他們令我不舒服。」

「怪了，沒半個人對我提起狄奇的事情，連他的名字也沒提。我認為這次派對比昨天在彼德家的好太多了。」

湯姆抬頭挺胸地走著，不再答腔。他輕視的是這些人的層次，他何必對與他們同一層次的瑪姬說明呢？

他們撥了電話到飯店給葛林里先生。離晚餐時間還早，所以他們在葛里提附近找了一家咖啡館先喝餐前酒。用餐期間，湯姆為了彌補他在派對上情緒爆發的失常舉動，一直表現得愉快而且健談。葛林里先生心情很好，因為他不久前撥電話給他的妻子，得知她精神非常好而且感覺好多了。葛林里先生說，她的醫生十天前開始試用一套新的注射藥方，效果似乎比過去使用的任一種藥物還好。

這頓晚餐的氣氛並不熱絡。湯姆說了個普通的笑話，瑪姬聽了哈哈大笑。葛林里先生堅持付帳，隨後說他因為人不大舒服，要回飯店休息。從他謹慎地點了盤通心粉且沒吃沙拉的情況看來，湯姆認為他可能是水土不服。他想建議他吃一種每家藥房都買得到的好藥，但葛林里先生不是那種讓人敢對他提出這種建議的人，即使只有他們兩人在場時，他也說不出口。

葛林里先生說他明天要回羅馬，湯姆答應隔天早上九點左右撥電話給他，以得知他決定搭哪一班火車。瑪姬會和葛林里先生一起回羅馬，至於火車班次，她沒有異議。他們走回葛里提。戴著灰色小禮帽、板著一張實業家面孔的葛林里先生，一身麥迪遜大道味兒十足地走進又窄又曲折的巷道後，他們互道晚安。

「我沒能抽空多陪陪您，真是抱歉。」湯姆說。

「我也是，乖孩子，也許改天吧。」葛林里先生拍拍他的肩膀。

湯姆容光煥發地與瑪姬走回家。湯姆想，一切都非常順利。瑪姬一路上喋喋不休，還咯咯笑說她因為胸罩的一條肩帶斷了，所以她必須用一隻手撐著胸罩。湯姆正在想著他今天下午收到的鮑伯・狄蘭西的來信。鮑伯很早以前曾寄來一張明信片，後來便失去音訊，這回是他首次寫信來，鮑伯在信上表示，警方數月前針對一項所得稅詐欺案查問了他家的每一個人。看來，詐欺犯似乎利用鮑伯的地址來接收支票，而且輕而易舉地從信箱口抽走郵差塞進去的信件以取得支票。鮑伯說，警方也查問了郵差，郵差表示記得收信人名叫喬治・麥凱平。鮑伯似乎認為這件事相當有趣，他也描述了家中一些人遭警方查問時的反應。令人百思不解的是，誰拿走了喬治・麥凱平的信件呢？謎底很難揭曉。所得稅詐欺事件一直朦朦朧朧地在他腦中盤旋，因為他早就知道警方總有一天會調查。他很高興事情只發展到這個地步便打住。他無法想像警方如何能將湯姆・雷普利和喬治・麥凱平聯想在一起；況且，正如鮑伯所言，詐欺犯根本沒兌現支票。

他回到家後，坐在客廳中再讀了一遍鮑伯的來信。瑪姬已上樓收拾東西準備上床睡覺。湯姆也很疲倦，但是一想到明天瑪姬和葛林里先生離開後那種自由的愉快滋味，他根本不介意整晚熬夜。他脫了鞋子，將腳蹺到沙發上，並拿了個枕頭靠著，繼續讀鮑伯的信。「警方認為是某個外人幹的，他偶爾過來取走他的信件，因為家裡這些個笨蛋看起來全不像會犯罪的人……」讀到紐約這些人的名字，諸如艾德，及他從紐約出發時想躲在他艙房那個沒大腦的羅蘭，感覺實在奇怪。只是奇怪，根本毫無吸引人之處。他們過的生活可真悲慘啊，終日在紐約晃來晃去，在地下鐵進進出出，站在第三街某家骯髒昏暗的酒館找樂子、看電視，即使偶爾有錢上麥迪遜大道上的酒館或者高級餐廳，這些地方也全都無聊透頂，連威尼斯最差的小飲食店也比它們有趣多了——

滿桌的生菜沙拉，一盤盤棒透了的乳酪，還有親切的服務生帶來世界上最好的葡萄酒！「我真的好羨慕你能住在威尼斯一棟古老的皇宮裡！」鮑伯寫道。「你常常搭貢多拉嗎？義大利女孩正點嗎？你是不是深受文化的薰陶，所以你回來後可能不願與我們任何一人打交道？你到底要在那裡待多久？」

一輩子，湯姆想。或許他再也不回美國。倒不是歐洲的環境讓他流連忘返，而是他獨自一人在這裡與在羅馬度過的那些夜晚，令他產生那種念頭。一個人盡情地看著地圖，或躺在沙發上翻閱旅遊指南的夜晚；對著他和狄奇的衣物發呆，把玩著狄奇的戒指，以及保養他從古馳名店買來的羚羊皮旅行箱的夜晚。他用一種特製的英國皮革將旅行箱擦得閃閃發光，並非旅行箱已舊得需要擦亮，而是為了保養，他向來十分寶貝這只旅行箱。他喜歡擁有收藏，不必大量，而是挑幾樣永遠帶在身邊。有了收藏品，一個男人便有了尊嚴。這種尊嚴並非由外在的炫耀堆砌而成，而是由一種特質與珍惜這種特質的愛組合而成。收藏品讓他擁有存在的實感，也讓他享受自我存在感，就是這麼簡單。這樣不也挺值得的嗎？他是存在的。世界上沒有多少人知道該怎麼過生活，即使他們有錢。享受自我，其實不必花大錢，需要的只是某種程度的篤定。即使和馬克・普萊明傑在一起，他也曾一度朝此目標邁進。他欣賞馬克的收藏，吸引他到馬克家的正是這些收藏品，但是這些東西非他所有，而且光憑週薪四十美元的財力，實在也不可能獲得屬於他自己的任何東西。為了買他想要的東西，即使省吃儉用，仍得賠上他一生中最好的時光。狄奇的錢只不過讓他在追求這項目標的過程中添了一份動力。有了這筆錢，他可以隨心所欲地到希臘觀光、收集伊特魯斯坎陶器（他最近讀了由旅居羅馬的美國人所寫的一本關於陶器的書，有趣得很），或參加並資援藝術團體。例如，他今晚之所以能抱著馬侯*的作品愛讀多晚就讀多晚，全拜這筆錢之賜，因為他明早不必工作。他才剛買了馬侯所著的《藝術心理學》，這套書分成上下兩冊，此刻他正藉著法文字典之助，津津有味地讀著這本書。他想先小睡片刻，再繼續讀個過癮。儘管喝了義式濃縮咖啡，他依然覺得全身舒暢、昏昏欲睡。沙發角落的弧度就像某個人的臂彎，肩膀靠上去非常舒適，甚至連臂彎也比不上沙發舒適。他決定整晚躺在這裡，這個沙發比樓上那個沙發舒服多了。他也許幾分鐘後再上樓去拿毯子。

「湯姆？」

他睜開眼睛。瑪姬正光著腳丫下樓來。湯姆坐了起來。她手上拿著他的棕色皮盒。

「我剛才在這裡發現狄奇的戒指。」她氣喘吁吁地說。

「哦，他給我的，要我保管。」湯姆站了起來。

「什麼時候？」

「在羅馬的時候吧。」他退了一步，踩到他的一隻鞋子並順手拿起鞋子，為的是故作鎮定。

「他要做什麼？他為什麼把戒指給你？」

湯姆想，她剛才一定是在找線來縫她的胸罩肩帶。他為什麼沒把戒指放到其他地方，譬如旅

* 馬侯（André Malraux, 1901-1976），法國著名作家。

行箱的襯裡中呢？「我不大清楚，」湯姆說。「心血來潮吧！你知道他常突發奇想。他說萬一他發生事情，他希望我收下他的戒指。」

瑪姬一臉迷惑。「他去哪裡了？」

「巴勒摩，西西里島。」他雙手握著鞋子，一副準備拿木鞋跟來當武器的樣子。他腦海中迅速閃過下手的方法：用鞋子打她，然後將她拖出前門丟進運河。到時候他會說她是踩滑了青苔石而掉下去的。而她泳技高超，他認為她可以一直飄浮。

瑪姬盯著皮盒。「那麼他是準備自殺了。」

「是的，如果你要那麼想的話，這些戒指……更加強了他自殺的可能性。」

「為什麼你以前什麼也沒提？」

「我想我根本是忘了這些戒指。他給我戒指的當天，我就把戒指收起來以免遺失，而且從此再也沒想到要看它們一眼。」

「他如果不是自殺了，就是改頭換面——對不對？」

「對。」湯姆悲傷、堅決地說道。

「你最好告訴葛林里先生這件事。」

「好的，我會。我會告訴葛林里先生和警方。」

「看來事情要水落石出了。」瑪姬說。

湯姆現在將手中的鞋子當成手套般地扭絞，但仍維持原來的握姿，因為瑪姬正用一種奇怪的表情盯著他。她仍在思考。她是在騙他嗎？如今她知道真相了嗎？

瑪姬熱切地說：「我實在無法想像狄奇竟然不戴戒指。」

湯姆這下得知她並未猜出答案，她的想法差了十萬八千里。

他這才鬆了口氣，全身無力地跌坐在沙發上，假裝忙著穿鞋。「我也是。」他不自覺地贊同道。

「要不是現在太晚了，我一定馬上打電話給葛林里先生。他大概已經上床睡覺了，而且如果我告訴他這件事，他一定整晚睡不著。」

湯姆努力想套上第二隻鞋子，連他的手指也軟綿綿的，一點力氣也沒有。他絞盡腦汁想出一些合理的說詞。「對不起，我沒有早點說出這件事。」他發出低沉的聲音，「只是那些——」

「是的，在這個節骨眼上，葛林里先生還帶個私家偵探來，似乎有點可笑，對吧？」她的聲音震顫。

湯姆看著她，她快哭出來了。湯姆明白，這是她首度願意承認狄奇可能死了，大概真的死了。湯姆緩緩地走向她。「對不起，瑪姬。我沒有早點告訴你戒指的事，真的很對不起。」他伸出手臂抱著她。他情非得已，因為她正靠著他。他嗅到她的香水味，八成是史特拉狄瓦莉。「那也是我確定他已經自殺的原因之一——至少他可能自殺了。」

「是的。」她語調悲慘哀傷地說。

事實上，她並沒哭泣，只是低著頭靠著他。湯姆想，她的樣子就像剛聽到噩耗的人，其實她也確實是聽到噩耗。

「喝一杯白蘭地好嗎？」他溫柔地說。

「不要。」

「來，到沙發那裡坐一下。」他牽著她走向沙發。

她坐了下來，他則走向房間另一角去拿白蘭地。倒了兩杯白蘭地後一轉身，她已不見蹤影，他只看到她的睡袍衣角與一雙赤腳消失在樓梯口。

她想一個人靜一靜，他猜。他本想端白蘭地上樓給她，隨即打消念頭，那大概對她也沒什麼作用。他知道她的感受。他面色凝重地將白蘭地端回酒櫃，原只想倒一杯回酒瓶內，但後來他卻將兩杯都倒回去，隨手再將酒瓶放回酒櫃裡。

他再次跌坐進沙發，伸直一條腿讓腳懸晃在沙發外，累得連脫掉鞋子的力氣也沒有。他突然想起，殺了佛雷迪・邁爾斯，或在聖雷默將狄奇打死後，他也是這麼一身疲憊。他差一點又做了相同的事！他想起方才腦中那個冷酷的念頭：用鞋跟瘋狂地打她，但不至於粗暴地打爛她的皮膚，熄了燈後將她一路從走廊拖出門口，以免別人看見他們。他也記起他迅速瞎編的一套說詞，說她滑了一跤，他以為她一定能游回石階處，所以沒跳下去救她或大聲求助，直到──他甚至想像事後他與葛林里先生會說些什麼話。葛林里先生鐵定震驚，而他自己也一臉震撼，但只是表面而已。其實他的內心和殺死佛雷迪之後一樣冷靜鎮定，因為他的說詞無懈可擊；聖雷默案也是如此。他編的故事之所以好，是因為他強烈地想像過，強烈到連他自己也信以為真。

他聽見自己的聲音說：「……我站在石階上喊她，心想她隨時會走上來，甚至她可能只是在惡作劇……可是我不確定她已經弄傷了自己，不久前她還有說有笑地站在那裡……」他不知不覺開始緊張。這些聲音如留聲機般在他腦中響起，畫面情節活像正在他家客廳上演的一齣短劇，他無法喊停。他可以看見自己與義大利警方及葛林里先生站在通往前廊的大門口，看見並聽見自己熱切地說話，而眾人也相信他的說詞。

與警方對話或者幻想自己殺了瑪姬（他知道他沒殺她），其實並不可怕，但一想到自己曾握著鞋子站在瑪姬面前，冷靜清晰地想像這一切情節，他不禁覺得恐怖。而且他以前兩度殺人這項事實也讓他害怕。那兩次是事實，並非想像。他可以說他不想殺人，但他確實殺了人。他不想成為殺人犯。他發覺偶爾可以徹底忘記自己曾殺過人，但有時候——就像現在——他卻忘不了。他今晚思考財產的意義與他喜歡住在歐洲的原因時，確實曾一度忘記這回事。

他轉身側躺，雙腳擱上了沙發，他正冒著冷汗且抖個不停。他怎麼了？發生了什麼事？他會在明天見到葛林里先生時，衝口說出瑪姬掉進運河、他邊喊救命邊跳進河裡卻找不著她的這些無稽之談嗎？即使當著瑪姬的面，他也會瘋狂地說出這些情節，像個瘋子般地洩漏自己嗎？

他明天必須當面向葛林里先生解釋戒指的來龍去脈，他得重複他對瑪姬說的那一番說詞，他一定得詳細敘述以增加可信度。他開始構想故事內容，他的思緒平穩，他正想像羅馬一家飯店的房間內，狄奇與他站在那裡聊天，狄奇取下他的兩只戒指交給他，狄奇說：「你最好別對任何人提起這件事……」

27

隔天早上八點半，瑪姬撥電話給葛林里先生，詢問他們何時可以過去他的飯店，她事前已對湯姆提過這件事。但葛林里先生一定聽得出來她有些苦惱。湯姆聽見她開始敘述戒指的事情。瑪姬一五一十地重複湯姆的說法——顯然瑪姬相信他——但是湯姆無法斷定葛林里先生的反應。他擔心這件小事可能正是造成整件事曝光的導火線，可能今早他們去見葛林里先生時，他周圍已有一群警察準備逮捕湯姆．雷普利。本來葛林里先生聽到戒指的事時，湯姆不在場是件好事，但這下可不見得好了。

「他說什麼？」瑪姬掛了電話後，湯姆問。

瑪姬疲倦地坐在湯姆斜對面的椅子上。「他似乎和我的看法一樣，這是他親口說的。看來狄奇真的打算自殺。」

但是在他們到達飯店之前，葛林里先生還是有一些時間來思考這個問題，湯姆想。

「我們要幾點到？」湯姆問。

「我跟他說九點半或更早。我們喝了咖啡後盡快過去，咖啡正在煮。」瑪姬起身走進廚房。她已換好衣服，她穿的是她第一天到這裡時穿的那一套旅遊便裝。

湯姆猶豫不決地坐在沙發邊緣上，並鬆開他的領帶。他昨夜和衣睡在沙發上，幾分鐘前瑪姬下樓來才叫醒他。究竟自己如何能整晚睡在這個寒冷的房間，他一點也不知道。他覺得很糗，瑪姬發現他睡在那兒也很驚訝。他的脖子、背與右肩都僵了，他覺得難受，倏地一聲站起來。「我要上樓梳洗一番。」他對著瑪姬大喊。

他望了一眼他樓上的房間，看見瑪姬已經整理好旅行箱擺在地板中央，上了鎖。湯姆希望她和葛林里先生依然照原定計畫搭早上的火車離開。他們大概會這麼做，因為葛林里先生今天應該在羅馬和美國私家偵探碰面。

湯姆在瑪姬隔壁的房間脫了衣服，然後走進浴室打開蓮蓬頭。看了鏡中的自己一眼後，他決定先刮鬍子，於是他走回房間拿電鬍刀，電鬍刀本來放在浴室，瑪姬來了之後他便將它擺到別處，沒有特別的理由。走回浴室途中他聽見電話聲，瑪姬接了。湯姆靠著螺旋梯，聽她說話。

「哦，好啊。」她說。「哦，沒關係，如果我們不……好，我會轉告他……好的，我們會快一點。湯姆正在梳洗……哦，不到一小時。再見。」

他聽見她正走向樓梯，於是他往後退，因為他一絲不掛。

「湯姆？」她大喊。「美國來的偵探剛剛到了！他剛才撥電話給葛林里先生，說他要從機場直接過來！」

「好！」湯姆大聲回應，然後怒氣沖沖地走回臥房。他關上蓮蓬頭，將電鬍刀插頭插進牆壁上的插座。萬一他正在洗澡呢？瑪姬一定也認定他聽得見而對他大喊。他樂見她離開，而且希望她今早動身。除非她和葛林里先生決定留下來看看偵探如何對付他。湯姆知道偵探來威尼斯主要是來見他，否則他大可在羅馬等葛林里先生。湯姆不知道瑪姬是否也看出這點，八成沒有，那可需要一點推理能力。

湯姆穿上一套樸素的西裝，並結了一條樸素的領帶，下樓和瑪姬一起喝咖啡。他沖了一個熱呼呼的澡，覺得舒服多了。喝咖啡期間，瑪姬只提起戒指對葛林里先生及私家偵探應該有重大提示，她說偵探應該也會認為狄奇可能已自殺身亡。湯姆希望她所言正確。一切全看這名偵探是何等人物，一切全仗他給這名偵探的第一印象。

這天又是個陰霾、濕冷的日子，九點時並未下雨，但之前已下過，大概中午左右還會再下一場。湯姆和瑪姬從教堂石階處搭貢多拉到聖馬可廣場，再從那裡走到葛里提飯店。他們撥了電話上葛林里先生的房間。葛林里先生說麥凱隆先生也在，並請他們上來。

葛林里先生開門迎接他們。「早安。」他說，他慈祥地捏了捏瑪姬的手臂。「湯姆——」

湯姆尾隨瑪姬進門。私家偵探站在窗前，是個年約三十五的胖矮子。他的臉孔看來和善卻也精明。還算聰明，但只能算平庸，這是湯姆對他的第一印象。

「這位是艾文・麥凱隆。」葛林里先生說。「這是薛伍德小姐與湯姆・雷普利先生。」

他們異口同聲說：「您好。」

湯姆發現床上有一個全新的公事包，周圍散放了一些文件與照片。麥凱隆正打量著他。

「您是理察的朋友吧？」他問。

「我們兩個都是。」湯姆說。

葛林里先生打岔請他們坐下來談。這是個寬敞、陳設豪華的房間，窗戶正對著運河。湯姆在一張套了紅色椅套、沒有扶手的椅子上坐下來，麥凱隆則坐在床上，看著他的一疊文件。其中有一些是影印文件，湯姆發現那些看起來像是狄奇的支票影本。還有狄奇的一些生活照。

「你們有把戒指帶在身上嗎？」麥凱隆先看著湯姆再望向瑪姬說。

「有。」瑪姬起身嚴肅地說。她從手提袋中拿出戒指交給麥凱隆。

麥凱隆將戒指放在手心上給葛林里先生看。「這些是他的戒指嗎？」他問，葛林里先生只看了一眼便點頭，而瑪姬臉上則呈現一股略微不服輸的表情，彷彿想要開口說：「我和葛林里先生一樣認得他的戒指，或許我更清楚。」麥凱隆轉身面對湯姆。「他什麼時候給你這些戒指的？」

「在羅馬的時候給的。我記得大概是二月三號左右，佛雷迪・邁爾斯謀殺案發生後幾天。」湯姆回答。

偵探用一雙好奇、溫和的棕色眼睛審視湯姆。他眉毛一挑，肥厚的額頭便出現幾道皺紋。他有一頭鬈曲的棕髮，耳朵兩邊剪得很短，額頭上一撮頭髮捲得老高，相當可愛的男大學生式髮型。從這張臉上看不出什麼，湯姆想，這是張經過訓練的面孔。「他給你戒指時說了些什麼？」

「他說如果他發生什麼事，他希望我能留下這些戒指。我問他認為他會發生什麼事。他說不知道，但是可能會發生事情。」湯姆從容不迫地停頓。「他那時看起來並不比其他時候來得沮喪，所以我沒想到他打算自殺。我只知道他打算離開。」

「上哪兒去？」偵探問。

「到巴勒摩，」湯姆看著瑪姬。「他應該是在你和我在羅馬談話的那天給我的——在英吉特拉飯店，那天或者前一天。你記得日期嗎？」

「二月二號。」瑪姬低聲說。

麥凱隆正在記錄。「還有什麼？」他問湯姆。「那天的什麼時候？他有喝酒嗎？」

「沒有，他不大喝酒。我想是下午一、兩點吧！他說我最好別向任何人提起戒指的事，我當然同意。我將戒指放在一邊，完全忘了它們的存在，之前我也對薛伍德小姐說過——我猜想是因為我潛意識叮嚀自己他不希望我提起有關戒指的事情。」湯姆侃侃而談，偶爾不小心地有些口吃，正像任何人在這種情況下都會口吃，湯姆想。

「你怎麼處理這些戒指？」

「我把它們放在我的一個舊盒子裡——只是一個我放舊鈕子的小盒子。」

麥凱隆不發一言地注視著他一會兒，湯姆嚴陣以待。在這個平靜卻機警的愛爾蘭佬臉上看不出一絲訊息，他既未提出尖銳的問題，也沒明說湯姆說謊。湯姆暗自堅持自己的說法，誓死堅守這些說法。在這陣沉默之中，湯姆幾乎聽得見瑪姬的呼吸聲，而葛林里先生咳了一聲示意他說話。葛林里先生看起來相當冷靜，幾乎感到無趣。湯姆不禁想著，他是否已和麥凱隆以戒指一事為基礎，設好計策來對付他？

「他是那種將戒指借給你、以求暫時轉運的人嗎？他曾經做過類似的事情嗎？」麥凱隆問。

「沒有。」瑪姬搶在湯姆之前說。

湯姆開始感覺輕鬆多了，他看得出來麥凱隆還不知道該如何解釋這件事。麥凱隆等著他解答。「他以前也借過我一些東西。」湯姆說。「他說我偶爾可以穿穿他的夾克及使用他的領帶，但這當然無法與戒指相提並論。」他覺得一定要這麼說，因為瑪姬顯然知道狄奇發現他穿他的衣服這回事。

「我無法想像狄奇不戴戒指，」瑪姬對麥凱隆說。「他去游泳時都會取下綠色的那只戒指，但總是隨後再戴回去。它們就像他的衣物一樣。那也就是我認為他打算自殺或想要改變身分的原因。」

麥凱隆點頭。「你知道有誰與他不合嗎？」

「絕對沒有，」湯姆說。「我也想過這點。」

「你知道他為什麼要喬裝，或者改換成另一種身分嗎？」

湯姆扭動疼痛的脖子小心翼翼地說：「可能……可是這在歐洲不大可能。他得有另一張不同的護照，入境任何國家，他都得有護照，連住進旅館都需要護照。」

「你對我說過他也許不必持有護照。」葛林里先生說。

「沒錯，我指的是義大利的小旅舍。當然，這只是極小的可能性。但是在他失蹤的消息傳遍千里後，我不認為他還能繼續待下去。」湯姆說。「這時候一定有人會出賣他。」

「那，顯然他帶著護照離開，」麥凱隆說。「因為他使用護照入境西西里並且在一家大飯店登記住宿。」

「是的。」湯姆說。

麥凱隆做了一會兒筆記，然後抬頭看著湯姆。「嗯，您的看法如何，雷普利先生？」

湯姆想，麥凱隆尚未罷手。麥凱隆待會兒一定會私下見他。「我恐怕和薛伍德小姐的看法一致，看來他似乎自殺了，而且這好像是他一直以來都有的念頭。我之前也對葛林里先生說過這件事。」

麥凱隆看著葛林里先生，但葛林里先生悶不吭聲，只是一臉期待地看著麥凱隆。湯姆感覺，麥凱隆現在也認為狄奇已死，而且覺得他們讓他大老遠跑來這裡，實在是浪費時間、金錢。

「我只是想再一次確定這些事，」麥凱隆拖著沉重的步伐走向他的文件時說。「人們最後一次見到理察是在二月十五號那天，當天他從巴勒摩搭船到那不勒斯下船。」

「沒錯，」葛林里先生說。「一名船服員記得見過他。」

「但是後來任何飯店都沒有他的蹤影，他也從此失去音訊。」麥凱隆將目光掃向葛林里先生與湯姆。

「是的。」湯姆說。

麥凱隆將目光移向瑪姬。

「是的。」瑪姬說。

「你上次見到他是在什麼時候？薛伍德小姐。」

「十一月二十三號，當時他正要出發到聖雷默去。」瑪姬迅速地說。

「你當時人在蒙基貝羅？」麥凱隆將「吉」讀成「基」，顯示他似乎對義大利文一點概念也沒有，或者至少一句話也不會說。

「是的，」瑪姬說。「我二月時在羅馬差一點見到他，不過最後一次見到他是在蒙吉貝羅。」

瑪姬可真上道！湯姆不禁逐漸對她產生好感——全面性的好感。他今早開始對她有好感，即使她觸怒了他。「他想迴避羅馬的每一個人。」湯姆插嘴說。「所以他剛把戒指給我的時候，我認為他正計畫遠離他認識的每一個人，並到另一個城市居住，暫時消失一陣子。」

「你為什麼這麼想？」

湯姆娓娓道來，提了狄奇之友佛雷迪・邁爾斯謀殺案，以及此案對狄奇的影響。

「您認為理察知道是誰殺了佛雷迪・邁爾斯？」

「不，我可不這麼認為。」

麥凱隆等著瑪姬說出看法。

「我不認為。」瑪姬搖頭說。

「再想想看。」麥凱隆對湯姆說。「你認為那或許可以解釋他的行為？你認為他現在藏身某處是為了逃避警方的偵查？」

湯姆想了一下。「他完全沒對我提過相關的暗示。」

「你認為狄奇在怕些什麼嗎？」

「我想不出有什麼好怕的。」湯姆說。

麥凱隆問湯姆，狄奇與佛雷迪・邁爾斯的熟稔程度，以及他還知道有誰是狄奇與佛雷迪二人的朋友，二人是否有金錢與感情糾紛——「我只知道瑪姬一個人。」湯姆答說，瑪姬立即抗議說她不是佛雷迪的女友，所以他們不可能為她爭風吃醋。麥凱隆接著又問，湯姆是狄奇在歐洲最要好的朋友嗎？

「我稱不上是，」湯姆回答。「我想薛伍德小姐才是吧。狄奇在歐洲的朋友，我幾乎都不認識。」

麥凱隆再度審視湯姆的臉。「您對這些假簽名有什麼看法？」

「是假簽名嗎？我不認為有人能肯定。」

「我不認為是假的。」瑪姬說。

「各家看法似乎不同，」麥凱隆說。「專家不認為他寫給那不勒斯銀行的那封信是假的，這只能表示如果有假簽名的事情，那麼他就是在掩護某個人。假定確實有人偽造他的簽名，你知不知道他可能在掩護誰？」

湯姆遲疑了一會兒，而瑪姬說：「據我對他的了解，我想不出他會掩護別人。他為什麼要這麼做？」

麥凱隆凝視湯姆，但究竟他是在研判他的誠實與否，或者正在思索他們所說的內容，湯姆無從得知。湯姆想，麥凱隆看起來像個典型的美國汽車業務員或任何一種業務員——和顏悅色、人模人樣、智能平庸，見人說人話、見鬼說鬼話。湯姆並未將他放在眼裡，但是，另一方面，低估對手實非明智之舉。湯姆看到麥凱隆柔嫩的小嘴開口說：「雷普利先生，如果你還有一點時間的話，請和我一起到樓下去一下好嗎？」

「沒問題。」湯姆說完立即起身。

「我們去一下而已。」麥凱隆對葛林里先生和瑪姬說。

湯姆在門口回頭看了一下，因為葛林里先生站起來準備開口說話，雖然湯姆沒聽見他說什麼。湯姆突然察覺正在下雨，灰濛濛的細雨拍打著玻璃窗。這像是臨別最後一瞥，模糊匆促——瑪姬的身影在這大房間的那頭縮成一團似的，葛林里先生則像個正在抗議的佝僂老頭兒。但這個舒適的房間才是重點，還有窗外那條綿延至他家——此刻因為下雨而看不見——的運河景致，他可能再也沒有機會看第二眼了。

葛林里先生問：「你——你一會兒就會回來吧？」

「哦，是的。」麥凱隆回答的口氣，冷淡堅決得像個劊子手。

他們走向電梯。他們就是這樣串通好的嗎？湯姆滿腹猜疑。到了大廳後，他一定會被悶聲不響地交到義大利警方手中，然後麥凱隆依約回到房間去。麥凱隆從公事包中拿出了一些文件。湯姆盯著電梯內樓層指示板旁一個裝飾用的垂直緣飾：一個蛋形設計，周圍是四個凸起的圓點，蛋形，圓點，圖案一路重複。想一些理性正常的話題吧，談談葛林里先生如何？湯姆在心裡告訴自己咬緊牙關，但願他別在此時開始冒汗；他還沒開始冒汗，但是他們一到大廳，他可能頓時滿頭大汗。麥凱隆的身高未及湯姆的肩膀高度。電梯停下來時，湯姆轉過來對著他露齒而笑、面目不自然地說：「您是第一次到威尼斯來嗎？」

「是的，」麥凱隆說。他穿越了大廳。「我們進去坐坐好嗎？」他指著咖啡店說，口氣彬彬有禮。

「好。」湯姆愉快地說。咖啡店內人並不多，但是沒有一張桌子能避開鄰桌耳目。麥凱隆會在這麼一個場所冷靜地將證據一項項擺在桌上來指控他嗎？麥凱隆為他拉開椅子，他坐了下來，麥凱隆背牆而坐。

一名侍者走來。「兩位要點什麼？」

「咖啡。」麥凱隆說。

「卡布基諾。」湯姆說。「您是要卡布基諾還是義式濃縮咖啡？」

「哪一種是加了牛奶的？卡布基諾？」

「是的。」

「那麼我要卡布基諾。」

湯姆點了兩杯卡布基諾。

麥凱隆看著他，歪著小嘴笑。湯姆想像著他可能說出的三或四種不同的開場白：「你殺了理察吧？光是戒指就足以證明了，不是嗎？」「談談聖雷默沉船是怎麼回事，雷普利先生，一五一十地說清楚。」或者只是平靜地開門見山說：「二月十五日，理察在……那不勒斯登陸那天，你人在哪裡？好吧，那麼你當時又住在哪裡？例如你一月時住在哪兒，你能證明嗎？」

麥凱隆不言不語，只是低頭看著肥胖的雙手，略帶一絲笑意，彷彿他已無意間輕易解開了這團疑雲，湯姆想，所以他連說也懶得說出來。

鄰桌坐了四名義大利男子，正像瘋子似地高聲大笑，胡言亂語。湯姆很想離他們遠一點。他動也不動地坐著。

湯姆正襟危坐，感覺到自己姿態逐漸僵硬，全然的緊張也轉化成反抗的情緒。他聽見自己以出奇冷靜的聲音問：「您到羅馬時是否抽空和羅維里尼隊長談過話了？」他問這話的同時，才明白他問這個問題有個目的：查明麥凱隆是否知悉聖雷默沉船事件。

「不，我沒有。」麥凱隆說。「我收到留言說葛林里先生今天會在羅馬，我很早就到了羅馬，於是我想我乾脆搭飛機來這裡和他碰頭——也順便與你談談。」麥凱隆低頭看著他的卷宗。「理察是個怎麼樣的人？你認為他的個性怎麼樣？」

麥凱隆打算以這種方式起頭？從他對狄奇的描述中挑出一些小線索？或者他只是想要一些他從狄奇雙親那兒要不到的客觀看法？

「他想成為畫家，」湯姆開口說，「但是他明白自己永遠也當不了一名好畫家。他假裝不在乎，假裝過得十分快樂，假裝過的正是他一直想在歐洲過的生活。」湯姆舔舔嘴唇。「但是我想這種生活開始讓他沮喪。他父親不贊成他的作法，您可能知道這件事。而且狄奇也把他與瑪姬的關係弄得很僵。」

「怎麼說呢？」

「瑪姬愛他，他不愛她，可是他在蒙吉貝羅卻常常和她見面，造成她不斷期待——」湯姆開始覺得情勢轉趨安全穩當，但他假裝自己的表達能力不佳。「他從來沒有正面與我討論過這個問題，他總是對瑪姬評價很高。他很喜歡她，但是每個人都看得出來——瑪姬也是——他永遠也不會娶她。不過瑪姬一直沒放棄。我想這是狄奇離開蒙吉貝羅的主要原因。」

湯姆覺得麥凱隆耐心地聽著並且深表同情。「你說她一直沒放棄是什麼意思？她做了些什麼？」

湯姆等侍者擺好兩杯滿是泡沫的卡布基諾、並在糖碗下塞了帳單後才開口說話。「她不斷寫信給他，想和他見面，同時也很有技巧的，這點我很確定，不在他想一個人靜一靜的這段時間介入他的生活。我在羅馬和他見面時，他將這件事全告訴我了。他說，邁爾斯謀殺案發生之後，他當然沒有心情見瑪姬，而且他怕她聽到他遇上麻煩後，會從蒙吉貝羅趕來羅馬。」

「你為什麼認為邁爾斯謀殺案發生之後，他會焦慮不安？」麥凱隆喝了一口咖啡，不知是太熱或太苦讓他難受得縮了一下，隨即用湯匙攪動咖啡。

湯姆解釋原因說，他們兩人是非常要好的朋友，而且佛雷迪是在離開他家才幾分鐘後被殺的。

「你認為理察可能殺死佛雷迪嗎？」麥凱隆平靜地說。

「不，我不認為。」

「為什麼？」

「因為他沒理由要殺他——至少我找不出什麼理由。」

「人們常說，因為某某不是會殺人的類型，」麥凱隆說。「您認為狄奇是那種會殺人的人嗎？」

湯姆遲疑了一會，迫切地思索符合實情的話。「我從來沒想過這個問題。我不知道什麼樣的人會有殺人傾向。我是有看過他發脾氣——」

「什麼時候？」

湯姆敘述他待在羅馬的那兩天，狄奇正因為警方的查問而生氣且沮喪，同時實際上也搬離其住處以逃避朋友及陌生人的電話。湯姆說，狄奇因為在繪畫上的功力未達其理想而感到頹喪，這件事更加深了他的挫折感。他描述狄奇是個固執、自尊心強的年輕人，敬畏其父親，於是執意違背他父親的心願；對待陌生人和朋友都一樣慷慨的他是個怪人，容易受情緒變換影響——從活躍的社交份子瞬間變得孤僻抑鬱。他最後總結說，狄奇自認不凡，其實他是個非常普通的年輕人。「如果他自殺，」湯姆下結論說，「我想是他體認到自己的某些失敗，深感自身能力不足。與其說他是謀殺犯，我倒認為他比較可能自殺。」

「可是我不敢肯定他沒殺佛雷迪・邁爾斯。你肯定嗎？」

麥凱隆句句實言，這點湯姆可以肯定。麥凱隆現在甚至希望他替狄奇辯護，因為他們是朋友。湯姆覺得恐懼感少了些，但只少了一丁點，就像某種東西正在他體內慢慢地溶化。

「我不敢肯定。」湯姆說，「但我就是不相信他殺了佛雷迪。」

「我也不敢肯定。但如果這是事實，許多謎題便因此有了解答，不是嗎？」

「沒錯，」湯姆說。「一切都將水落石出。」

「嗯，這只是第一個工作天呢，」麥凱隆樂觀地笑笑。「羅馬的報告我都還沒看。我去了羅馬之後，大概會再找你談談。」

湯姆盯著他。看來這件事似乎結束了。「您會說義大利語嗎？」

「不會，說得不好，不過我看得懂。我的法文比較好，但是我想不成問題。」麥凱隆說得好像這事不甚重要似的。

這件事非常重要，湯姆想。他無法想像麥凱隆光靠口譯人員便能從羅維里尼那裡對葛林里案有全盤的了解。麥凱隆也無法四處走動，並向狄奇・葛林里在羅馬的房東太太等人打聽消息。會說義大利語與否，事關重大。「幾個禮拜前羅維里尼來威尼斯和我談過話，」湯姆說。「請替我問候他。」

「我會的。」麥凱隆喝完了咖啡。「據你對狄奇的了解，你認為假如他要隱藏起來的話，可能會躲到哪裡去？」

湯姆身子微微往後坐了些。問題就快結束了，他想。「呃，我知道他最喜歡義大利，我猜他不會去法國，他也喜歡希臘。他說過要到馬約卡走走，西班牙全境都有可能，我猜。」

「這樣啊！」麥凱隆嘆氣說。

「您今天要回羅馬嗎？」

麥凱隆挑了挑眉毛。「我是這麼想，假如我可以在這裡小睡個幾小時的話。我已經兩天沒上床了。」

他倒蠻能撐的，湯姆想。「我想葛林里先生正考慮該搭哪班火車。今天早上有兩班，大概下午還有一班，他打算今天離開。」

「我們今天可以動身。」麥凱隆付了帳。「謝謝你的協助，雷普利先生。我有你的地址與電話，也許我得再和你見一次面。」

他們站了起來。

「介意我上去和瑪姬與葛林里先生道別嗎？」

麥凱隆不介意。他們搭上電梯。湯姆必須抑制自己吹起口哨，他腦中又響起了「爸爸不願意」那首曲調。

他們進門時，湯姆仔細瞧著瑪姬，看她是否對他存有敵意。瑪姬只是看起來有點悲傷，他想，彷彿剛成了寡婦似的。

「我想私下問你一些問題，薛伍德小姐。」麥凱隆說。「假如你不介意的話。」他對葛林里先生說。

「當然不介意，我正好要下去大廳買幾份報紙。」葛林里先生答道。

麥凱隆繼續進行任務。湯姆向瑪姬與葛林里先生道別，以免他們今天前往羅馬而自己沒機會再與他們碰面。他對麥凱隆說：「如果我能幫得上什麼忙，我隨時十分樂意到羅馬去。反正我可能會在這裡待到五月底。」

「在那之前，我們應該查出些眉目了。」麥凱隆以愛爾蘭式的微笑自信地說。

湯姆與葛林里先生一起走到大廳。

「他又問了我一次同樣的問題，」湯姆告訴葛林里先生，「也問了我對狄奇個性的看法。」

「那，你的看法是什麼？」葛林里先生絕望地問。

無論他是自殺或是躲了起來，在葛林里先生的眼中，這兩種行為都不應該，湯姆明白這點。

「我告訴他我真正的想法，」湯姆說，「他可能藏了起來，也可能自殺。」

葛林里先生並未多說一句，只是拍拍湯姆的臂膀。「再見，湯姆。」

「再見，」湯姆說。「請與我保持聯絡。」

他和葛林里先生之間一切順利，他想，他和瑪姬之間也會一切順利。她已接受狄奇自殺這項可能性，他知道她今後也會這麼認為。

湯姆下午待在家裡，期待一通電話進來，希望至少麥凱隆撥通電話來，哪怕不是什麼重要的事。但是他一通電話也沒有。只有住在當地的女伯爵蒂蒂打電話來，邀請他下午去參加雞尾酒會。湯姆接受了邀請。

他為何老認為瑪姬會給他惹來麻煩呢？她從來沒給他添過麻煩。狄奇自殺這種想法已深植她腦中，她一定會用她那貧乏的想像力來認定這項事實。

28

隔天麥凱隆從羅馬撥電話來，希望獲知狄奇在蒙吉貝羅認識了哪些人。麥凱隆顯然只是想知道此事，因為他不慌不忙地問了許久，並對照瑪姬給他的名單。大部分的人名瑪姬都提過了，但湯姆把他們全部細說了一遍，包括那些難記的地址都加以補充完整：吉歐吉歐，少不了的；船艇管理員彼特洛；法斯多的姨媽瑪莉亞，雖然他費勁向麥凱隆說明去她家的路徑，其實他連她姓什麼也不知道；雜貨店老闆阿多；切吉一家；還有那個住在村界上、經常足不出戶的老畫家史蒂文生，湯姆根本沒見過他。湯姆花了數分鐘才講完所有的人名，麥凱隆八成得耗上數天來查問這些人。他提出所有的人，獨漏負責狄奇房屋與船隻出售事宜的卜契先生，如果麥凱隆並未透過瑪姬得知狄奇賣房子之事，這位老兄準會告訴他說，湯姆・雷普利來過蒙吉貝羅處理狄奇的財產。萬一麥凱隆真的知道他已將狄奇的財產處理掉，湯姆認為其實也沒什麼大不了的。至於阿多與史蒂文生，麥凱隆要問什麼就儘管去問好了。

「那不勒斯有認識的人嗎？」麥凱隆問。

「據我所知沒有。」

「羅馬呢？」

「抱歉，我在羅馬從未見過他與任何朋友來往。」

「從沒碰過這個叫——呃——狄馬西默的畫家？」

「沒有。我只看過他一次，」湯姆說，「但從未與他打過照面。」

「他長什麼樣子？」

「嗯，我是在街角看到他的。當時我和狄奇分手後，他正要去見他，所以我和他並未靠得很近。他看起來一百七十五公分高，年約五十，髮色灰黑——我只記得這些。他看起來相當強壯，我記得他穿著一件淺灰色的外套。」

「哼嗯—嗯——好吧。」麥凱隆茫然地說，彷彿他已將所有事項記錄下來。「嗯，我想大概差不多了。非常謝謝你，雷普利先生。」

「哪裡哪裡，祝您好運。」

接下來數天，湯姆都乖乖地待在家裡，假如外界正如火如荼地找尋你下落不明的朋友，任誰也不敢四處亂跑。他婉拒了三、四個派對邀請。由於狄奇的父親聘請一名美國私家偵探來協助辦案，義大利報紙重新開始大肆報導狄奇失蹤的消息。《歐洲報》與《今日週刊》的一些攝影記者來拍他及他家的照片時，他堅決要他們離開，還得拉著一名緊追不捨的年輕人的手肘，將他一路從房間拉到門口。但五天以來什麼大事也沒發生——沒電話，沒信件，甚至羅維里尼隊長也無消無息。湯姆偶爾會假想最糟的情況，尤其是在他一天之中情緒最低落的黃昏時刻，那時最容易胡思亂想。他假想羅維里尼與麥凱隆聯手推判狄奇十一月時便失蹤，假想麥凱隆調查他買這輛車的時間，假想當麥凱隆發現狄奇去聖雷默之後並未回蒙吉貝羅，反倒是湯姆・雷普利回去處理狄奇的財產轉售事宜時，便會察覺其中蹊蹺。他想到葛林里先生離開威尼斯那天早上那種疲憊冷漠的道別方式，反覆思索它所代表的意義，他認為那代表不友善，並假想葛林里先生因尋找狄奇的工作毫無進展而勃然大怒，要求徹底調查湯姆・雷普利這個他自掏腰包請來說服他兒子回家的無賴。

但每到早上，湯姆又變得樂觀積極。好的一面是，瑪姬毫不懷疑地相信狄奇那幾個月都悶悶不樂地待在羅馬，而且她一定保存了他所有的信件，她可能會將這些信全都拿給麥凱隆看。那些信件也棒透了，湯姆慶幸自己花了這麼多的心思寫這些信。與其說瑪姬是個累贅，倒不如說她是項挺有價值的資產。她發現戒指的那天晚上，他沒抓起鞋子將她打死，實在是太好了。

每天早晨，他從臥室窗口看著朝陽從冬霧裡東升，看著它努力地升上這平和城市的上空，最後突破雲層，帶來午前數小時的陽光。每一天寧靜的開始，都像是未來平安的保障。氣候逐漸轉暖了，晴天多過雨天，春天將至，而他將在其中一個早晨，一個天氣更晴朗的早晨，出門搭船去希臘。

葛林里先生與麥凱隆離開後的第六天晚上，湯姆撥電話到羅馬給葛林里先生。葛林里先生沒有進一步的消息，但湯姆本來也沒期待任何新消息。瑪姬回美國去了。只要葛林里先生仍留在義大利，湯姆想，報紙每天都會報導狄奇的消息。但關於葛林里案，報紙再也挖不出聳動的新聞來大肆渲染了。

「夫人好嗎？」湯姆問。

「還好，不過我想焦慮讓她疲憊不堪，我昨天晚上又和她通了一次電話。」

「太糟了。」湯姆說。他想，他應該體貼地寫一封信給她，在葛林里先生遠行而留下她一人的這段期間，親切地問候問候她。他希望自己之前能想到這點。

葛林里先生說他這個週末要離開，先在巴黎停留，法國警方也正在進行搜查工作。麥凱隆和他一起走，如果在巴黎沒什麼事，二人便返回美國。「不論我或是任何人都看得出來，」葛林里先生說，「他不是死了就是有意躲藏。全球沒有一處不發布搜尋他的消息。或許俄羅斯沒有，老天，他沒表示過想去那個地方吧？」

「俄羅斯？沒有，據我所知沒有。」

顯然葛林里先生認為狄奇若非已死，就是浪跡天涯。在這通電話中，他似乎認定狄奇正在浪跡天涯。

湯姆同一天晚上到彼德・史密斯－金斯利家去。彼德手中有幾份他朋友寄來給他的英文報紙，其中有一份刊登了湯姆將《今日週刊》攝影記者推出家門的照片。湯姆在義大利報紙上也看過這張照片。他在威尼斯街頭出現的照片及他家的照片也傳回了美國，鮑伯與克蕾歐都寄了紐約小報上的照片及報導給他，他們認為這件事實在刺激極了。

「我真是受夠了，」湯姆說。「我只不過是想客客氣氣地提供協助。如果再有任何記者企圖闖進我家，他們一進門我就先給他們一槍。」他真的火大而且感到厭惡，從他的語氣也聽得出來。

「我相當了解，」彼德說。「我五月底要回家。如果你願意到我愛爾蘭的家住住，我十分歡迎。那裡安靜得不得了，這點我可以保證。」

湯姆看了他一眼。彼德提過他在愛爾蘭的古堡，也拿照片給他看過。他與狄奇的關係，像場惡夢、像個蒼白的惡鬼般閃過他心頭。他和彼德可能發生同樣的事情。彼德是個正直、信任別人、天真又慷慨大方的好人——只差自己長得不大像彼德。但是有天晚上，他為了逗彼德開心，裝了一口英國口音，並模仿彼德的一舉一動以及他說話時會突然頭歪一邊的動作，彼德覺得十分滑稽有趣。如今湯姆想想，他當時不該那麼做。那天晚上他甚至曾一度想到，發生在狄奇身上的事也可能在彼德身上發生，這著實讓他相當慚愧。

「謝謝，」湯姆說。「我最好再獨處一陣子。我想念我的朋友狄奇，你知道，我非常想念他。」他突然淚水盈眶。他清楚記得兩人開始談得來的第一天，他向狄奇承認他是他父親派來的之後，狄奇那關懷的笑容；他記得他們第一次結伴遊羅馬的瘋狂之旅；他甚至也甜甜地記得在坎城卡東酒吧的那半小時，當時的狄奇無趣沉默，但是狄奇畢竟有感到無趣的理由：是他硬拖著狄奇來的，而狄奇根本不喜歡蔚藍海岸。如果他一人去觀光，湯姆想，如果他不這麼匆忙、貪心，如果他沒如此愚蠢地錯判狄奇與瑪姬的關係，或者他只是靜靜等待他們釐清彼此的關係，那麼這一切都不會發生，而他也可以餘生都與狄奇住在一起，四處旅遊，享受一生。倘若他那天沒偷穿狄奇的衣服——

「我了解，湯米，我真的了解。」彼德拍拍他的肩膀說。

湯姆淚眼朦朧地看著他。他正想像與狄奇搭郵輪回美國過聖誕節，想像自己是狄奇的兄弟般與其雙親和睦親愛。「謝謝，」湯姆說。突然像個孩子似地嚎啕大哭。

「如果你沒有慟哭成這樣，我還真以為你有什麼困難呢。」彼德同情地說。

29

親愛的葛林里先生：

今天整理旅行箱時，我發現了理察在羅馬時給我的一個信封。不知怎地，我現在才想起來有這麼個信封。信封上寫著「六月再拆開」，如今正是六月。信封內裝著理察的遺囑，他將他的所得與財產都留給我，我很訝異，我想您大概也是，但是從遺囑的文句（打字而成的）看來，他當時似乎是清醒的。

不記得有這個信封，我實在非常抱歉，因為它可以早點證明狄奇打算結束自己的生命。我將它放在旅行箱的袋子裡，然後我就忘了。他是我們最後一次在羅馬碰面時，交給我這個信封的，當時他很沮喪。我考慮了一下，決定隨信附上遺囑影本，以便您能親眼驗看一下。這是我一生中首次看到遺囑，我對一般程序根本不清楚。我應該怎麼做才好呢？

請代我向葛林里夫人致上最誠摯的問候，也請您了解我和您們二位一樣十分難過，並很遺憾不得不寫這封信。請您盡快與我聯絡。我的地址是：「美國運通希臘，雅典」。

湯姆・雷普利　敬上

威尼斯，六月三日　一九——

湯姆想，這封信也可能會替自己惹麻煩。它或許會引起眾人重新調查簽名、遺囑與匯票真偽，這將是一場無止無盡的折磨，連保險公司或信託公司也會展開調查，因為事關他們付錢與否。但那是他期盼的結果。他五月中已買了去希臘的票，日子一天天晴朗，他蠢蠢欲動。他從威尼斯飛雅特車庫取了他的車子，北上開往布雷納到薩爾斯堡與慕尼黑，再一路南下到的港與波札諾，每個地方的天氣都不錯，不過他走在慕尼黑的英國花園時，下了一陣最輕柔、最名副其實的春雨，當時他絲毫不想躲雨，只是一路走著，像個孩子似地想著這是他淋的第一場德國雨而激動不已。他名下只剩從狄奇帳戶轉來及狄奇的固定收入共兩千美元，因為他不敢在這短短的三個月之內再提錢。提領狄奇的錢而招致的危險，他可承受不起。在威尼斯歷經數週恐怖多事的日子之後，他感到生活相當無趣，每過一天，似乎更確保他個人的安全，卻也凸顯他生存的枯燥乏味。羅維里尼不再寫信給他；艾文・麥凱隆回美國（臨走前只從羅馬撥給他一通不重要的電話），湯姆猜測他和葛林里先生皆認定狄奇若非亡故就是避不見面，再進一步搜尋也是枉然；報紙因為找不到新聞點而不再報導狄奇的消息。湯姆感到空虛失落，這種感覺快將他逼瘋了，終於他開車到慕尼黑旅行。回到威尼斯為希臘之行整裝並關緊門戶時，感覺更惡劣：他即將以害羞溫順之無名小卒湯姆・雷普利的身分光臨希臘那些古老偉大的島嶼，而帳戶裡不過區區兩千美元，因此他連買一本《希臘藝術史》都得再三思考。真令人難以忍受。

他在威尼斯下定決心要讓這趟希臘之旅成為英勇之旅。他要以一個有血有肉的勇者之姿——並非一個來自波士頓的卑微小人物——參觀首次映入他眼簾的希臘諸島。假如他一進比里亞斯港就落入警方手中，至少之前他體驗了迎風駐立船首，如傑森與尤里西斯般橫跨酒紅色海面返回希臘的感覺。因此他寫信給葛林里先生，並在從威尼斯出發的前三天寄出這封信。葛林里先生大概四、五天後才會收到，所以葛林里先生來不及拍電報將他留在威尼斯而耽誤船期。而且，從任何觀點來看，泰然處理這件事是比較好的作法，在他抵達希臘之前無法聯絡上他，彷彿他一點也不關心是否能獲得狄奇的遺產，即使狄奇的遺囑事宜也無法延緩他計畫好的小小旅行。

出發前兩天，他到蒂蒂・拉塔・卡西亞格拉家去喝茶，蒂蒂是他開始在威尼斯找房子那天碰見的女伯爵。女傭領他到客廳，蒂蒂開口便說出他許久不曾聽到的事情：「哦，嗨，湯瑪索！你看了今天下午的報紙沒?他們發現了狄奇的旅行箱，還有他的畫！就在威尼斯的美國運通辦事處！」她的金耳環隨著她的興奮抖動著。

「什麼?」湯姆沒看報紙，他下午一直忙著整理行李。

「你看，這裡！他所有的衣物在二月時才剛寄放的！是從那不勒斯寄來的。也許他現在人在威尼斯呢！」

湯姆讀著報紙。報上說，捆著油畫的線鬆脫了，一名辦事員重新捆綁油畫時發現油畫上理察・葛林里的簽名。湯姆的雙手開始顫抖，因此不得不抓緊報緣方能拿穩它。報上說警方目前正仔細在每件物品上蒐取指紋。

「說不定他還活著！」蒂蒂大喊。

「我不認為──我不明白憑什麼就這樣證明他還活著。他可能在寄放旅行箱之後遭人謀害或自殺。而且它是寄在——范蕭名下——」他感覺直挺挺坐在沙發上盯著他的女伯爵對他的侷促不安吃了一驚，於是他突然集中精神、一股作氣地說：「你知道嗎？他們正在物品上蒐取指紋。如果他們確定是狄奇本人親自寄放這些旅行箱，那他們就不會採取這項行動了。既然他日後還要再取回這些旅行箱，又何必以范蕭之名來寄放呢？連他的護照也在，他把護照也放進去了。」

「也許他化名范蕭躲了起來！哦，天啊，你需要喝些茶！」蒂蒂站起來。「吉絲蒂娜！請端茶來，馬上端來！」

湯姆癱坐在沙發上，手中還拿著報紙。捆綁狄奇屍體的繩結會不會出問題？萬一繩結正好在此時鬆脫，他不就完蛋了嗎？

「哦，冷靜點，你太悲觀了。」蒂蒂拍拍他的膝頭說。「這是好消息啊！萬一指紋全是他的，屆時你不覺得開心嗎？想想看，明天你走在威尼斯的某條小街上時，或許就會與狄奇．葛林里，也就是范蕭先生迎面相遇！」她發出如呼吸般自然的尖銳、愉快的笑聲。

「報上說旅行箱裡一應俱全——刮鬍刀組、牙刷、鞋子、外套，裝備完整。」湯姆說，並以憂鬱的表情來掩飾其畏懼。「他不可能人活著卻留下那些東西。謀殺他的凶手一定是將他剝個精光後將他的衣服寄放在那裡，因為這是最簡單的脫手方式。」

蒂蒂聽了這點也不得不停頓一下。然後她說：「你先看看指紋是誰的。不要這麼沮喪好嗎？你明天可是要快快樂樂地出門旅行呢。茶來了！」

後天才對，湯姆想，時間多得足以讓羅維里尼採取他的指紋，並對照油畫上與旅行箱內的指紋。他試著回想畫框與旅行箱內的物品上什麼地方容易印上指紋。除了刮鬍刀組裡的用具外，容易留下指紋的地方並不多，但也足夠讓他們東拼西湊出十枚完整的指紋。他尚存樂觀的唯一理由是：警方尚未取得他的指紋，而他們可能不會要求採取他的指紋，因為他並非嫌犯。但萬一他們已經從某處取得了狄奇的指紋呢？難道葛林里先生不會從美國寄來狄奇的指紋以供比對？他們到處都能取得狄奇的指紋啊，在美國他留下的物品上，在他蒙吉貝羅的住所——

「湯瑪索！喝茶呀！」蒂蒂又在他膝蓋上輕輕壓了一下說。

「謝謝。」

「再看看有什麼後續發展吧，至少這是朝真相邁進了一步，至少能進一步探知到底發生什麼事。假如這件事讓你那麼不開心，那我們就來談點別的吧！除了雅典之外，你還要去哪裡？」

他試著將注意力轉移到希臘。對他而言，希臘是個閃耀著戰盔金彩與璀璨陽光的黃金國度。他看見一座座面孔冷靜剛強的石像，就像埃雷赫修神殿迴廊上的女神像。他不想懷著對指紋事件的恐懼到希臘去，這會貶低他的身分。他會感覺自己和雅典下水道裡奔跑的老鼠一樣低賤，連薩洛尼卡街上向他乞討的臭乞丐也高他一等。湯姆用雙手掩面開始啜泣，希臘結束了，像個金球般爆炸了。

蒂蒂伸出她那堅強、圓胖的臂膀抱著他。「湯瑪索，開心點！現在還不必這麼沮喪呀！」

「我不明白你為什麼不認為這是個惡兆！」湯姆絕望地說。「我真的不明白！」

30

最糟的預兆是，向來親切直爽提供訊息給他的羅維里尼，並未出面提起在威尼斯找到旅行箱與油畫的事。湯姆一天一夜不眠不休地在家裡來來回回處理臨行前各種數不清的瑣事，付工資給安娜與伍伐，付款給各個做過交易的商家。湯姆預期警方不論白天或夜晚，隨時可能來敲他的大門。五天前那種沉穩的自信與目前這種憂慮的落差，幾乎扯裂他的身心，他睡不著、吃不下、也坐不住。安娜與伍戈那令人啼笑皆非的同情，以及朋友撥電話來詢問他對旅行箱出現的看法，在在讓他難以忍受。更諷刺的是，他讓他們知道他懊惱、悲觀、絕望，他們卻認為沒什麼大不了。他們認為這非常合乎人之常情，因為畢竟狄奇可能已遭人謀殺；每個人都認為，狄奇所有的物品都在威尼斯的旅行箱內，連刮鬍刀組及梳子這種小東西也有，此事顯然非比尋常。

還有遺囑的問題。葛林里先生後天會收到，屆時他們或許會知道指紋不是狄奇的，到時候他們可能會攔截希臘號，然後採取他的指紋。假如他們發現遺囑也是偽造的，他們絕不會放過他，兩樁謀殺案就會像數一二三一樣自然地連續水落石出。

登上希臘號時，湯姆覺得自己像個遊魂。他失眠、滴食未進，一肚子義式濃縮咖啡，只靠痙攣的神經支撐著。他想開口詢問船上是否備有無線電，卻又篤定船上一定有。這是一艘大型的三層式客船，載有四十八名乘客。船服員將行李送進他的艙房之後，他昏沉了五分鐘左右。他記得他壓著自己的一隻手臂俯臥在床上，累得無法變換姿勢，待他醒來時船已開動，不只開動，而且正以一種令人愉快的韻律輕輕地搖擺，告訴人們它的馬力十足，並保證將排除萬難永遠一路順暢地前進。他覺得舒服多了，只不過之前被他壓著的那隻手臂此刻像殘肢似的無力地垂吊在他身旁，他穿越走廊時手臂猛然晃動，因此他不得不用另一隻手緊抓著它讓它定位。他的錶指著十點一刻，外面一片漆黑。

他左手邊有一些陸地，大概是南斯拉夫，還有五、六點微弱的白光，除此之外，只有黑暗的大海與漆黑的天空，黑沉沉的一片，連地平線也失去了蹤影。若非他感覺平穩前進的船並未遭遇任何阻力，而且風也像是來自茫茫天際似地恣意吹著他的前額，他可要以為他們正隔著黑幕航行。甲板上只有他一人，他猜想大家應該都在船艙內吃宵夜。他很高興能有機會獨處，他的手臂又回復生氣了。他抓著船首尖端處，深深吸了口氣，內心升起一股抗拒的勇氣。萬一此刻無線電收訊員正接收到逮捕湯姆‧雷普利的通緝令該怎麼辦？他會像此刻一樣勇敢地站立，還是會從船舷上跳下海——這對他而言是英勇無比的舉動，也是逃跑的方法。嗯，萬一？即使從他所站之處，他都能聽到高處的電訊收發室傳來的微弱嗶—嗶—嗶聲。他並不害怕，就是這樣，他希望自己帶著這樣的感受航向希臘。能毫無畏懼地看著周圍黑沉的海水，就和看見希臘諸島逐漸映入眼簾的感覺一樣美好。在眼前柔軟的六月夜幕中，他可以想見一座座小島、建築物點綴著的雅典山丘，以及雅典衛城。

船上有一名年邁的英國婦人，和女兒一起出來旅遊。女兒四十歲，未出嫁，是個急性子，連在躺椅上享受十五分鐘的陽光也受不了，直嚷著說要「去散步」。她母親，相反的，非常安靜遲緩，她右腿有些殘障且較左腿短一些，因此她右腳穿的鞋子加了高鞋跟，而且她必須手持枴杖才能走——若在紐約碰上這種動作遲緩又維持一貫和藹的人，湯姆鐵定要抓狂，但如今他心血來潮，陪她在躺椅上待了數小時，與她談天，聽她談起她在英國的生活及希臘見聞，她上回到希臘時是一九二六年。他牽著她在甲板上漫步，她靠著他的臂膀並且頻頻為自己給他添麻煩而道歉，而顯然她喜歡有人關心她。她的女兒也因為有人自她手中接管母親而開心不已。

或許卡特萊特夫人年輕時是個凶婆娘，湯姆想，也許她每一個女兒神經失律都該怪她，也許她緊抓著女兒不放，所以她女兒根本無法過正常的生活並結婚生子，或許她應該被踢下船去，而非在甲板上散步，身旁還有人聽她說話數小時。但這有何關係呢？這世界就總是賞罰公平嗎？這世界對他賞罰分明嗎？他認為在逃避兩起謀殺案偵查的過程中，自己一直幸運得超乎常理，而且從假扮狄奇身分開始迄今，他也都非常幸運。他前半生的命運實在不公平，他想，但與狄奇在一起的那段期間及後來的日子總算彌補了從前的不足。可是現在希臘即將發生事情，他感覺到了，而且不可能是好事，他的好運持續得太久了。但是萬一他們發現指紋是他的而且遺囑也是他假造，因而送他坐上電椅——死在電椅上是不是就等於受苦？或者在二十五歲死亡這件事本身是如此悲慘，因此他不得不承認十一月迄今數月來的日子也算值得？當然不是如此。

他唯一的遺憾是他尚未看遍這世界。他想看看澳洲，還有印度；他想看看日本，然後是南美洲。他想，光是欣賞那些國家的藝術，這一生也值得了。他在繪畫方面學習了很多，甚至在模仿狄奇那些平庸作品的過程中也有收穫。在巴黎與羅馬的畫廊裡，他發現自己對繪畫有興趣，不知是他從前不明白這點，或是從前沒對繪畫產生興趣。他不想成為畫家，但是他若有錢，他想，他最大的樂趣一定是收集他喜歡的繪畫作品，並且幫助需要錢的青年天才畫家。

他陪著卡特萊特夫人在甲板上散步，或者聽著她自說自話，談一些不怎麼有趣的話題時，心思常飛得老遠。卡特萊特夫人覺得他很迷人。他們抵達希臘前幾天，她曾數度對他提起，說他讓她旅途非常愉快，兩人並計畫七月二日在克里特島的某家飯店碰面，克里特島是他們旅程中唯一的交會處，卡特萊特夫人搭巴士進行特別遊程。湯姆默默聽從她所有的建議，雖然他從未奢望下了船後還會再遇見她。他推想自己一下船便會被捉上另一艘船，或者一架飛機，折返義大利。並未傳來和他有關的電訊——至少他知道沒有——但是假如傳來任何訊息，他們有必要通知他嗎？船上的報紙是一小頁油印紙，每晚都會出現在餐桌上，報導的全是國際政治新聞，即使葛林里案有任何重大發展，它也不會報導。十天的航程期間，湯姆皆懷著一種末世英雄的無私情懷。他假想各種奇奇怪怪的事情：卡特萊特夫人的女兒落海，他立即跳下海去救她；海水衝進破裂的船艙隔間，他用自己的身體奮力擋住缺口。他感到自己擁有一股不可思議的力量，並且毫不畏懼。

船駛近希臘陸地時，湯姆與卡特萊特夫人站在欄杆旁。她正對湯姆說比里亞斯港的風貌和她上次來時差別很大，湯姆對這些改變根本不感興趣。對他而言，比里亞斯港的存在才最重要，它並非他眼前的幻象，而是座實實在在可以讓他走動的山丘，山丘上還有他碰得著的建築物——假如他有機會走那麼遠的話。

警方正在碼頭上等待。他看見四名警察抱著臂膀站著望向這艘船。湯姆一路扶著卡特萊特夫人下船，輕輕推她跨過跳板盡頭的石檻，然後笑著與她及她女兒道別。他必須在R道等著提領行李，她們則在C道，兩人即將搭特別巴士前往雅典。

帶著卡特萊特夫人吻他臉頰後殘留的餘溫與微微的濕潤，湯姆轉過身去，緩緩走向警方。不必麻煩，他想，他會主動說出他的身分。警察身後有一個大書報攤。他想買份報紙，或許他們會讓他買吧。他走近他們身旁時，警員抱著臂膀回過頭來盯著他。他們穿著黑色制服，戴著警帽。湯姆對他們微微一笑，他們其中一人舉了舉帽子致意並退到一旁，但其他人並未靠上來。此刻湯姆正好夾在兩名警員之間，就在書報攤正前方，警員再次凝視前方，根本沒注意他。

湯姆掃視眼前一排報紙，感覺頭暈目眩。他的手不由自主伸出去拿起一份熟悉的羅馬報紙，是三天前的報紙。他從口袋掏出些里拉，突然想到身上並無希臘幣，但書報商似乎將這裡當成義大利而順手接過里拉，甚至還找了里拉給他。

「這些也要。」湯姆再挑了三份義大利報紙及巴黎《前鋒論壇報》。他瞥了警員一眼，他們並沒看他。接著他走回碼頭上船客專用的行李等候處。他聽見卡特萊特夫人開心地向他打招呼，但他假裝沒聽見。他走到R道上停下腳步，攤開手中最舊一份四天前發行的報紙。

找不到羅伯特·范蕭，葛林里行李的寄放人

報紙的第二版上出現了這麼一道拙劣的標題，湯姆讀著標題下一長串內文，只有第五段引起他的興趣：

警方數天前確定旅行箱及油畫上的指紋，和葛林里棄置在羅馬寓所中的物品上所採得的指紋一模一樣。因此，警方假定是葛林里本人寄放旅行箱與油畫……

湯姆動作笨拙地攤開另一份報紙，報上又是這麼寫著：

……鑑於旅行箱內物品上的指紋與在葛林里先生羅馬寓所採得的指紋吻合，警方斷定葛林里先生本人親自將旅行箱整理好送到威尼斯，警方猜測他也許已自殺，或許全身赤裸投水自盡而亡。另一項猜測是他目前正化名羅伯特・范蕭或其他名字藏匿某處。還有一項說法是，他在整理行李或被迫整理行李——或許是為了混淆警方的指紋查證工作——之後，遭人謀殺……

無論如何，再繼續搜尋「理察・葛林里」也是徒勞無功，因為，即使他活著，他也沒有他原來「理察・葛林里」的護照……

湯姆感到頭昏眼花，搖搖晃晃。從棚簷下射進來的陽光刺痛了他的眼睛。他無知覺地尾隨腳夫走到海關櫃台前，他一邊往下望著檢查人員快速地檢查他攤開的旅行箱，一邊試圖了解那些新聞的真正涵意。那些新聞表示，根本沒有人懷疑他，那些指紋真的確保了他的無辜。那表示他不必坐牢，不必受死，而且他根本沒有嫌疑，他自由了。只剩下遺囑的問題。

湯姆搭上開往雅典的巴士。曾經和他在船上同桌共餐的一名男子坐在他隔壁，但是他不想與他打招呼，那個人問他話，他一句也答不出來。美國運通雅典辦事處一定有一封關於遺囑的信件，湯姆確定這點。這麼多天過去，葛林里先生早該回信了。也許他收到信之後就立刻請律師處理了這件事，因此在雅典收到的可能只是措詞委婉而負面的律師函，也許接下來就是美國警方通知他前去說明偽造遺囑之事；或許此刻兩封信都在美國運通等著他。遺囑可以毀了這一切。湯姆望向窗外原始乾旱的景致，沒什麼吸引他的。或許希臘警方正在美國運通等候他；或許他看到的那四個人不是警察，只是些軍人。

巴士停了下來。湯姆下車，提著行李招了輛計程車。

「請你開到美國運通好嗎？」他用義大利語對司機說，司機顯然至少聽得懂「美國運通」，毫不猶豫便上路了。湯姆想起他也對羅馬的計程車司機說過同樣一句話。那天他是要到巴勒摩去，那時剛在英吉特拉放瑪姬鴿子的他是多麼有自信啊！

他看見美國運通的招牌時坐正了身子，四下察看周圍是否有警察。或許警方待在辦事處內。他用義大利語要求司機等他，司機似乎也聽懂了這句話，舉了舉帽子示意沒問題。表面上一切都很祥和，就像物體即將爆炸前的那一刻。湯姆在美國運通的大廳東張西望。沒什麼不尋常的。也許他一提起他的姓名——

「請問有湯瑪斯．雷普利的信嗎？」他用英語低聲問。

「黎普利？麻煩您寫一下。」

他寫下了「雷普利」三字。

她轉身過去，從一個小箱子裡取出了一些信件。

什麼事也沒發生。

「三封信。」她笑著用英文說。

一封是葛林里先生寄來的，一封是蒂蒂從威尼斯寄來的，另一封則是克蕾歐所寫，由別處轉遞而來的。他拆開葛林里先生寫來的信。

親愛的湯姆：

我昨天收到你六月三日寫的信。

我和內人並不如你想像的那般驚訝。我們都知道理察非常喜歡你，雖然他從未在信上對我們提過這件事。據你所言，這份遺囑，很不幸的，似乎表示狄奇結束了自己的生命。我們這一方終於接受這項結論。另外一個唯一的可能是：理察改名換姓並自行決定離棄他的家人。

內人和我一致認為，不論理察做了什麼，我們都應該實現他的意願及精神。所以關於遺囑之事，我個人支持你。我已將你寄來的遺囑影本交給我的律師，他們會針對理察的信託基金及財產移轉事宜與你聯繫。

此外，謝謝你在國外給予我的協助。請與我們聯絡。祝福你。

赫伯特・葛林里

六月九日 一九——

這是個玩笑嗎？但他手上的柏克—葛林里公司的信紙又是那麼真實——厚實，表面略微粗糙，而且也印上了信頭——況且，葛林里先生不會開這種玩笑，絕對不可能。湯姆走向等著他的計程車。不是玩笑，是他的了！狄奇的錢與自由！而且自由，和其他東西一樣，似乎結合在一起，結合了他與狄奇的自由。他可以在歐洲有個家，也可以在美國有個家，隨他選擇。他突然想起，賣了蒙吉貝羅房子所得的款項還等著他去領，他想他應該將那些錢寄給葛氏夫婦，因為狄奇寫遺囑前已將房子出售。他笑著，想起了卡特萊特夫人，他到克里特島和她碰頭時一定要送她一大把蘭花，假如克里特島有蘭花的話。

他試著想像到達克里特島的情景——長長的島嶼，四處是乾涸的鋸齒型火山口，他的船進港時引起碼頭一陣小小的騷動，提行李的小男孩巴望著他的行李及小費，他一定會出手大方，對每件事及每個人都很大方。他看見四名不動的人影站在想像的碼頭上，那是正耐心抱著臂膀等著他的克里特島警方的身影。他突然緊張起來，幻覺隨之消失。難道他每靠近一個碼頭都會看見警察在等他嗎？在亞歷山大港？伊斯坦堡？孟買？里約？不必想這麼多。他挺起了胸膛，不必因擔心想像中的警察而破壞了旅行。即使碼頭上真有警察，也不一定表示——

「去哪裡，去哪裡？」計程車司機為了他而努力地迸出義大利語。

「請到飯店去，」湯姆說。「最好的飯店，最好的！最好的！」

國家圖書館預行編目資料

天才雷普利／派翠西亞・海史密斯（Patricia Highsmith）著；傅玉安譯. -- 初版. -- 臺北市：遠流，2010.07
面；　公分. --（文學館；E0231）
譯自：The Talented Mr. Ripley
ISBN 978-957-32-4578-0（平裝）

874.57　　　　99011386

文學館 COSMOS E0231

天才雷普利

作者：派翠西亞・海史密斯（Patricia Highsmith）
譯者：傅玉安
策劃：詹宏志
出版三部總監：吳家恆
執行主編：曾淑正
美術設計：Zero

發行人：王榮文
出版發行：遠流出版事業股份有限公司
地址：台北市南昌路二段81號6樓
電話：（02）23926899　傳真：（02）23926658
郵撥：0189456-1

著作權顧問：蕭雄淋律師
法律顧問：董安丹律師

2010年7月1日　初版一刷
2010年7月16日　初版二刷
行政院新聞局局版臺業字第1295號
售價：新台幣320元

ISBN 978-957-32-4578-0
【原謀殺專門店《聰明的瑞普利先生》，2006年出版】

YLib 遠流博識網 http://www.ylib.com E-mail: ylib@ylib.com

The Talented Mr. Ripley by Patricia Highsmith
First published in 1955